MEPKIN
ABBEY

D1248329

SUR LA DIALECTIQUE

CENTRE D'ETUDES
ET DE RECHERCHES MARXISTES

SUR LA DIALECTIQUE

E. BALIBAR - G. BESSE - J.-P. COTTEN
P. JAEGLE - G. LABICA - J. TEXIER

EDITIONS SOCIALES

146, rue du Faubourg-Poissonnière, 75010 Paris
Service de vente : 24, rue Racine, 75006 Paris

ISBN 2-209-05262-9/4672.10.77.5000

AVANT-PROPOS

Guy BESSE

Ce volume rassemble le texte des conférences publiques sur la dialectique données à Paris, en 1975 (du 11 mars au 6 mai), dans le cadre du C.E.R.M. Le thème de chacune de ces conférences fut choisi et traité par l'auteur ; chacune est à considérer comme contribution originale à une recherche sur les problèmes de la dialectique, recherche engagée au C.E.R.M. depuis plusieurs années et qui se poursuit sous des formes diverses.

Le colloque d'Orsay sur *Lénine et la pratique scientifique* (4-5 décembre 1971), qui (préparation et débats) avait été l'œuvre commune d'une centaine de chercheurs et plus, a marqué une importante étape de notre réflexion. Le C.E.R.M. a tenu ensuite un certain nombre de séminaires concernant science et philosophie. Quant à la journée sur *Langevin et le matérialisme* (novembre 1973), aux deux journées consacrées à un riche débat sur le statut de la philosophie (février 1975)[1], elles feront, pour l'essentiel, l'objet d'une publication dans un proche avenir, avec d'autres textes élaborés depuis.

L'importance des problèmes traités dans le présent volume n'est pas à démontrer. Ils concernent, fondamentalement, le statut de la dialectique dans le marxisme.

Etudiant, plume à la main, la *Science de la Logique*, les *Leçons d'histoire de la philosophie*, de Hegel, et d'autres ouvrages, Lénine caractérise la dialectique matérialiste comme « science

1. Ces deux journées avaient pour contexte, faut-il le rappeler, la lutte contre la réforme Haby, pour la défense et la rénovation de l'enseignement philosophique en France.

philosophique »[2]. Rapportée à l'ensemble des notes, observations, analyses qui forment ces *Cahiers*, une telle définition n'autorise aucun doute sur la pensée de Lénine. Il y a, pour lui, un champ ouvert à la recherche sur la dialectique dans le développement global du marxisme entendu comme conception cohérente du monde, base théorique du socialisme devenu scientifique[3]. D'où l'intérêt qu'il porte à l'étude des catégories de la pensée rationnelle, dont le mouvement est inséparable à ses yeux des processus objectifs (naturels, sociaux). Sur ce terrain il se veut fidèle à F. Engels qui dans son *Ludwig Feuerbach et la fin de la philosophie classique allemande* (1888) considérait que les lois de la pensée et les lois du réel appartiennent à un même univers, et que la condition première de toute connaissance c'est l'unité de l'homme et du monde. On s'est plu à opposer Marx à Engels. Sur ce point, en tout cas, Marx ne se distingue pas de son ami et coéquipier. Si l'auteur du *Capital* s'est voulu et déclaré matérialiste, c'est d'abord parce qu'il traite la dialectique des formations sociales comme processus objectif, indépendant des illusions que la conscience peut se faire sur la marche réelle de l'histoire, ces illusions ayant elles-mêmes leur source dans le rapport à cette réalité méconnue. Et l'on se souvient que, dans son *Introduction à la Critique de l'économie politique* (1857), Marx démystifiait la démarche hégélienne, qui voit dans le mouvement du concept l'essence du réel[4]. Marx donne au concept un statut matérialiste ; le concept n'est pas l'âme de toute réalité, mais l'arme forgée par les hommes pour s'approprier intellectuellement cette réalité, pour se représenter son mouvement, sa dialectique interne.

Lénine prend le relais de Marx quand il écrit, dans ses *Cahiers philosophiques*, que « la dialectique est l'étude de la contradiction *dans l'essence même des objets*[5] ». « Les phénomènes, poursuit-il, ne sont pas seuls transitoires, mobiles, fluctuants, séparés par des limites seulement conventionnelles, les

2. Lénine : *Cahiers philosophiques*, dans *Œuvres complètes*, t. 38, p. 260.

3. Cf. *Les Trois Sources et les trois parties constitutives du marxisme*, mars 1913.

4. Hegel écrit que « le concept dans son objectivité est la chose même étant-en-soi-et-pour-soi », *Science de la logique*, td. S. Jankélévitch, t. II, p. 268.

5. *Œuvres complètes*, t. 38, p. 239.

essences des choses le sont également. » S'il en est ainsi, seule une pensée dialectique a pouvoir de réfléchir une dialectique objective : c'est pourquoi, dans le célèbre fragment *Sur la question de la dialectique*, Lénine observe que le marxisme dispose d'une « théorie de la connaissance » qui est précisément la « dialectique » [6]. Dialectique *matérialiste* pour les raisons ci-dessus rappelées. (On rapprochera les diverses notations des *Cahiers* sur la nature du processus de connaissance.)

Tout objet étant processus, on comprend que Marx n'ait pu se satisfaire — quelle que soit leur validité à une certaine étape, à un certain niveau du savoir — d'une conception non-dialectique de la connaissance et d'un immuable tableau des catégories philosophiques. Ainsi fut-il conduit dès les années 1840 à considérer que l'essence d'un processus déterminé doit être réfléchie par une dialectique spécifique. Lénine à son tour, fort de son expérience révolutionnaire, affirmera que la vérité est toujours concrète. Le réel à connaître et à maîtriser étant toujours nouveau, comment se laisserait-il enfermer dans des formes fixées une fois pour toutes ?

Enoncer l'universel ne perd pas, pour autant, toute signification. L'exclusion réciproque de l'universel et du particulier est en effet — Lénine le souligne dans ses *Cahiers* — l'un des traits d'une conception non-dialectique de la réalité et du savoir. Le spécifique et le général, l'universel et le particulier sont l'un en l'autre. Affirmer la vanité d'une connaissance et d'une exposition spécifiques de l'universel serait, pour s'épargner les périls du discours spéculatif, ignorer que Marx a renouvelé la définition de l'essence. L'essence est rapport fondamental, processus nécessaire et constituant ; et c'est dans l'intelligence de son développement que se découvre l'universel. L'essence ainsi entendue n'est plus une abstraction vide, envers nominal d'une pleine et singulière existence ; refuser de la concevoir serait s'interdire de comprendre le mouvement même de la particularité. Empirisme et nominalisme renvoient l'un à l'autre.

Mais sans doute l'interrogation sur le statut de la dialectique matérialiste est-elle inséparable d'une recherche sur le statut du philosophique.

---

6. *Œuvres complètes*, p. 346.

D'aucuns pensent aujourd'hui que le développement multilatéral des disciplines scientifiques entraîne *ipso facto* la mort de toute philosophie. Comment expliquer alors que, parmi les travailleurs scientifiques, la « demande » philosophique s'accroisse ! L'expérience du C.E.R.M. durant ces dernières années mérite réflexion : c'est dans leur pratique — recherche, enseignement — que ces travailleurs trouvent leurs raisons de s'avancer sur le terrain philosophique [7].

Mais on ne pourra évaluer le juste rapport entre sciences et philosophie que si l'on ne réduit pas arbitrairement l'espace ouvert au matérialisme philosophique par les maîtres du marxisme. Le matérialisme signifie antériorité de l'être objectif sur l'acte connaissant. Il signifie aussi *unité* de l'un et de l'autre. L'acte connaissant n'a pas le privilège d'instaurer un arrière-monde. Inséparable de l'action des hommes sur l'univers — donc du travail outillé, du développement des instruments de production, de l'histoire des forces productives —, la connaissance est investigation, hypothèse, épreuve ; elle est découverte illimitée des lois de l'univers ; ces lois, l'innovation technique les met en œuvre.

Une telle unité de l'univers et de l'homme est ignorée par une représentation idéaliste des processus de connaissances. Et sans doute est-elle sous-estimée dans la recherche marxiste chaque fois que celle-ci est tentée de réduire le philosophique au gnoséologique — si importante et nécessaire soit la gnoséologie pour une philosophie marxiste.

Comment la recherche marxiste pourrait-elle suivre cette pente sans courir le risque de dévitaliser la dialectique matérialiste *dans la gnoséologie elle-même* ? Si celle-ci est étude des voies et des moyens de la connaissance, comment une recherche marxiste pourrait-elle définir une dialectique du connaître qui s'isolerait du mouvement effectif de l'objet étudié et s'imaginerait indépendante des lois de l'univers naturel et social ?

S'il en est ainsi, le travail philosophique sur les catégories ne saurait être indifférent à toute conception du rapport entre la pensée et l'être. Un matérialiste fondamental lui est active-

---

7. Cf. *Lénine et la pratique scientifique*, colloque du C.E.R.M., 1971, publié aux Editions sociales. En particulier le pré-rapport de L. Sève et plusieurs autres contributions.

ment présent. Dans ces *Cahiers philosophiques,* Lénine traite les catégories comme concepts nodaux du processus connaissant ; et si la connaissance nous donne prise sur le réel, c'est parce que notre intelligence de la « connexion universelle » [8] progresse indéfiniment.

La dialectique du non-savoir au savoir, le chemin que la pensée parcourt de la sensation au concept, du concept à la vérification expérimentale, à la pratique rationnellement fondée seraient impossibles si l'histoire des hommes n'était pas ancrée dans une dialectique des rapports sociaux, et si cette histoire n'était pas celle d'une espèce qui se développe en interaction avec l'univers où elle émerge, un univers-processus, tout processus étant unité contradictoire de forces qui s'opposent.

Pour Lénine, comme pour Marx et pour Engels, la pensée n'est jamais seule avec soi. Même quand son discours s'ouvre et se clôt au ciel des idées, toute philosophie est prise dans le rapport objectif à la nature et à l'histoire des formations sociales.

Si le matérialisme philosophique n'est pas étudié dans toutes ses dimensions, l'histoire de la connaissance et la connaissance elle-même devront payer tribut à l'idéalisme.

8. Cf. ENGELS : « La dialectique comme science de la connexion universelle », *Dialectique de la nature,* Editions sociales, 1971, p. 25.

A NOUVEAU SUR LA CONTRADICTION

Dialectique des luttes de classes et lutte de classes dans la dialectique

Etienne BALIBAR

J'ouvre aujourd'hui, par suite du hasard des disponibilités personnelles, notre cycle de conférences sur la dialectique[1]. Je n'ai pas la prétention pour autant de « fonder » tout ce qui va suivre sur des axiomes inébranlables, dont il ne resterait plus qu'à développer les conséquences. Au contraire, vous le verrez, je me propose de faire voir tout à l'heure l'impossibilité, et même l'absurdité de tels axiomes, d'un point de vue matérialiste. Dans notre cycle, il n'y a pas d'*ordre* à proprement parler, et donc pas de « commencement » (ni de « conclusions »). Ou, plutôt, l'ordre ne peut venir que de votre intervention. Donc l'ordre ne peut venir que de ce que la discussion sur la dialectique a *déjà* bel et bien commencé, et vient d'ailleurs que de notre décision d'en parler aujourd'hui.

Cependant, même et dans ces conditions, je me dois et je vous dois des explications préliminaires, afin que vous sachiez comment il me semble que vous pourriez prendre tous ces discours qui vont suivre.

Si nous pouvons parler ici de la dialectique matérialiste, c'est, disons-le tout de suite, parce qu'elle *existe* d'une façon elle-même matérielle, dans la théorie et dans la pratique du

1. Le texte qui suit est la reprise de la conférence que j'ai faite le 11 mars 1975 au C.E.R.M. ; j'ai cru pouvoir utiliser le délai dont je disposais avant la publication du cycle entier en recueil pour développer quelques points, sur lesquels j'avais dû passer très rapidement ; je m'efforce ainsi de présenter aussi clairement que possible des thèses auxquelles, bien entendu, je n'ai rien changé sur le fond. Je prie le lecteur d'accepter que je m'adresse à lui comme à un auditoire élargi de nos conférences, dont il a maintenant l'ensemble en main (août 1975).

mouvement ouvrier moderne, le mouvement révolutionnaire du prolétariat. Remarquez que ceci ne va nullement de soi, et qu'il ne suffit pas de l'affirmer : on a passé dans l'histoire (de la philosophie) des heures et des siècles à parler de choses *qui n'existent pas*, depuis « l'existence » de Dieu et le sexe des anges jusqu'à leurs modernes substituts plus ou moins prétentieusement « scientifiques ». On peut même dire que, pour la plus grande partie, la philosophie depuis qu'elle est née dans les premières sociétés de classes, en même temps que le droit et l'Etat, a consisté à parler *de choses qui n'existent pas*, ou plutôt qui n'existent pas en dehors de *l'existence qu'elle leur confère* en en parlant, en les enseignant et les discutant. Ce qui ne veut pas dire que ces choses n'avaient aucune nécessité ni aucun rapport avec des problèmes réels, bien au contraire. Et on peut dire que, bien que la dialectique matérialiste *existe*, elle — et vous vous doutez que cela crée pour les philosophes qui veulent en parler, même et surtout lorsqu'ils sont « du métier », une situation très nouvelle, et pas très confortable —, il y a des façons d'en parler qui peuvent quasiment l'anéantir, la traiter comme si elle n'existait pas.

Il ne suffit donc pas de savoir que la dialectique matérialiste existe pour pouvoir en parler en s'appropriant, même partiellement, cette existence réelle. Il faut déjà avoir une première idée de *comment* elle existe.

Cette idée, bien sûr (et c'est aussi pourquoi je disais à l'instant que nous ne sommes déjà plus aujourd'hui au commencement), ne peut venir que d'une expérience, et même d'une expérimentation : l'expérimentation que nous avons faite collectivement, en tant que mouvement organisé (mais rarement unifié) de travailleurs révolutionnaires, des « avantages » et des « inconvénients », des effets justes ou non de telle ou telle « définition », de telle ou telle conception ; disons mieux : de telle ou telle façon d'en pratiquer la définition et la conception.

Ce qui ressort, je crois, de cette expérience historique, et qui confère à l'existence matérielle de la dialectique une modalité d'existence tout à fait paradoxale à première vue, c'est le fait que la dialectique matérialiste n'existe pas comme un *objet* isolable, et donc présentable en soi, même par approximation, ou par abstraction. On n'a pas encore inventé (et on n'inventera pas de sitôt) un *isolant* pour la dialectique ! De la dialectique matérialiste (je dis bien : matérialiste), on pourrait dire négativement que c'est le *non-isolé* et le *non-isolable* de la théorie et de la pratique, la rupture parfois brutale de tous les isolants et isolements. La dialectique matérialiste ne peut être isolée, ni de la théorie des différentes sciences de la nature et de l'histoire (le matérialisme historique), ni de la pratique des différentes pratiques sociales, qui lui confèrent à chaque fois une forme différente, spécifique. Surtout, la dialectique ne peut pas être isolée de sa propre pratique, *de sa propre histoire* qui est liée, de l'intérieur, à l'histoire du marxisme et à l'histoire du mouvement ouvrier, et au cours de laquelle elle a connu de profondes transformations. Donc la dialectique matérialiste ne peut pas être isolée *d'elle-même*, c'est-à-dire de *ses propres contradictions*, qui la réalisent, la font exister, des luttes dont elle est le lieu et l'enjeu [2]. Ces deux aspects sont liés : le non-isolement de la dialectique matérialiste et la réalité ouvertement reconnue de ses contradictions historiques. Pour pouvoir l'isoler fictivement, il faut toujours tenter de *supprimer* les contradictions de la dialectique matérialiste, donc du marxisme, soit par un coup de force, soit en s'efforçant de les « concilier », soit en les ignorant purement et simplement, comme si elles n'étaient que des accidents [3].

Mais revenons-en à la question de tout à l'heure, celle du développement de ces conférences. Que va-t-il se passer ? Vous allez entendre exposer des conceptions, des définitions très diverses de la dialectique matérialiste. En fait, chacun, sous couvert de

2. Voilà qui nous permettra plus tard d'éclairer notre affirmation initiale : l'existence de la dialectique matérialiste, en face de *l'inexistence* spécifique des « objets » de la philosophie idéaliste qui, à leur propre niveau, sont toujours *non-contradictoires*, ou plutôt *ignorent* systématiquement leurs contradictions.

3. Notons-le ici, l'idée d'*isoler* la dialectique — dont certains de nos camarades font un vrai « mot d'ordre » de défense de la philosophie et de leur philosophie — conduit, dans la pratique, à l'idée que les questions philosophiques (marxistes) sont *des questions de « spécialistes »*. A la place de l'idée juste : pour faire sérieusement de la philosophie, il faut l'étudier dans sa rigueur, à partir de son histoire, dans son élément théorique, on glisse alors l'idée réactionnaire : la philosophie est une affaire de spécialistes, qui seraient placés à la fois au-dessus des autres (par leur pouvoir d'abstraction), et au-dessous (car ils doivent s'abstenir, comme tels, de toucher aux questions décisives de la politique pratique). A cet égard, Gramsci, dont nous aurons à reparler, a raison de le répéter : « tous les hommes sont philosophes ».

traiter un « aspect » particulier de la dialectique matérialiste, va exposer plus ou moins en détail une telle conception ou « définition » et va se battre pour elle. Y compris des conceptions qui contrediront ce que je proposerai aujourd'hui, car ce premier exposé ne fait pas exception à la règle.

Comment interpréterez-vous ces divergences ?

Vous ne devez pas les interpréter de façon sceptique, relativiste, mais vous devez les interpréter d'une façon *critique*. Dans ces divergences, vous ne devez pas chercher l'expression de conflits d'opinions subjectives, mais les indices des contradictions mêmes de la dialectique matérialiste : non pas de la dialectique matérialiste en soi, la dialectique matérialiste idéale et toujours encore à venir, mais la dialectique matérialiste qui fait un avec l'histoire réelle du marxisme lui-même et de ses contradictions. Vous devez donc chercher les indices des luttes théoriques, donc des luttes politiques, donc des luttes de classes qui sont constitutives de la dialectique matérialiste et de son histoire. Cette histoire, qui produit ses effets dans le présent (car pour être « du passé », elle n'est nullement « inerte »), n'est certainement pas très édifiante (Dieu merci), mais elle est très instructive. Vous aurez ainsi affaire à *plusieurs voies*, entre lesquelles il faut choisir. Mais si la différence de ces voies peut, à l'occasion, passer *entre* les positions de tel et tel conférencier, il y a toutes les chances pour qu'elle passe aussi et surtout *dans* les positions apparemment cohérentes, conséquentes, de chacun d'entre eux, et il se peut aussi que *toutes* les voies ne soient pas ici effectivement et ouvertement représentées. Ce qui rend plus aléatoire, plus complexe, mais plus nécessaire aussi votre tâche critique, et plus souhaitable de disposer de guides, de critères, même incomplets et problématiques. Car, dans une conjoncture donnée, la nôtre par exemple, toutes les voies ne se valent pas, elles ne sont pas toutes également justes [4].

4. A cet égard, notre situation actuelle en France (plus largement, dans l'Europe capitaliste) qui voit coexister chez les communistes eux-mêmes, de façon souvent confuse ou éclectique, des conceptions divergentes de la dialectique marxiste, présente tout de même un avantage : obliger chacun à la réflexion, à la critique. Comme le disait Lénine, à propos des divergences dans le parti bolchévik : « Celui qui croit les gens sur parole est un imbécile fini dont on ne peut rien espérer », *Œuvres*, Ed. sociales, t. 32, p. 37.

Avons-nous des guides ? Avons-nous des critères ?

I

J'avancerai la thèse suivante : qu'il est impossible de s'orienter dans la dialectique matérialiste (marxiste) sans connaître (donc sans étudier) les particularités de *toute* son histoire. Mais qu'il est impossible de s'orienter dans cette histoire si on ne voit pas que la dialectique matérialiste entretient *un double rapport* à la lutte des classes : à la fois elle a pour *objet* avant tout (pour ne pas dire uniquement) la lutte des classes (je veux dire qu'elle *a eu* jusqu'ici et qu'elle *a* aujourd'hui avant tout cet objet : nous ne faisons pas bouillir les marmites de l'avenir) ; et d'autre part elle est elle-même un produit, mieux : *une forme* particulière de la lutte des classes. Précisément une forme théorique révolutionnaire de la lutte des classes, qui, dans les conditions historiques de sa constitution et de son développement, ne peut être qu'une forme prolétarienne.

Je reviendrai en conclusion sur cette formulation. Mais je crois que, pour commencer à le comprendre, il faut faire un apparent détour. Il faut faire, même trop schématiquement (et donc dogmatiquement), le détour d'un examen de ce qui nous apparaît comme *les grandes « déviations » de la dialectique matérialiste*. Car ces déviations, qui sont peu à peu reconnues comme telles dans l'histoire du marxisme, non sans luttes prolongées dont certaines (les principales) sont toujours actuelles, et qui amènent ainsi à donner de nouvelles « définitions » à la dialectique, ou à *déplacer l'accent* d'une « définition » à une autre, ces déviations ne sont pas « extérieures » à la dialectique matérialiste, elles ne sont pas des « accidents » de parcours survenus dans son histoire et qui ne l'affecteraient pas elle-même de l'intérieur. D'une façon générale, la dialectique matérialiste montre qu'en histoire il y a de l'imprévisible, mais il n'y a *pas d'accidents* (surtout quand ils sont malheureux), et que les « déviations » du cours d'une pratique ou d'une théorie lui sont essentielles, car elles indiquent ses propres contradictions internes et permettent ainsi le progrès, la rectification. Cela vaut aussi pour l'histoire de la dialectique matérialiste elle-même.

Quelle est donc la *contradiction principale* qui est ici en jeu ? Nous le dirons tout à l'heure plus en détail : c'est, sous différentes formes qui ont reçu dans l'histoire du marxisme des dénominations variées, *la contradiction du matérialisme et de l'idéalisme dans la dialectique matérialiste elle-même*. Il n'y a là nul paradoxe. Ce que l'histoire des « déviations » de la dialectique matérialiste nous montre, dès lors que nous la prenons au sérieux, non pour la sanctifier, mais pour en étudier la nécessité historique, c'est finalement ceci, qui peut nous surprendre et nous choquer à première vue, mais seulement si nous nous en tenons à une conception et à une pratique contemplatives, théoricistes, spéculatives de la philosophie : c'est que la dialectique matérialiste (et en cela réside précisément *l'efficacité* de son matérialisme, son caractère seul « conséquent » comme disait Lénine), est en elle-même un combat du matérialisme contre l'idéalisme, une contradiction des deux. Mais non pas une contradiction figée, arrêtée dans le face à face éternel de ses deux termes. Elle est bien plutôt, elle réussit à être au prix de multiples vicissitudes, *la domination* d'un terme sur l'autre, donc la *transformation* tendancielle (et sans *fin* assignable par avance) de l'idéalisme par le matérialisme, voire la transformation de l'idéalisme en matérialisme.

Ce point est certainement décisif, car (et je ne fais ici que paraphraser des textes bien connus de Marx et de Lénine) il s'agit de comprendre qu'*il n'y a pas « deux » dialectiques autonomes*, constituées indépendamment l'une de l'autre dans l'histoire de la philosophie ou l'histoire des idées, et qui entreraient en rapport et en conflit *après-coup*. Mais il n'y a pas davantage *une* dialectique unique, simple et primitive, dont la « scission » en deux figures symétriques, opposées terme à terme, positive et négative, droite et inversée, nous donnerait d'une part la dialectique idéaliste (celle de Hegel, sur qui j'ajouterai un mot tout à l'heure), et d'autre part la dialectique matérialiste (celle de Marx et de Lénine). Au lieu de ces hypothèses proprement métaphysiques sur la dialectique [5], nous avons à prendre au sérieux les leçons d'une certaine histoire réelle, dans laquelle il se manifeste :

5. « Deux » dialectiques indépendantes, ou bien « une » dialectique originelle (qu'on la fasse d'ailleurs commencer chez les Grecs, chez Hegel, ou chez Marx) : ce sont deux conceptions idéalistes de la dialectique, qui réduisent son histoire à une *histoire d'idées*, la lutte idéologique du matérialisme et de l'idéalisme à une pure lutte d'idées. Cf. l'article de P. Macherey, dans la *Pensée*, n° 185, février 1976 : « L'histoire de la philosophie considérée comme lutte de tendances ».

a. Que la « dialectique idéaliste » (par excellence : Hegel) n'est *pas autre chose,* en dernière analyse, que le lieu, la première phase ouverte du procès de *passage* de l'idéalisme au matérialisme comme tendance philosophique *dominante* (y compris de l'idéalisme sous sa forme déjà contradictoire de ce que Marx appelle le « matérialisme métaphysique », « mécanique »).

b. Que la dialectique matérialiste n'est *pas autre chose* qu'une *transformation* révolutionnaire *en acte,* c'est-à-dire *en cours,* de la « dialectique idéaliste », transformation qui se reconnaît elle-même sous les figures, les métaphores plus ou moins suffisantes, mais toutes *relatives,* de son renversement, de son décorticage, de son transport d'un lieu dans un autre (de la philosophie spéculative dans l'histoire des luttes réelles et dans sa connaissance objective), de son « changement de terrain » (donc d'objet) et de pratique.

Ainsi, ce que le marxisme nous apprend en même temps, d'un même mouvement, c'est que la division est *toujours déjà,* et *toujours encore* aujourd'hui donnée dans chacun des termes, dans chacune des figures en lesquelles se divise historiquement la dialectique : ce qui ne signifie pas pour autant l'équivalence ou la réversibilité absolue de ces figures, puisque précisément elles sont prises (et produites) dans un procès de passage, de transition historique révolutionnaire. Ainsi, de même que la dialectique à dominante idéaliste de Hegel était *déjà* intérieurement divisée et donc contradictoire, comme l'ont reconnu successivement Marx (en parlant de la contradiction de la « forme » ou « enveloppe » et du « noyau »), Engels (en parlant de la contradiction de la « méthode » et du système ») et Lénine (qui va le plus loin de tous en affirmant dans les *Cahiers philosophiques* que, chez Hegel, *les mêmes thèses* sont « le plus idéalistes » et « le plus matérialistes »), de même il faut reconnaître et dire que la dialectique à dominante matérialiste des marxistes [6] est *toujours encore* divisée et contradictoire, et que *chacune* de ses thèses et formulations a été prise, est encore prise dans cette division. En sorte que *dans des conditions déterminées,* dans des conjonctures déterminées (j'y insiste : tout tient aux conditions), elle a pu et peut produire

6. Je parle bien entendu, non pas des marxistes idéaux, mais des marxistes réels : Marx, Engels, Kautsky, Plékhanov, Lénine, Boukharine, Gramsci, Karsch, Mao Tsé-Toung, Brecht, etc.

des effets eux-mêmes contradictoires, à *la fois* matérialistes et idéalistes [7].

C'est pourquoi, dans la dialectique matérialiste, il n'y a pas *d'assurance,* pas de *garantie,* sinon dans le procès même de la lutte, du développement, de la critique et de la rectification. Comme dit Marx, « tout ce qui existe mérite de périr ». Et comme diront Lénine et Mao, « chaque aspect peut se transformer en son contraire dans des conditions déterminées ». Dès lors le combat philosophique des marxistes est toujours double : *pour* les formulations existantes de la dialectique, dans la lutte contre les thèses idéalistes, métaphysiques et relativistes qu'elles réfutent, mais aussi *contre* ces formulations, ou certaines d'entre elles, en particulier contre leur fixation en dogmes, en « lois » universelles, en système. Et *n'importe* quelle thèse de la dialectique matérialiste est susceptible aussi, dans certaines conditions, de fonctionner comme un dogme.

Nous pouvons alors revenir à la question des « déviations » de la dialectique matérialiste, en tant qu'indices de sa contradiction, donc de sa tendance et de sa réalité.

Quelles sont ces grandes déviations de la dialectique matérialiste ? et comment les « mesurer » à quelle pierre de touche qui ne soit pas arbitrairement imposée ?

Il me semble que, dans les faits, la pierre de touche qui a fonctionné, et par l'intermédiaire de laquelle a pu jouer dans la théorie elle-même le « critère de la pratique » — donc le critère *interne* à la dialectique —, c'est, non par hasard, le rapport de la dialectique *au matérialisme historique,* c'est-à-dire à l'expli-

---

7. Cette situation ne peut nous entraîner à aucun relativisme ni scepticisme, car les effets contradictoires de telle ou telle thèse philosophique d'Engels, de Lénine ou de Mao ne viennent pas de ce qu'elles recevraient un « sens » différent au gré des interprétations successives. Ils viennent de ce que ces thèses sont d'emblée, dans leur lettre même, impliquées dans le jeu d'un dispositif pratique, dans le jeu même des luttes sur lesquelles elles permettent au prolétariat d'acquérir une certaine prise réelle. Les thèses philosophiques matérialistes ne sont pas « vraies », elles sont, comme le montre Althusser, « justes » (cf. *Philosophie et philosophie spontanée des savants,* Maspero, 1974). C'est dire qu'elles ne transportent pas avec elles, dans une petite valise, leur sens, ou leurs sens, fixé(s) une fois pour toutes. Ce sens est inséparable de l'usage qu'on en fait, c'est-à-dire de la pratique déterminée dans laquelle elles sont produites et investies. Il n'a pas à voir avec une sémantique, mais avec une histoire.

cation scientifique de l'histoire des formations sociales dans le rapport différentiel de leurs conjonctures, ce que Lénine appelait « l'analyse concrète des situations concrètes ». Ce qui peut nous servir, en première approximation, à repérer les « déviations » typiques de la dialectique matérialiste, c'est le statut et la forme de développement qu'elles confèrent au matérialisme historique.

Schématiquement, je dirai d'abord qu'il y a deux grandes déviations, dont chacune comporte elle-même des degrés. Disons pour la clarté que chacune comporte une forme majeure, d'une très grande importance historique, dans laquelle la tension du matérialisme et de l'idéalisme se maintient au grand jour, et où c'est simplement la *dominance* du matérialisme qui est menacée (mais non sa présence active) ; c'est par là même la forme la plus efficace, mais aussi la plus instable, la plus inconfortable, et c'est pour y remédier que *peut* être développée à partir d'elle une deuxième forme, mineure, dans laquelle l'aspect matérialiste tend à disparaître dans l'exacte mesure où la dialectique elle-même s'évanouit (une philosophie, notait Lénine, ne peut aujourd'hui être matérialiste *que* comme dialectique). Reprenons, sous réserve d'une étude plus approfondie, une terminologie classique. La première déviation est *l'objectivisme,* dont la forme majeure est la constitution d'une philosophie de la nature et de l'évolution (de la nature comme évolution), ou d'une ontologie générale, tandis que la forme mineure correspondante glisse vers le positivisme, le formalisme d'une théorie de la connaissance, ou d'une « méthodologie dialectique ». La seconde déviation n'en est pas, nous le verrons, strictement symétrique : sa forme majeure est la constitution d'une philosophie de la pratique ou d'un *historicisme* matérialiste, et c'est seulement sa forme mineure qui glisse vers le *subjectivisme,* vers une philosophie de la liberté et du sujet, un humanisme théorique, etc.

Bien entendu, ces subdivisions schématiques n'indiquent que des tendances, dans lesquelles il n'est absolument pas possible de *classer* de façon simple telle ou telle œuvre théorique importante (ce qui d'ailleurs ne présente aucun intérêt en dehors de l'apologétique des « bons auteurs » et de la contre-apologétique des « mauvais », voués au pilori)[8]. Et surtout, j'y insiste à nouveau,

8. La contradiction de ces deux formes de « déviation » tendancielle est déjà bel et bien présente dans la philosophie de Marx : nous devons à l'investigation obstinée d'Althusser de le comprendre mieux aujourd'hui.

d'autant plus qu'il y a là une difficulté réelle, il est essentiel de ne pas confondre le repérage d'une déviation et de sa tendance, qui renvoie à une contradiction nécessaire de la dialectique matérialiste, avec la dénonciation d'une « erreur », abstraitement opposée à une vérité. Appliquée à la dialectique, l'opposition (« morale », comme dit Engels dans l'*Anti-Dühring,* I, 9, Editions sociales, 1973) de la vérité et de l'erreur, extérieures l'une à l'autre, ne définit qu'une procédure d'exclusion. La reconnaissance d'une « déviation », ou plutôt d'un ensemble de déviations antagonistes, définit un procès de démarcations et d'ajustements. Les déviations (du moins les déviations majeures) sont le moteur du développement de la dialectique matérialiste. On y trouve, nous allons le voir, des thèses essentielles.

Quelques mots, donc, sur ces deux déviations.

D'abord *l'objectivisme*.

La forme majeure de l'objectivisme, c'est, peut-on dire, l'idée de « dialectique de la nature » telle qu'elle a été mise en œuvre par Engels lui-même, et surtout après lui et sur la base de son texte (car Engels est d'une extrême prudence ; c'est incroyable ce que les textes inachevés et inédits de Marx et d'Engels ont pu alimenter le virus philosophique des marxistes... rarement avec de très bons résultats !). L'aspect essentiel de cette tendance, c'est d'abord de prétendre constituer la dialectique matérialiste en *une Science* dont les « lois » générales, ou bien *fondent* l'explication matérialiste de l'histoire, des luttes de classes, ou bien peuvent s'y *appliquer* parmi d'autres domaines d'application. L'idée et l'énumération des « lois de la dialectique » sont essentielles à cette tendance objectiviste, comme aussi le rapport implicite ou explicite des lois *générales* et des domaines *particuliers*. Que désignent alors les catégories de *matière* ou de *nature* dans cette perspective ? Elles ne peuvent que désigner « l'objet » d'une telle science générale, c'est-à-dire *l'universel comme objet,* dont les lois de la dialectique nous donneraient la connaissance de la structure (aussi parlais-je d'ontologie : être = matière = mouvement, ou processus, ou évolution).

Des domaines scientifiques particuliers, et parmi eux le matérialisme historique, vont alors nous apparaître comme réalisant chacun à leur façon, c'est-à-dire illustrant, appliquant et développant dans des limites déterminées (qui sont toujours les limites d'une topique philosophique classique : nature / histoire / pensée, ou bien nature / vie / histoire, etc.) les « lois » universelles de la transformation de la quantité en qualité, de l'identité des contraires ou de la négation de la négation. C'est pourquoi une telle conception de la dialectique tend *en pratique* à fonctionner comme la matrice idéologique d'une philosophie ou d'une métaphysique de la nature. Et, comme telle, elle se trouve inévitablement, tôt ou tard, confrontée sous une forme intenable aux conséquences théoriques et pratiques (songeons à Lyssenko !) de toute tentative de *fondation* normative des[9] sciences : la contradiction entre, d'un côté, l'application qu'elle avait cru pouvoir faire de ses lois aux sciences, le recouvrement ou la subsomption des lois physiques ou biologiques (ou des tendances historiques) *sous* des « lois » dialectiques, et de l'autre côté les développements réels, imprévus et imprévisibles, de la pratique scientifique. Ce qui n'empêche d'ailleurs pas certains philosophes ou savants, périodiquement, et faute d'avoir à leur disposition une autre conception de la dialectique matérialiste, de tenter des réajustements, de nouvelles applications, en variant les terminologies, pour faire face à la conjoncture scientifique et idéologique : c'est une tâche par nature infinie.

Mais, historiquement, ce n'est pas ce type de difficultés *en général* qui a été décisif : c'est, comme je le signalais plus haut, la contradiction entre cette conception (cette orientation) de la dialectique matérialiste et le développement du matérialisme historique. Ou plus exactement le développement du matérialisme historique *en tant* qu'il est requis de façon contraignante *par la transformation des conditions politiques de la lutte du mouvement ouvrier*. Et le moment où pour la première fois cette contradiction est apparue de façon claire, explicite, dans l'histoire du marxisme, peut être marqué avec précision : c'est le moment de la « faillite de la IIe Internationale », de l'éclatement de la Première Guerre mondiale impérialiste et de la constitution de la

9. Une philosophie de la science peut être normative *même* lorsqu'elle prend pour mot d'ordre la « fidélité » exacte aux *résultats actuels* des sciences, lorsqu'elle ne se propose que de faire leur « synthèse » philosophique, etc. Je dirai même *surtout* ainsi : car ces résultats emportent alors toujours avec eux, 1° les formes — les catégories — de leur « reconnaissance » idéologique par la « communauté » des savants, indispensables à la pratique scientifique, et 2° les limites relatives de leur objectivité actuelle.

théorie léniniste de l'impérialisme, en 1914-1916. Il y a, vous le savez, un lien immédiat entre deux aspects du travail théorique de Lénine. D'un côté, les analyses historiques et politiques dans lesquelles, en montrant la constitution d'un *stade historique nouveau* du capitalisme, dont les contradictions spécifiques expliquent seules la possibilité de la révolution prolétarienne et en déterminent les formes, il *rectifie* profondément le concept de « tendance » tel que le marxisme classique l'avait développé à partir du *Capital,* et qui faisait d'une « loi tendancielle » une simple *loi d'évolution*, sans autre contradiction interne que celle de ses forces motrices et des obstacles à sa réalisation [10]. De l'autre côté, les textes des *Cahiers philosophiques* dans lesquels il rejette sans équivoque la conception des « lois de la dialectique » en critiquant certains textes d'Engels et de Plékhanov, et lui substitue la conception de la dialectique comme *l'étude de la contradiction,* l'étude de la lutte et de l'unité des contraires « dans l'essence même des choses [11] ».

Mais pour écarter les équivoques, je voudrais ajouter ici une remarque, même trop brève, à propos d'Engels et du projet de « dialectique de la nature » tel qu'il a tenté de le réaliser dans les conditions de son époque. Ce projet n'a nullement une fonction simple, et le processus que je viens de rappeler n'en constitue qu'*un* aspect tendanciel, celui de la déviation objectiviste sous

10. On peut dire schématiquement qu'il s'agissait là de la projection sur les analyses et les concepts du *Capital* de certaines formulations objectivistes de Marx, figurant dans *L'Idéologie allemande* et dans la Préface de la *Contribution à la critique de l'économie politique,* qui réduisent tendanciellement la « détermination économique en dernière instance » de l'histoire des formations sociales à une détermination simple par le seul « progrès des forces productives ».

11. C'est là, évidemment, le point de départ de tout le travail philosophique de Mao, comme il l'indique explicitement. Et celui auquel il en revient toujours : « Engels a parlé de trois catégories (de la dialectique), mais pour moi il y en a deux auxquelles je ne crois pas. L'unité des contraires est le principe le plus fondamental ; la transformation de la qualité et de la quantité l'une dans l'autre, c'est l'unité des contraires qualité et quantité ; et la négation de la négation ça n'existe pas du tout. Juxtaposer, sur le même plan, la transformation de la qualité et de la quantité l'une dans l'autre, la négation de la négation, et le principe de l'unité des contraires, c'est du « triplisme », pas du monisme. Etc. » « Conversation sur des questions de philosophie, 18 août 1964 », dans S. Schramm, *Mao Tse-Tung urehearsed,* Penguin Books, 1974.

sa forme majeure [12]. Mais précisément, et c'est pour cela que ces formulations ont joué un rôle historique aussi important, il y a un autre aspect que nous ne devons jamais oublier (pas plus que Lénine ne l'a fait) : on peut le résumer en disant que sous les formes d'une certaine tendance à l'*objectivisme s*'est jouée et effectuée aussi la difficile reconnaissance de *l'objectivité* de la théorie marxiste, avant tout de la théorie marxiste de l'histoire. J'aurai l'occasion d'y revenir plus loin, mais disons simplement ceci : cette reconnaissance de l'objectivité de la théorie (scientifique) marxiste passe alors par la formulation de deux grandes thèses philosophiques, d'ailleurs étroitement liées, que Lénine retiendra l'une et l'autre :
— d'abord la thèse du *reflet* de la dialectique objective dans la dialectique subjective, de la « dialectique de la nature » dans la « dialectique de la connaissance » ou de la pensée. Mais ici, attention ! cette thèse ne signifie pas qu'il y aurait, à nouveau, *deux* dialectiques différentes, et elle ne prescrit pas une tâche nouvelle qui serait d'étudier le rapport des deux, c'est-à-dire de constituer après coup une dialectique de dialectiques, tâche absurde et infinie. Elle signifie au contraire qu'il y a *une seule dialectique, la dialectique objective,* dont le développement de la pensée, de la connaissance, est aussi *un aspect* spécifique, et par conséquent *un effet* déterminé. La catégorie de « reflet », ou mieux : de « reflet approximatif », désigne précisément *les conditions déterminées,* matérielles et historiques, dans lesquelles la connaissance se développe comme un processus pratique lui-même objectif [13]. Par là cette thèse se rattache à une seconde, qui est *aussi* présente dans le projet et les formulations d'Engels, et

12. Si, délaissant les vues générales, on entreprenait une étude point par point des réflexions d'Engels, en les confrontant à l'état des problèmes scientifiques et de la conjoncture idéologique de l'époque, il conviendrait de faire un sort très différent à celles qui concernent les mathématiques et la physique, qui tombent le plus directement sous cette critique, et à celles qui concernent la biologie : dans celles-ci, non seulement le projet d'illustrer d'exemples les « lois de la dialectique » ne joue plus qu'un rôle secondaire, mais on a affaire à l'analyse contemporaine la plus pertinente de la révolution théorique darwinienne, sur laquelle bien des biologistes/naturalistes sont restés longtemps « en retard ».

13. Cf. le livre de D. Lecourt : *Une crise et son enjeu,* Maspero, coll. « Théorie », 1973.

concourt à expliquer le rôle décisif qu'elles ont joué dans le passage de la dialectique de l'idéalisme au matérialisme ;
— la thèse du caractère matériel des contradictions, des tendances du procès de l'histoire humaine, de l'histoire des formations sociales. C'est là la grande fonction « critique et révolutionnaire », pour parler comme Marx, des formulations d'Engels, qui rejoint ainsi directement la thèse de la Préface du *Capital* : « l'histoire des sociétés humaines doit être analysée comme un processus d'histoire naturelle », de façon à découvrir la « loi naturelle » (*les* lois naturelles) de son mouvement de transformation inéluctable, qui *inclut* la préparation et le développement de la révolution prolétarienne. L'importance de cette prise de position nous apparaîtra mieux quand nous dirons un mot de *l'autre* grande déviation, la déviation historiciste / subjectiviste. Ce qui est ici en jeu, c'est le refus matérialiste, sous une forme offensive, d'admettre que la dialectique, et en particulier le processus de développement d'une contradiction comme la contradiction de classes, résulte d'une faculté ou essence spécifique de l'humanité (même conçue en termes de rapports sociaux, de production, de travail), qui *l'opposerait* à la nature matérielle, et la constituerait en son sein comme une contre-nature, une anti-nature, un « empire dans un autre empire » pour parler comme Spinoza [14]. Cet enjeu appa-

---

14. Cf. aussi, bien entendu, le texte fondamental du *Capital,* livre I, chap. 7, Ed. sociales, 1976, sur le « procès de travail et procès de valorisation ». J'en ai proposé un commentaire dans mes *Cinq Etudes du matéralisme historique,* Maspero, 1974, pp. 183-186.

Du point de vue philosophique, Marx est ici du côté de Spinoza. Il s'oppose à une autre tradition : celle de Descartes — dans la fameuse VIe partie du *Discours de la Méthode,* où le progrès des sciences et des techniques est présenté comme devant faire de l'Homme le « maître et possesseur de la nature » ; celle aussi de Comte, chez qui la connaissance des lois naturelles (« rapports constants entre les phénomènes ») doit permettre à l'Humanité (seule espèce qui, comme telle, transcende le plan biologique) de transformer la prévision en prévoyance, et donc de faire servir les phénomènes « extérieurs » à son profit tout en s'y soumettant. D'où la pertinence, et l'originalité, des conclusions que Marx tire ici de deux grandes révolutions scientifiques contemporaines : celle de Liebig, fondant une agronomie rationnelle sur les premiers développements de la chimie organique ; celle de Darwin, dont la théorie de l'évolution des espèces, en formulant un concept de leur adaptation naturelle coupé de toute théologie et de toute téléologie, permet de distinguer clairement l'évolution de l'organe vivant et celle de l'outil, du moyen de production social.

raît clairement dès qu'on en fait l'application *politique* : refuser la « dialectique de la nature » en ce sens (comme le fait toute une tradition idéaliste, du jeune Lukács à Sartre), refuser la *naturalité de la dialectique,* c'est-à-dire la matérialité, l'objectivité et la nécessité de la dialectique, c'est aussi refuser cette nécessité matérielle à la révolution prolétarienne, c'est la rapporter seulement à la toute-puissance créatrice de la volonté et de l'action humaines, indépendamment de ses *bases* matérielles qui la déterminent, c'est donc la rapporter à nouveau, comme dans le socialisme utopique, au pouvoir de la liberté humaine et de ses « projets », ou « programmes », destinés à réaliser dans la société la justice, l'égalité, la fraternité. C'est *contre* cet idéalisme historique massivement prévalent dans toute la philosophie de l'histoire (dans toute philosophie de l'histoire) et dans tout le socialisme pré-marxiste et non-marxiste, que les thèses d'Engels sur la dialectique de la nature ont joué leur rôle, prennent et gardent leur sens.

Je serai beaucoup plus rapide, comme de juste, sur la forme *mineure* de la déviation objectiviste. Elle naît des difficultés mêmes que nous venons d'évoquer, pour tenter de les « résoudre », mais selon un mode de résolution qui va *renforcer* l'élément d'idéalisme, parce qu'il ne *transforme* en rien le problème initial, mais se contente d'en atténuer, d'en *relativiser* les termes (voire de « compenser » l'objectivisme par une injection éclectique de subjectivisme : psychologie, théorie de la connaissance).

Il y a deux formulations possibles au moins : l'une désigne *la dialectique comme une « logique »*, l'autre désigne *la dialectique comme une « méthode »*. Je vous fais grâce de longues considérations sur la différence entre ces deux catégories, qui appartiennent à des traditions philosophiques distinctes (deux versants du long procès de décomposition de l'aristotélisme) et généralement incompatibles, sauf dans des philosophies de compromis. Ce qui importe ici, c'est le fait que, dans la tentative de surmonter la difficulté de l'objectivisme, qui tient, comme je le disais, au rapport métaphysique entre le *général* et le *particulier,* rapport de *subsomption* immédiate du particulier sous le général, notamment des lois particulières de l'histoire sous les lois générales de la dialectique, on va être obligé de recourir à de nouvelles catégories de la philosophie idéaliste. Par exemple celles de généralité objective et généralité subjective (celle-ci « reflétant » celle-là

« dans la pensée »). Ou celles de l'universalité de contenu et de l'universalité de forme (par exemple : tel phénomène historique, comme une révolution socialiste, a un « contenu » universel — les soi-disant lois générales du passage au socialisme —, mais non une « forme » universelle, car celle-ci est relative à des conditions historiques particulières ; ou dans l'autre sens : telle forme économique est universelle, par exemple « l'argent », mais son contenu ne l'est pas, il n'est qu'un mode particulier de distribution des produits du travail social ; etc.). Ou mieux encore celles de l'universalité ou spécificité des phénomènes, et de l'universalité ou spécificité de la méthode (toute une combinatoire en perspective). Au lieu de définir la dialectique comme le système des lois de la nature, ou de la matière, on la définira comme le système des lois logiques ou des principes méthodologiques des sciences, dont le matérialisme historique (voire « l'économie politique ») est l'une, privilégiée ou non.

On sera ainsi amené à démarquer de façon plus ou moins heureuse le projet de Kant, qui était de compléter ou de dépasser la « logique formelle », purement analytique et indifférente à *l'existence* des phénomènes, par une *autre logique,* qui serait précisément une science de l'existence en général, de la spécificité ou de la spécialité en général, du concret ou de la concrétisation en général, etc. Ou peut-être celui d'Auguste Comte : la philosophie comme *synthèse méthodologique* des sciences particulières, rendant compte de leur spécificité même par leur dépendance mutuelle, leur échelle de complexité croissante, etc. Passons.

J'ai dit qu'il y avait, dans l'histoire de la dialectique matérialiste, une seconde grande déviation, elle aussi avec ses degrés, ses formes majeure et mineure. Son examen est tout aussi important.

Il peut être éclairant, dans ce cas, de commencer par la forme *mineure,* la forme extrême, celle qui correspond comme tout à l'heure au moment où une déviation devient un *renversement* complet, une transformation achevée de la dialectique matérialiste en son contraire, un idéalisme non dialectique. On dira schématiquement que cette forme mineure est ici une philosophie de *l'homme* ou de l'humanité, et de la liberté humaine, un humanisme théorique. Bien entendu, ceci ne nous intéresse que dans la mesure où les thèmes de l'humanisme théorique, qui n'ont rien de spécifiquement marxiste, mais viennent de la philosophie bourgeoise du droit, de la morale et de l'histoire, sont ici repris à *propos du matérialisme historique,* et nous obligent par là-même à nous interroger très sérieusement sur ce qui, dans le matérialisme historique lui-même, ou plutôt dans le rapport du matérialisme historique avec la pratique du mouvement ouvrier dans des conjonctures données, crée ainsi un « vide », un « appel d'air » parfois irrésistible pour *le retour* d'une idéologie théorique non pas tant refoulée que contournée. D'autres que moi l'ont fait : ils ont parlé du bernsteinisme, ou bien des effets apparemment paradoxaux du « stalinisme » et du XXe Congrès du P.C.U.S. dans les partis communistes. Je n'y reviens pas. Ce qui nous intéresse pour le moment, c'est la thèse centrale de cette déviation, qu'on peut énoncer ainsi : la dialectique c'est essentiellement le *procès de réalisation de soi de l'humanité,* à la fois réalisation de son *unité* (comme solution et dépassement de ses divisions historiques, en particulier les divisions de classes) et réalisation de son *autonomie* (comme solution et dépassement de la division qui oppose l'homme à la nature, ou mieux : l'homme à ses propres conditions naturelles d'existence). On comprend tout de suite que, dans cette perspective, l'idée de « dialectique » ne va pas tant renvoyer à celle de système, de lois et de scientificité ou d'objectivité qu'à un certain nombre de *thèmes* philosophiques qui sont ceux d'un finalisme, d'une *téléologie* : aliénation, négation, négation de la négation, totalisation [15].

---

15. Une formulation récente, parmi bien d'autres. Je l'emprunte à la conférence donnée ici même, l'année dernière, par Lucien Sève (cf. C.E.R.M., *Philosophie et religion,* Ed. sociales, 1974, p. 237) : « Ce qui apparaît donc en dernière analyse comme la dialectique la plus profonde et la plus générale du développement historique de l'humanité, c'est un immense mouvement de négation de la négation, où une unité naturelle encore embryonnaire *doit* être dissociée temporairement *pour que* chacun de ses éléments puisse connaître un développement universel, développement qui à son tour crée les conditions nécessaires du *retour* à l'unité sur un plan *supérieur.* » On voit que je n'invente rien.

A vrai dire, malgré la référence insistante à Hegel, un tel humanisme *théorique* renvoie plutôt, de nouveau, à Kant, lorsqu'il écrivait : « Le moyen dont la nature se sert pour mener à bien le développement de toutes ses dispositions est leur *antagonisme* au sein de la Société, pour autant que celui-ci est cependant en fin de compte la cause d'une ordonnance régulière de cette société. J'entends ici par antagonisme *l'insociable sociabilité* des hommes, c'est-à-dire leur inclination à entrer en société, inclination qui est cependant doublée d'une répulsion générale à le faire,

Mais l'extrême de la déviation subjectiviste, quelle qu'en soit l'insistance dans certaines circonstances, ne serait-il pas finalement assez peu révélateur des problèmes *internes* de la dialectique matérialiste et beaucoup moins important à cet égard qu'une forme majeure sur laquelle il faut nous arrêter ? Cette forme est beaucoup plus importante, mais elle est aussi beaucoup plus instable, car elle ne trouve pas le « repos » dans les thèmes de l'humanisme bourgeois. *Car elle vit précisément de la lutte qu'elle mène pour en sortir,* ou ne pas y tomber, malgré la présence d'une tendance qui la tire en ce sens. Il me semble que cette position est représentée tendantiellement, dans l'histoire du marxisme, par *l'identification de la dialectique matérialiste à une théorie (ou philosophie) de la pratique.*

L'important, dans ce cas, c'est la tentative pour faire de la dialectique le mouvement spécifique de l'histoire humaine (économique, culturelle, sociale, politique) *sans* pour autant la subordonner aux catégories idéalistes de conscience, de liberté, d'humanité, etc., et par conséquent sans y projeter ni une conception naturaliste de l'évolution, ni son envers direct, une téléologie humaniste et subjectiviste. C'est à quoi va pouvoir servir la catégorie de *pratique,* en tant qu'elle unit, selon la tradition des *Thèses sur Feuerbach* de Marx, le « côté matérialiste » (par opposition à la théorie pure, à la spéculation, au formalisme du concept ou de la conscience) et le « côté actif », transformateur, négateur des formes établies et institutionnalisées (donc le « côté révolutionnaire »). La forme la plus importante de la philosophie de

---

menaçant constamment de désagréger cette société ... Remercions donc la nature pour cette humeur peu conciliante, pour la vanité rivalisant avec l'envie, pour l'appétit insatiable de possession ou même de domination. Sans cela, toutes les dispositions naturelles excellentes de l'humanité seraient étouffées dans un éternel sommeil. L'homme veut la concorde, mais la nature sait mieux que lui ce qui est bon pour son espèce : elle veut la discorde... » (*Idée d'une histoire universelle,* 1784, IVe proposition.)

Le seul véritable héritage de Hegel — « dialectique » oblige — c'est ici la catégorie de négation de la négation. C'est-à-dire celle qui, en inscrivant au cœur de chaque figure d'un développement historique la mémoire divisée de son origine et la promesse de son unité finale, permet à Hegel de fondre dans *chacune* de ses thèses la téléologie, et la subjectivité de l'Esprit, avec l'objectivité de la contradiction. Cf. L. Althusser, *Lénine et la philosophie,* Maspero, 1969, et *Eléments d'autocritique,* Hachette Littérature, 1974. Ce qui caractérise finalement l'humanisme théorique « marxiste », c'est d'être beaucoup plus hégelien que marxiste, mais beaucoup moins hégelien ... que Hegel !

la pratique n'est donc pas celle qui pense la pratique comme la pratique *d'un sujet* (comme son « initiative » ou son acte « créateur »), fût-il un sujet collectif, social, comme une classe ou une « avant-garde » historique, ou encore un sujet immanent à l'histoire comme l'humanité elle-même. Mais c'est celle qui pense *la pratique elle-même comme* « *sujet* » *anonyme, intérieurement divisé, du procès historique,* à travers le jeu du rapport des forces, des formes d'organisation de la bourgeoisie et du prolétariat, de la constitution d'une idéologie (bourgeoise) dominante et, contre elle, d'une idéologie prolétarienne de masse.

Dans cette perspective, à l'opposé de ce que nous constations tout à l'heure, il n'y a *pas de différence,* mais une identité immédiate entre *dialectique matérialiste* en général et *matérialisme historique.* Entendons-nous bien : non pas sous la simple forme d'une identification de la dialectique à l'histoire (humaine) qui laisserait de côté, comme neutralisée, la question du matérialisme. Mais sous une forme plus forte : la dialectique, c'est le mouvement même de l'histoire, parce que l'histoire est d'ordre pratique et donc, en un sens inédit, ignoré de la métaphysique classique, d'ordre matériel. Pour surmonter toute régression « dogmatique », le marxisme est alors pensé comme une philosophie (et une théorie) *critique.*

Unité critique de la dialectique et du matérialisme historique : c'est ce qui a donné lieu chez Gramsci à cette thèse à première vue surprenante, en tout cas unique dans l'histoire du marxisme, selon laquelle les formulations de Marx dans la Préface de la *Contribution à la critique de l'économie politique* (1859), sur le rapport de correspondance entre la base et la superstructure de la formation sociale [16], sont les vrais principes d'une « théorie de la connaissance » ou d'une « gnoséologie » matérialiste. Mais il en résulte qu'il devient alors impossible, ou du moins problématique, de penser une spécificité de la

16. « ... Le changement révolutionnaire dans la base économique bouleverse plus ou moins rapidement toute l'énorme superstructure. Lorsqu'on considère de tels bouleversements, il faut toujours distinguer entre le bouleversement matériel (qu'on peut constater d'une manière scientifiquement rigoureuse) des conditions de production économiques et les formes juridiques, politiques, religieuses, artistiques ou philosophiques, bref les formes idéologiques sous lesquelles les hommes prennent conscience de ce conflit et le mènent jusqu'au bout... », *in Etudes philosophiques,* Editions sociales, 1974, pp. 121-122.

connaissance scientifique, et de l'histoire des sciences, dans le champ pratique des « idéologies » historiques organiquement liées à la reproduction de rapports sociaux déterminés. La connaissance scientifique soit reste une base technique, un procès « naturel », en deçà de la pratique sociale, soit devient un « moment » de la totalité culturelle et idéologique (« éthique » au sens hégélien). On ne peut alors ni vraiment étudier le rapport historique, interne à la pratique théorique, de la connaissance objective avec *ses propres* conditions de possibilité idéologiques, ni assurer le primat de la pratique sur la théorie (*dans* la théorie) autrement qu'en les confondant, ce qui supprime le problème même de leur ajustement. Sous prétexte de lutter contre la *division* arbitraire du marxisme entre une théorie abstraite et son « application » concrète à l'histoire, on réduit ainsi tendanciellement à néant la *contradiction* interne dont le matérialisme historique, comme toute théorie scientifique, est le produit continué.

Mais surtout, et ce point est je crois le plus important, cette conception entraîne dans le matérialisme historique lui-même la tendance à identifier procès dialectique et développement des moments de la *politique*, selon une équation généralisée : dialectique = histoire = pratique politique. La politique — non la politique individuelle, mais la politique de masse, avec ses degrés, du spontané à l'organisé, de l'accidentel et de l'arbitraire à l'organique — devient la figure concrète de la pratique historique en général. De même que la théorie, y compris la théorie scientifique, est en son essence une forme de la « politique » ou une forme politique, de même le travail, la production matérielle, et les rapports de luttes de classes qui s'y développent sont tendanciellement, « en soi », c'est-à-dire sous une forme incomplète et inconsciente des rapports politiques. Mais comme ils ne le sont qu'incomplètement et en puissance, comme leur essence de pratique reste suspendue dans l'attente d'une reprise à un niveau « supérieur », celui des rapports de forces politiques, on aboutit à ce résultat paradoxal que la critique de l'évolutionnisme, du mécanisme et de l'économisme (qui *ouvre* la possibilité d'une analyse dialectique des superstructures et de la « base » elle-même, en particulier du rôle historique de l'Etat dans la constitution des antagonismes de classes) s'exerce *partout sauf précisément dans l'économie,* et que, comme Gramsci lui-même en vient à le dire parfois, dans la base économique « le rapport des forces est ce qu'il est », les choses sont ce qu'elles sont, « une réalité rebelle que personne ne peut modifier », mais qui peut seulement « être mesuré avec les systèmes des sciences exactes ou physiques [17] ».

Nous avons dit que l'objectivisme avait aussi, historiquement,

---

17. GRAMSCI : « Analyse des situations, Rapport de forces », dans *Note sul Machiavelli, sulla politica e sullo Stato moderno,*

Gramsci, à qui, dans la conjoncture actuelle, en parlant d'historicisme et de philosophie de la pratique, j'incite évidemment à penser, et à qui j'emprunte à dessein ces formules, *est-il* historiciste en ce sens, *le* type de cette « déviation » ? Je dirai *non*, sauf à classer mécaniquement ce moment de l'histoire du marxisme qu'il représente sous *une seule* tendance, comme une « œuvre » simple et close, et vouloir à tout prix faire de lui l'auteur idéal d'un système, qui aurait été méconnu comme tel. Mais l'historicisme de Gramsci n'est pas simplement le produit d'interprétations « erronées » qui lui auraient été surajoutées : il est présent *dans* la problématique de Gramsci. Comme l'ont fait remarquer tous ses lecteurs attentifs, son historicisme *absolu* est comme tel irréductible aux formes classiques de relativisme et d'humanisme théorique de la philosophie bourgeoise de l'histoire. Il leur oppose constamment une critique matérialiste. S'il convient « d'abandonner la définition du marxisme comme historicisme », ce n'est donc pas, me semble-t-il, et contrairement à ce qu'écrit L. Gruppi dans une mise au point récente (*Critica marxista*, nov.-déc. 1974, p. 132), parce qu'« une certaine identification qui intervient, quand Gramsci parle d'historicisme absolu, entre philosophie et histoire, donc entre réalité et conscience, comporte des dangers d'idéalisme ». A cet idéalisme-là, Gramsci a de quoi répondre, précisément parce que, chez lui, la philosophie est *aussi* de l'ordre de la *pratique*. Ce qui est en cause, ce n'est pas tant philosophie et histoire, dont l'équation n'est évidemment pas, chez lui, réversible : la philosophie est « histoire », mais l'histoire n'est pas « philosophie », ni réalisation de la philosophie. C'est encore moins « réalité » et « conscience », « objet » et « sujet », ces fantômes philosophiques. Mais c'est d'une part le statut de l'objectivité d'une connaissance *comme* position (théorique) de classe, et d'autre part l'articulation de la politique dans la lutte des classes. Gramsci analyse la contradiction en général comme « rapport de forces », catégorie tout à fait étrangère à Hegel, qui vient au contraire de Machiavel : cependant il fait toujours du développement de la « volonté » son principe d'unité. Corrélativement, il ne réussit pas, me semble-t-il, à élaborer un concept *matérialiste* explicite de *l'idéologie*, qui en fasse *une* forme sociale déterminée, sans y voir pour autant *la* forme universelle de toute pratique. Tout change cependant dès que Gramsci étudie concrètement les conditions politiques et idéologiques de la reproduction des rapports de production capitalistes : force lui est bien alors, pour analyser l'efficacité de ces conditions, de montrer aussi que *tout* n'est pas indifféremment « politique », et d'arracher l'analyse de la « base matérielle » à l'empirisme du « fait », (cf. « Américanisme et fordisme », etc.).

constitué une forme nécessaire pour la reconnaissance de l'objectivité du matérialisme historique ; nous pouvons dire de même que l'historicisme a pu constituer une forme nécessaire pour la reconnaissance du *primat de la pratique* (et du « point de vue de classe ») dans la théorie marxiste elle-même. En sorte que, si nous résumons ces remarques schématiques, nous voyons qu'au terme d'une critique des déviations majeures de la dialectique matérialiste, *le parcours n'est pas nul,* loin de là. Leur critique et leur rectification ne peuvent avoir lieu qu'en s'appuyant sur ce qu'*elles-mêmes* comportent de révolutionnaire, sur l'élément de justesse interne qu'elles développent, et qu'on peut résumer ainsi :

1. Il n'y a de dialectique qu'*objective,* la dialectique est le mouvement contradictoire *des choses elles-mêmes,* et non pas le mouvement des choses « en tant qu'elles se reflètent dans la pensée », *a fortiori* le mouvement de la pensée seule.

2. Il n'y a de dialectique que du point de vue de la pratique, ou plutôt *d'un point de vue pratique,* d'un point de vue qui subordonne la théorie aux déterminations pratiques (car la pratique n'est pas « une », elle n'a pas une essence générale unique, sinon à un niveau d'abstraction tout à fait formel).

Cette confrontation nous montre aussi que, dans les deux cas, l'élément névralgique, à propos duquel se joue la constitution de la dialectique matérialiste, est la catégorie de la *contradiction* (ici pensée comme la forme universelle de la négation, ailleurs comme la forme singulière du « rapport des forces », et de son équilibre ou déséquilibre), et la façon dont elle est investie dans les analyses concrètes du matérialisme historique. En sorte que la dialectique est toujours du même côté que le matérialisme.

On entend souvent dire (sans doute par une extension abusive à toute l'histoire du marxisme d'une situation originelle, dans laquelle la « dialectique » serait présente d'un côté — sous sa forme hégélienne — et le « matérialisme » de l'autre — le matérialisme mécaniste du XVIIIe siècle) que l'objectivisme et l'historicisme développeraient chacun, de façon « unilatérale », *un des côtés* de la dialectique matérialiste : d'un côté l'élément matérialiste, de l'autre l'élément dialectique. Il en résulte qu'il « suffirait » alors, pour avancer dans la voie juste, d'une opération mécanique de sommation (et aussi de soustraction des thèses « fausses ») réunissant les deux côtés. La dialectique matérialiste penserait *l'objectivité en tant que matérialisme* et *l'historicité en tant que dialectique*. Mais cette idée commune est erronée : pas plus qu'il ne faut *réduire* le matérialisme à « l'objectivité » (bien qu'il l'implique), pas davantage il ne faut réduire la dialectique à « l'historicité » (bien qu'elle l'implique). On est condamné à osciller indéfiniment du mécanisme au volontarisme (comme l'ont fait, parfois au cours d'une même vie, bien des marxistes), si on ne voit pas que dans *chacune* des tendances que nous avons examinées, c'est toujours *le même aspect* qui est *à la fois* « matérialiste » et « dialectique » : ici la thèse d'objectivité, là la thèse du primat de la pratique. C'est pourquoi il est impossible de corriger ces déviations, de développer la dialectique matérialiste, par de simples opérations d'addition ou de soustraction : c'est la définition même des catégories fondamentales, et avant tout celle de la « contradiction », qui doit être remise en chantier [18].

Singulier tableau, en définitive, que celui des « déviations » de la dialectique matérialiste, et bien propre à dérouter le bon sens académique des philosophes. Je les ai d'abord réparties en deux séries, pour suivre une tradition (politique) classique : l'une qui va de l'objectivisme et de l'évolutionnisme au formalisme, au logicisme ; l'autre qui va (et vient) de l'historicisme au subjectivisme et à l'humanisme théorique. Mais, nous le voyons maintenant, la continuité de chaque série recouvre aussi une rupture, un « saut ». En fait, c'est du point de vue de chaque tendance que l'autre apparaît comme unifiée. *C'est du point de vue de l'historicisme* seulement que l'objectivisme d'Engels apparaît comme homogène, au degré près, au formalisme, au positivisme qui s'exprime dans l'idée de la dialectique comme « méthode » ou comme « logique ». Et c'est *du point de vue de l'objectivisme* seulement que l'historicisme à la Gramsci peut paraître homogène, au degré près, au subjectivisme et à l'humanisme théorique. Mais, derrière ce conflit apparemment simple

18. On peut dire aussi les choses ainsi : dans le cas de l'objectivisme, la « matière » est identifiée à la *nature* (et à son évolution) ; dans le cas de l'historicisme, la « matière » est identifiée à la *pratique* (et à l'histoire). Ces deux identités sont incorrectes : pourtant, dans les conditions d'une certaine lutte philosophique, elles sont justes l'une et l'autre. Comment est-ce possible ? C'est que, dans les deux cas, le dispositif philosophique où elles ont été pensées impliquait la mise en œuvre d'une catégorie de la « contradiction » qui s'avérait irréductible aux thèses de l'idéalisme philosophique qu'elles « répètent » dans le marxisme lui-même.

(et tout à fait traditionnel. Ce qui explique qu'il puisse alimenter aussi facilement le tout-venant des controverses de la « philosophie marxiste »), nous découvrons un rapport de forces plus réel et plus complexe, qui éclaire la forme originale sous laquelle se développe ici la contradiction de l'idéalisme et du matérialisme. Nous découvrons que l'opposition de l'objectivisme et de l'historicisme (que nous évoquons, pour fixer les idées, à travers « Engels » et « Gramsci ») est *interne* à la dialectique matérialiste : aussi est-elle *sans compromis* possible ; il n'y a pas, que je sache, d'exemple d'une position philosophique conséquente *à la fois* « objectiviste » et « historiciste ». Par contre, formalisme et subjectivisme (ce que j'ai appelé les formes « mineures » des chaque déviation), non seulement se complètent fort bien, mais *s'appellent* réciproquement, et nous en avons sous les yeux l'illustration permanente. C'est que, en fait, nous ne sommes plus ici *dans* la dialectique matérialiste elle-même, nous sommes tendanciellement *hors* de son histoire réelle.

Alors l'usage que nous faisons de l'idée de « déviation » doit être rectifié. Il doit être pensé en fonction des corrections, des ajustements qu'impose la succession des conjonctures historiques, mais détaché de toute idée de ligne préétablie, de norme préexistante [19]. Objectivisme et historicisme sont des formes nécessaires de la contradiction historique interne à l'histoire de la dialectique. Formalisme et subjectivisme ne sont que les sous-produits dans cette histoire du combat de l'idéologie bourgeoise contre une position matérialiste conséquente. Mais, comme nous l'avons vu, ce combat n'est pas, en dernière analyse, accidentellement imposé à la dialectique matérialiste : il est la condition même de son existence, que la dialectique matérialiste doit prendre en compte pour analyser ses propres contradictions, et échapper à l'illusion selon laquelle elle pourrait se développer en vase clos, sur la seule base de ses « principes » une fois posés. L'existence des déviations du marxisme désigne cette lutte, avec la tendance qu'elle comporte toujours à passer (et à repasser) de l'idéalisme au matérialisme, du matérialisme à l'idéalisme, d'une position bourgeoise à une position prolétarienne. Elle fonctionne comme une matrice de problèmes et comme une mise en garde.

---

19. Dans un précédent texte sur « matérialisme et idéalisme dans l'histoire de la théorie marxiste » (*Cinq études du Matérialisme historique*, ouvr. cité), j'ai proposé quelques réflexions sur ce point.

Après ce très long détour, il sera peut-être plus aisé de comprendre ce que j'avançais tout à l'heure en disant que la dialectique matérialiste à la fois a pour objet (jusqu'à présent) la lutte des classes, et constitue elle-même une forme de la lutte des classes.

Ce sont les effets mêmes, constitutifs de son histoire, qui le montrent : d'une part, il n'y a jamais eu, et nous pouvons le dire pour autant que ces conditions sont toujours actuelles, il n'y a pas d'énoncé canonique, définitif, autrement dit de définition fixée de la dialectique matérialiste. Mais il y a en son sein même une lutte théorique complexe, contradictoire, *pour* la dialectique matérialiste, pour l'ajustement des thèses de la dialectique matérialiste [20]. Lutte théorique étroitement liée, y compris quand elle a pour enjeu la pratique *scientifique,* à d'autres luttes pratiques, lutte théorique qui a constitué en dernière analyse un moment ou un aspect de la lutte politique de classes. C'est dans et par cette lutte que le prolétariat se constitue aussi *comme classe* sur le terrain idéologique et théorique. Sans cette lutte le prolétariat n'a *pas d'existence* idéologique et théorique de classe autonome,

---

20. Cela signifie concrètement : que *toutes* les thèses philosophiques matérialistes et dialectiques énoncées par le marxisme au cours de son histoire sont, à des degrés divers, « actuelles », car elles visent toujours des formes déterminées d'idéalisme, et aucune forme d'idéalisme philosophique n'est jamais définitivement « périmée », comme le montrent de nos jours les *retours* à l'a-priorisme, à l'empirisme, ou même au spiritualisme, au platonisme, etc. Mais cela signifie aussi qu'il est absolument impossible de présenter la dialectique matérialiste en *combinant* entre elles toutes ces thèses, sur un même plan, de façon à en faire les étapes d'un discours universel *unique* : au lieu de se compléter, elles se détruisent alors les unes les autres, et n'engendrent qu'une scolastique.

Mais je le précise également : si les thèses du matérialisme dialectique que nous possédons ne forment pas un *système,* elles ne forment pas davantage un *anti-système* (dans la tradition de Stirner, de Kierkegaard ou de Nietzsche), c'est-à-dire un renversement imaginaire de l'idée de système. Elles sont, ce qui est bien différent, le produit des contradictions historiques de la lutte de l'idéologie prolétarienne contre l'idéologie philosophique des classes dominantes. Il ne faut donc pas confondre la thèse avancée ici (les thèses du matérialisme dialectique que nous connaissons ne forment pas *un* système), avec une réponse (positive ou négative) à la question spéculative, la question « de droit » : est-ce que *le* matérialisme dialectique (le marxisme, la philosophie marxiste) *est un système,* oui ou non ?

il reste *de ce point de vue* une fraction bourgeoise ou petite-bourgeoise.

D'autre part, la dialectique matérialiste n'a jamais eu, et nous pouvons le dire pour autant que ces conditions sont toujours actuelles, elle n'a pas d'autre *objet* (d'analyse) que la lutte des classes, et plus précisément la lutte des classes qui oppose la bourgeoisie au prolétariat (et par rapport à elle d'autres luttes de classes historiques). Elle a pour objet réel (qu'elle s'approprie effectivement, et pas seulement de façon imaginaire, réalisant un simple désir philosophique) le rapport des conjonctures concrètes de cette lutte de classes à sa tendance générale, ce qu'on peut désigner schématiquement comme l'articulation de la tendance à la reproduction de l'exploitation capitaliste et de la tendance à la dictature du prolétariat dans chaque situation historique [21].

Entendons-nous bien : il ne s'agit pas ici, après ce que je viens de rappeler, de définir, c'est-à-dire de délimiter la dialectique matérialiste une fois pour toutes comme théorie de la lutte des classes, c'est-à-dire d'une part comme simple *théorie,* et d'autre part comme théorie d'un objet particulier *à côté* des autres. Il s'agit au contraire d'échapper au dilemme que nous avons rencontré et qui se traduit, tantôt par la transformation de la dialectique en un fondement *a priori* pour le matérialisme histo-

21. Tout au long de cet exposé, je marque qu'il s'agit ici de la dialectique matérialiste telle qu'elle existe jusqu'à présent, et je m'interdis de préjuger de ses développements futurs. Peut-être peut-on cependant risquer l'hypothèse très générale suivante : l'investissement des catégories de la dialectique matérialiste, sous une forme explicite et efficace, distincte du « commentaire » extérieur, spéculatif, *dans* la théorie des « sciences de la nature », n'est pas nécessairement une absurdité. Mais il est suspendu à une double condition qui n'est pas encore remplie, et dont nous ne pouvons préjuger les formes de réalisation : l'analyse du rapport entre les sciences de la nature (mathématique, physique, biologie) — et leur histoire propre — et le matérialisme historique (dont l'histoire des sciences, comme procès social, relève « en droit ») d'une part ; et d'autre part une transformation révolutionnaire *de la pratique* scientifique des sciences de la nature, concernant aussi bien la « recherche » scientifique que « l'application » technique et la transmission pédagogique des connaissances, d'où pourrait résulter une nouvelle conception philosophique de leur « objet ». Alors la question de savoir *ce qu'est la lutte des classes dans la connaissance de la nature* pourrait recevoir un commencement de réponse, au-delà des simples mots d'ordre exposés à toutes les chausse-trappes théoriques et politiques que l'on sait.

rique, tantôt par l'identification elle aussi *a priori* de la dialectique à l'historicité du matérialisme historique. Il s'agit donc de comprendre que la dialectique matérialiste, telle qu'elle a été réellement pratiquée jusqu'à présent, à la fois n'a pas d'autre *objet de connaissance* que celui du matérialisme historique, la lutte des classes, et en même temps *ne se réduit pas* à la *connaissance de cet objet,* qu'elle n'a pas avec lui un rapport purement théorique.

Je voudrais, pour étayer plus concrètement ces considérations, consacrer quelques remarques à l'examen de *la* catégorie fondamentale de la dialectique, dont j'ai déjà fait un usage répété : la catégorie de contradiction. Ou plus exactement au rapport entre les catégories de *contradiction* et *d'antagonisme.* Bien entendu, il ne s'agira que de premières indications de travail, qui ne constituent pas une étude développée. Telles quelles, cependant, elles peuvent nous aider à éprouver notre approche de la dialectique matérialiste.

Disons-le d'emblée, les thèses classiques du marxisme à propos de la contradiction et de l'antagonisme, depuis Marx jusqu'aux formulations de Lénine dans les *Cahiers philosophiques* et au développement que Mao Tsé-Toung leur a donné dans ses deux essais *Sur la contradiction* et *De la juste solution des contradictions au sein du peuple,* ces thèses soulèvent immédiatement un problème, d'allure formelle, qu'on peut énoncer ainsi :

— d'un côté elles *distinguent* contradiction et antagonisme. Cette distinction n'a d'abord eu, chez Marx, qu'une existence pratique, et elle peut sembler ne correspondre qu'à une variation de terminologie. Mais elle n'est nullement arbitraire ou secondaire, puisqu'elle permet de distinguer entre *la contradiction* (des rapports de production et des forces productives) et *l'antagonisme* des classes (bourgeoisie et prolétariat). Mais elle devient chez Lénine et Mao une thèse explicite, dont nous verrons l'importance : contradiction et antagonisme ne sont pas identiques, toute contradiction n'est pas un antagonisme [22].

— Mais d'un autre côté elles inscrivent l'antagonisme *dans*

22. Cf. notamment Lénine : *Remarques sur le livre de Boukharine,* « L'économie de la période de transition » (1920). (Cité par Mao, *De la contradiction,* p. 80. Il existe une traduction italienne de ce texte, parue dans *Critica Marxista,* juillet-octobre 1967.)

la définition même de la contradiction, en définissant la contradiction comme la « lutte des contraires », ce qui n'est à aucun degré une simple métaphore, et en posant comme trait fondamental de la conception matérialiste de la contradiction son caractère *inconciliable*. La « résolution » de la contradiction, non seulement n'est pas la conciliation, mais exclut la conciliation (alors que la contradiction idéaliste, qui n'est pas une lutte, mais une scission ou division de l'unité pré-existante en deux figures symétriques, est toujours promesse et garantie de réconciliation, de synthèse « supérieure »). La « lutte des contraires », dit Lénine, est absolue, elle est *l'absolu de la contradiction;* l'unité des contraires, elle, est conditionnée, temporaire, passagère, relative. (Cf. « A propos de la dialectique », in Lénine, *Cahiers philosophiques, Œuvres,* t. 38.)

Tel est le premier problème : d'un côté, la dialectique matérialiste refuse de *réduire* la contradiction à l'antagonisme, de les confondre, et nous verrons que cette thèse est essentielle à son matérialisme. De l'autre, elle s'interdit en fait de penser la contradiction *indépendamment* de l'antagonisme. Ainsi la dialectique matérialiste « brouille » complètement le schéma métaphysique classique du rapport entre le général et le particulier, qui veut bien admettre autant qu'on voudra que le général *n'existe* que dans le particulier, en dehors duquel il n'est qu'une abstraction, mais affirme que le général comme tel doit être *pensé* (et posé) *indépendamment* du particulier. Du point de vue de la métaphysique, si contradiction et antagonisme ne sont pas identiques, il n'y a que deux possibilités : ou bien on répartit les contradictions en deux catégories, on dit que certaines contradictions sont par essence, par nature, des antagonismes, et d'autres non [23] ; ou bien on distingue le contenu et la forme, l'essence et l'accident, la chose en soi et le phénomène, et on dit qu'une *même* contradiction *se manifeste* à l'occasion tantôt comme un antagonisme, tantôt non [24].

---

23. Cf. par exemple Kant, dont le philosophe marxiste italien Colletti vient d'exhumer à grand bruit la distinction entre « contradiction logique » et « contradiction réelle », pour conclure — « logiquement », donc sans surprise ! — à l'impossibilité d'une dialectique matérialiste (*Intervista politico-filosofica*, Laterza, Bari, 1975).

24. Qui ne voit la portée politique du problème. Si la contradiction de classes, « par essence » antagoniste, peut « se manifester » de façon

Comment la dialectique matérialiste peut-elle tenir rigoureusement un autre langage ?

Disons tout de suite qu'à cette question il n'y a pas de réponse *formelle.* On aura beau retourner et renverser de diverses façons les principes de la métaphysique, en prétendant fonder une *autre logique*, qui ne serait pas une logique de l'identité, de la non-contradiction et du tiers exclu, mais une logique de la différence, de la contradiction et du dépassement, on n'en sortira pas. Car une telle « logique » ne différerait en rien, en tant que mode de raisonnement (et système de règles), de la précédente [25]. C'est précisément l'immense portée historique de la philosophie de Hegel que d'avoir montré que les principes logiques, *en tant que principes métaphysiques,* sont identiques à leur négation, à leur renversement, et d'avoir ainsi réalisé la critique la plus destructive de la métaphysique, parce que la seule qui, historiquement, ouvre la voie au matérialisme.

Si cet imbroglio initial ne nous incite pas à abandonner aussitôt la partie, mais à scruter les faits et les textes, on peut suggérer ainsi un premier élément de réponse : en fait, et on s'en convaincra facilement à la lecture des classiques, le marxisme n'a jamais *étudié* sérieusement la contradiction (au sens où *l'étude* de la contradiction, réclamée par Lénine, se distingue de *l'illustration* empirique et spéculative de la contradiction à l'aide d'exemples abstraits ou concrets puisés ici ou là) *ailleurs que* dans le champ de la lutte des classes et de l'histoire des formations

---

non antagoniste, on peut rêver de faire l'économie de la dictature du prolétariat et de ses problèmes redoutables !

25. On sait que le développement moderne de la logique (comme discipline scientifique mathématique) met deux points en évidence : a) que la *systématicité* des « lois logiques », donc la cohérence des règles de raisonnement qu'elles peuvent fonder, ne se situe pas au niveau de l'énumération de leurs énoncés individuels, mais au niveau des propriétés de leur « syntaxe », c'est-à-dire des règles d'écriture communes à des classes entières de « logiques » différentes ; b. que *l'interprétation,* et donc *l'application* d'un système de « lois logiques » à tel ou tel objet, depuis la description des circuits électriques jusqu'à la correction des démonstrations mathématiques, est une question de « sémantique ». Aussi les fabricants de « logiques dialectiques » sont-ils très friands de sémantique dont l'idéologie philosophique spontanée n'est autre que la forme positiviste de la métaphysique classique ! (Cf. le livre récent de M. PÊCHEUX : *Les Vérités de La Palice,* Maspero, coll. « Théorie », 1975.)

sociales, c'est-à-dire dans un champ qui est dominé, pour toute la période historique connue, par un *antagonisme* fondamental. En d'autres termes, le marxisme n'a jamais étudié *la contradiction que sous la forme spécifique de l'antagonisme* de classes et de ses *effets* dans l'ensemble de la pratique sociale. Et c'est précisément *à propos* de cette étude et de ces effets qu'il lui apparaît essentiel de distinguer et d'articuler antagonisme et contradiction. Non pas, donc, pour (dé)limiter la place de l'antagonisme au sein d'une théorie « générale » de la contradiction, mais pour développer l'analyse même de l'antagonisme.

C'est donc ici le lieu de se souvenir que les théoriciens du marxisme ont pratiquement consacré au moins autant de temps et d'efforts à comprendre ce qu'est la contradiction, et ce qu'elle n'est pas : à découvrir et analyser les *contradictions réelles,* certes, mais aussi à pourchasser et à renvoyer au néant, ou plutôt à l'illusion verbale de la philosophie idéaliste les *pseudo-contradictions,* qui ont toutes en commun de ne penser la contradiction qu'en général, dans les généralités. L'exemple le plus net, c'est cette insistance de Marx, qui va de *Misère de la philosophie* aux *Notes sur Wagner* de 1883, à récuser et ridiculiser l'idée d'une contradiction *de la valeur,* c'est-à-dire d'une contradiction dans *l'idée* de « valeur », entre ses deux « côtés », qui seraient la « valeur d'usage » (« concrète »), et la « valeur d'échange » (« abstraite »). Cet exemple a une grande portée : il nous montre que, du point de vue de la dialectique matérialiste, il n'y a pas de contradiction *entre des généralités,* même et surtout lorsque ces généralités sont directement incarnées dans des objets empiriques immédiats, ce qui représente à proprement parler la spéculation. Nous pouvons donc être certains qu'il n'y a rien de commun, ou plutôt qu'il y a une opposition complète de tendance entre l'analyse dialectique et matérialiste de la lutte des classes comme contradiction réelle, et le discours des pseudo-contradictions telles que la contradiction de l'Etre et du Néant, de la Vérité et de l'Erreur, du Sujet et de l'Objet, du Bien et du Mal, de l'Homme et de la Nature, du Tout et de la Partie, de l'Individu et de la Société, du Droit et du Fait, de la Quantité et de la Qualité, de l'Essence et de l'Existence, du Hasard et de la Nécessité, de l'Ecriture et de la Différence, du Pouvoir et du Savoir, du Continu et du Discontinu, de l'Ombre et de la Lumière, du Four et du Moulin, etc. Vous voyez que je pourrais continuer longtemps comme cela, puisque *toutes* les catégories de la philosophie idéaliste entrent immédiatement dans de telles « contradictions ».

Comme nous allons le voir dans un instant, le fait qu'il n'y ait pas, à proprement parler, de contradiction *réelle* entre des généralités (mais seulement des contradictions imaginaires) est le corollaire de cet aspect de la contradiction, sur lequel Lénine n'a cessé d'insister : son *impureté* essentielle. C'est ce qui distingue la dialectique matérialiste d'une scolastique : aucune contradiction réelle n'est « pure », n'est la simple division / opposition de ses termes. Cf. par exemple ce texte, entre mille :

(Lénine critique les thèses abstraites des social-démocrates, « de droite » ou « de gauche », qui croyaient révolue l'époque des guerres nationales progressistes.)

« Croire que la révolution sociale soit *concevable* sans insurrections de petites nations dans les colonies et en Europe, sans explosions révolutionnaires d'une partie de la petite-bourgeoisie *avec tous ses préjugés,* sans mouvement des masses prolétariennes et semi-prolétariennes politiquement inconscientes contre le joug seigneurial, clérical, monarchique, national, etc., c'est *répudier la révolution sociale.* C'est s'imaginer qu'une armée prendra position en un lieu donné et dira : " nous sommes pour le socialisme ", et qu'une autre, en un autre lieu, dira : " nous sommes pour l'impérialisme ", et que ce sera alors la révolution sociale... Quiconque attend une révolution sociale « pure » ne vivra *jamais* assez longtemps pour la voir. Il n'est qu'un révolutionnaire en paroles qui ne comprend rien à ce qu'est une véritable révolution. » (LÉNINE : *Bilan d'une discussion sur le droit des nations à disposer d'elles-mêmes,* 1916 ; *Œuvres.* t. 22, p. 383.)

C'est ce que Mao, le premier peut-être après Lénine, a systématiquement réfléchi en disant : « Dans les contradictions, l'universel existe dans le spécifique » *(De la contradiction).* Autrement dit le caractère *absolu* de la contradiction n'existe que dans ses particularités, sa spécificité. En d'autres termes, et nous commençons ici à apercevoir le début d'un fil conducteur, pour découvrir dans un processus historique ce qui en constitue l'universalité (la « loi »), donc la nécessité absolue, il faut non pas le « généraliser » pour lui conférer la forme d'une opposition abstraite, mais au contraire le *spécifier.* Plus l'analyse devient spécifique, plus l'universalité objective est approchée, appropriée par la connaissance, en tant que « contradiction » réelle.

Essayons d'esquisser ce mouvement à propos du concept de l'antagonisme de classes entre la bourgeoisie et le prolétariat, dans l'histoire du mode de production capitaliste. Quels sont les premiers traits, encore très abstraits pourtant, qui distinguent l'antagonisme bourgeoisie/prolétariat d'une contradiction idéale, opposant immédiatement, c'est-à-dire fictivement deux termes généraux ?

J'en retiendrai au moins quatre [26].

Le premier trait, c'est que cet antagonisme n'existe nullement *par nature*, en vertu d'une essence transhistorique de la bourgeoisie et du prolétariat. Il faudrait en finir avec l'idée métaphysique selon laquelle l'antagonisme de la bourgeoisie et du prolétariat existe toujours et partout *sous les mêmes formes*, au même degré. Mais il faudrait en finir *aussi* avec l'idée selon laquelle son « essence » est indifférente à la forme et au degré. Les idéologues de la bourgeoisie proclament : l'antagonisme des classes n'est ni universel ni absolu, mais contingent, accidentel, limité à certains lieux et à certaines époques, à certains aspects de la vie sociale, et par conséquent parfaitement conciliable en s'y prenant bien. *A côté* de lui, il y en aurait d'autres tout aussi importants : celui des générations, celui des sexes (« ce mal vient de plus loin... »), celui des races ou des nations, celui des cultures, etc. Or, la véritable riposte à ces idéologues ne consiste pas à proclamer simplement que la même essence ici se manifeste au grand jour et là se cache, en sorte que la lutte des classes est *aussi bien* présente, mais plus ou moins visible, à telle époque, en France, au Chili, en Allemagne ou aux Etats-Unis. Visible sous des formes différentes dont le « contenu » serait le même. En réalité, nous le savons, le développement même du capitalisme signifie *toujours* le développement de la lutte des classes, mais *jamais* de façon uniforme, égale. Par exemple, l'impérialisme, le stade actuel du capitalisme, signifie le renforcement, l'élargissement de la lutte des classes ici, et son retard, son déplacement d'une forme à une autre, ou son atténuation relative ailleurs. Il tend à faire prédominer, toutes choses égales d'ailleurs, dans les

26. Pour une part, je reprends ici des formulations que j'ai avancées et développées dans *Cinq études du Matérialisme Historique*, ouvr. cité. Il ne s'agit pas d'un « classement » canonique. On pourrait dire les mêmes choses dans un autre ordre, sous d'autres titres.

formations sociales impérialistes les plus puissantes les formes simplement *économiques* de la lutte de classes, au moins pendant certaines phases d'extension de leur domination. Il faut donc, pour définir et étudier l'antagonisme des classes, unifier dans une même analyse, en étudiant leur rapport historique, différentes *formes* de la lutte des classes, économique, politique, théorique, qui ne vont nullement de pair d'une façon automatique, qui n'évoluent pas l'une vers l'autre et ne « s'enchaînent » pas selon un ordre pré-établi ; et d'autre part articuler différentes *phases* historiques de la lutte des classes, correspondant à ce que Marx, Lénine et Gramsci appellent les « périodes pacifiques » ou « passives » et les « périodes de crise » ; la différence de ces phases se réfléchit dans la constitution (la nature) même des termes de l'antagonisme, la bourgeoisie, le prolétariat, pour autant qu'ils forment *des classes* (et pas seulement des « groupes » sociologiques plus ou moins cohérents). Bref, il faut incorporer dans la définition même de l'antagonisme sa *complexité* d'aspects et son *développement inégal*.

Le deuxième trait important, c'est que l'existence et le développement de l'antagonisme bourgeoisie/prolétariat est déterminé par le développement *du rapport de production* capitaliste lui-même, en tant que rapport d'exploitation reposant sur le travail salarié. Le rapport de la bourgeoisie au prolétariat n'est antagoniste que parce que le travail salarié est en lui-même un rapport social antagoniste, dans lequel l'appropriation de la nature par les travailleurs a pour condition la dépossession complète des moyens de production ; dans lequel la socialisation et la collectivisation progressive du travail ont pour condition l'individualisation des producteurs (de leur formation, de leur « poste » de travail, de leurs conditions de vie), le développement de leur concurrence mutuelle et l'opposition tendancielle de fractions différentes entre elles ; dans lequel la liberté individuelle (juridique) des travailleurs a pour condition l'absence de tout contrôle sur leurs moyens d'existence ; dans lequel la dépense de la force de travail dans le procès de production a pour condition la tendance permanente à limiter, ou même à contrecarrer (lorsque la gestion capitaliste de la « crise » l'exige) la reproduction de la force de travail. Ce point est fondamental, car il nous montre que ce qui est déterminant dans l'antagonisme de la bourgeoisie et du prolétariat n'est pas l'existence autonome de chacun des termes, de chacune des classes, qui, en fait, peuvent se transformer et se transforment profondément au cours de leur histoire, en fonction des *conditions de reproduction* du rapport social d'exploitation, mais bien *l'existence du rapport* lui-même. C'est ce qu'on peut exprimer en disant que, dans l'antagonisme historique des classes, il y a un *primat de la contradiction* elle-même *sur les contraires* [27]. Concrètement, cela veut dire encore qu'il est absurde de penser l'existence de classes indépendamment d'un procès de division effective de classes, et qu'il ne peut pas y avoir d'un côté des sociétés (« capitalistes ») de classes antagonistes, de l'autre des sociétés de « collaboration de classes », selon la curieuse définition du socialisme qu'on a pu lire dans un ouvrage récent sur l'histoire de l'U.R.S.S. où l'on ne l'aurait pas d'abord attendue [28] (car elle vient... de Staline !).

La « survivance » de classes sous le socialisme (et dans toutes les sociétés socialistes que nous connaissons « survivent » de diverses façons des classes, des rapports sociaux de classes), ce ne peut être que la survivance d'*aspects déterminés* de l'antagonisme et de la lutte des classes, dans le procès même de son abolition : procès long et inégal, en raison de la complexité du rapport social capitaliste. Le socialisme, ça ne peut pas être la disparition des classes *exploiteuses* et le maintien ou le développement des classes *exploitées*, la disparition du capital et le développement du salariat, la « solution » de la contradiction par la suppression de *l'un* de ses termes. Ce ne peut être, selon la thèse de Marx, que la *première phase*, transitoire et elle-même contradictoire

27. Cf. également, là-dessus, ALTHUSSER : *Eléments d'autocritique*, Hachette Littérature, coll. « Analyse », 1975.

28. Cf. J. ELLEINSTEIN : *Histoire de l'U.R.S.S.*, tome 4, Ed. sociales, 1975.

« Le socialisme est fondé sur l'existence de nouveaux rapports de production. Il [le socialisme] constitue donc une longue période historique caractérisée par le maintien de la division de la société en classes sociales mais dont ont disparu toute classe exploiteuse et pour l'essentiel les antagonismes de classes. Des différences de classes subsistent, parfois même des contradictions entre les classes, ainsi que la production marchande... » (P. 230.) Le « parfois » est savoureux (s'il n'est pas sinistre) ! Et plus loin : « Ainsi la société soviétique est-elle encore une société de classes, mais dont les antagonismes ont disparu. La lutte des classes a été remplacée par la collaboration des classes en raison de la disparition de toute classe exploiteuse. » (P. 251.) Textuel.

sous une forme nouvelle, du développement des rapports de production *communistes* (le « travail communiste » de Lénine) à partir des rapports de production capitalistes [29]. Autrement dit, la révolution prolétarienne ne tend pas simplement à faire disparaître *la bourgeoisie* (c'est-à-dire la propriété capitaliste des moyens de production), mais elle tend à faire disparaître *le prolétariat* lui-même comme classe, ce qui est impossible autrement qu'en détruisant la bourgeoisie qui contrôle les conditions de la prolétarisation permanente des travailleurs. *C'est précisément en cela que la contradiction peut être dite ici « inconciliable ».*

Le troisième point important est celui-ci : si l'on s'en tenait aux formulations précédentes, on courrait immédiatement le risque d'une interprétation idéaliste. Disons qu'on pourrait simplement avoir substitué à un idéalisme substantialiste (et mécaniste) dans lequel *les termes précèdent* leur relation, un *idéalisme de la relation* (de type formaliste) dans lequel les relations « précèdent » et causent ainsi leurs propres termes, ou du moins en assignent les places et les variations par avance. Et ceci même en précisant que la « relation » ou le rapport dont il s'agit ici est un rapport historique, un procès de développement. C'est là en effet un type de renversement assez classique en philosophie. C'est pourquoi il faut faire un pas de plus et analyser la façon dont le rapport d'antagonisme *se matérialise* au cours de son procès de développement, sur la base de conditions antérieurement données [30]. Très

---

29. C'est pourquoi, s'il est essentiel de reconnaître et d'étudier les *formations sociales* du socialisme — car il n'y a pas, sauf dans l'utopie, de passage immédiat et uniforme du capitalisme au communisme —, il est impossible, voire absurde, de définir un « mode de production socialiste », des « rapports de production socialiste » spécifiques, qui seraient *à la fois* irréductibles au capitalisme et au communisme, ce dont témoigne toute l'histoire des pays socialistes de 1917 à nos jours. Cf. encore ELLEINSTEIN : « A l'époque du socialisme, les différences de classes ne disparaissent pas, mais diminuent, de même que l'inégalité sociale, tandis que s'accroît la mobilité sociale. L'Etat subsiste tandis qu'à l'époque du communisme il disparaîtra avec l'inégalité sociale. De ce point de vue le socialisme est plus proche du capitalisme que du communisme... » *Opus cit.*, p. 230.

30. Parler de *conditions* antérieurement données, c'est en fait parler *d'autres contradictions,* ou d'autres formes de la contradiction. Aucune contradiction déterminée n'est *originaire* (aucune non plus n'est *ultime*). Ce point joue, on le sait, un rôle fondamental dans l'essai de Mao *(Sur la contradiction).* L'antagonisme de la bourgeoisie et du prolétariat n'est

schématiquement, on peut dire qu'il se matérialise à un double niveau, que les premiers textes théoriques de Marx ont désigné comme « la contradiction entre les rapports de production et les forces productives » d'une part, et « la contradiction entre la base et la superstructure » d'autre part, mais que les analyses concrètes du marxisme (à partir du *Capital*) nous conduisent à désigner plutôt, plus clairement, peut-être, comme *la contradiction dans le développement des forces productives* d'une part, et *la contradiction dans la superstructure*, avant tout au niveau de l'Etat, d'autre part. Ceci afin de bien marquer « l'indice de matérialité » de ces contradictions, qui se développent en des « lieux » différents (mais non pas mécaniquement extérieurs l'un à l'autre) de la formation sociale, suivant la « loi de tendance » du rapport de production capitaliste. Chacune de ces contradictions (il faudrait même dire : chacun de ces nœuds d'une série de contradictions) est relativement autonome, en sorte que ce sont justement les formes variées, inégales, de leur condensation, de leur recou-

---

évidemment pas originaire. Il s'agit d'un antagonisme qui a été constitué, produit historiquement dans des conditions déterminées et qui est *reproduit* tout au long de son histoire par de nouvelles conditions qu'il crée en partie lui-même. Il a été constitué dans des conditions déterminées : celles d'un *autre* antagonisme de classes, propre au mode de production féodal. Mais attention ! L'antagonisme de la bourgeoisie et du prolétariat ne représente nullement la transformation directe donc la « solution » ou le dépassement de la contradiction principale propre au mode de production féodal, qui oppose les grands propriétaires terriens aux paysans : c'est pourquoi d'ailleurs, selon les pays, de façon inégale, le capitalisme peut conserver et reproduire sous de nouvelles formes cette contradiction. L'antagonisme de la bourgeoisie et du prolétariat se constitue *dans les conditions* de la lutte des classes propre au féodalisme, sans en être pour autant la fin. Ce ne sont pas le seigneur et le serf qui se transforment directement en capitaliste et en prolétaire, ce n'est pas — sauf de rarissimes exceptions — la propriété foncière féodale qui se transforme en propriété capitaliste des moyens de production industriels, bien que ce soient la *propriété privée* et la *circulation marchande* développées par le féodalisme qui le rendent possible. Il n'y a pas d'hérédité des formes de l'antagonisme de classes, pas de passage prédéterminé de l'une à l'autre. Et il n'y a pas non plus de continuité automatique de l'antagonisme bourgeoisie/prolétariat : il faut au contraire que *les conditions* de cet antagonisme soient reproduites à nouveau tout au long de son histoire. La transformation de ces conditions, c'est la transformation de la nature même de l'antagonisme.

pement historique, qui spécifient des conjonctures différentes de la lutte des classes.

La contradiction dans le développement des forces productives est en dernière analyse la contradiction entre l'accroissement même de la productivité du travail social (y compris la « révolution scientifique et technique » ininterrompue depuis la première « révolution industrielle » des débuts du capitalisme) et les formes de *division du travail* nécessaires à l'accroissement de la plus-value absolue et relative. Je n'y insiste pas ici à nouveau.

La contradiction dans la superstructure est en dernière analyse la contradiction entre le développement et le renforcement de l'Etat bourgeois, qui suppose son « universalité », son hégémonie idéologique « au-dessus des classes », et la tendance à y maintenir le pouvoir absolu de la bourgeoisie, donc de la fraction dominante de la bourgeoisie. C'est la contradiction qui amène par exemple Engels, en 1870-1874 (les dates ne sont pas indifférentes : le texte, commencé avant la Commune de Paris, a été conservé et terminé après elle), à écrire, dans une formule surprenante, que « ce qui distingue la bourgeoisie de toutes les classes qui régnèrent jadis, c'est cette particularité que, dans son développement, il y a un tournant à partir duquel tout accroissement de ses moyens de puissance (...) ne fait que contribuer à la rendre de plus en plus inapte à la domination politique » ! (Préface à la réédition de *La Guerre des paysans*, p. 27 de l'édition de 1974, parue aux Editions sociales [31].) Ou encore c'est la contradiction qui amène Lénine à écrire simultanément, et à quelques pages d'intervalle dans *l'Etat et la Révolution* (mais en nous laissant le soin d'en tirer les conséquences), que « la république démocratique est la meilleure forme politique possible du capitalisme » (*Œuvres*, t. 25, p. 426), et que « la république démocratique est la meilleure forme d'Etat pour le prolétariat en régime capitaliste » (*ibid.*, p. 431) (c'est-à-dire, bien évidemment, la meilleure forme *pour la lutte* du prolétariat) [32].

---

31. Notons qu'Engels se représentait alors encore la bourgeoisie comme un *groupe continu* historiquement, depuis la bourgeoisie manufacturière et commerçante jusqu'à la bourgeoisie industrielle et financière de la transition à l'impérialisme qui s'esquissait déjà. Cette continuité idéologique, c'est celle de « l'héritage » d'une même place, et d'une même puissance, dont les bourgeois semblent bénéficier en tant que *propriétaires*.

32. On comprend pourquoi il faut parler de contradiction *dans* la

Nous sommes ici à un point décisif, car nous découvrons la chose suivante : le problème du rapport entre l'antagonisme et la contradiction n'a plus rien à voir avec l'établissement d'une série de définitions *plus ou moins générales* (dans une échelle de généralité). C'est, en l'occurrence, le problème de la *matérialisation*, et donc de la *matérialité* de l'antagonisme, donc de sa réalisation progressive, de son développement et de sa transformation. Etudier l'antagonisme des classes *comme* contradiction,

---

superstructure, pourquoi il faut préciser en ces termes l'idée d'une contradiction « entre la base et la superstructure », dès lors qu'il est acquis que le rapport à la base n'est pas « extérieur » à la contradiction de la superstructure, que l'histoire de celle-ci n'est pas un procès purement « politique » et idéologique, mais aussi, toujours, un procès « économique ». Bien des marxistes (les classiques eux-mêmes) ont souvent cru, ou dit, qu'il y aurait *une* forme d'Etat bourgeois « typique », en quelque sorte « normale » : ce qui est inexact, l'expérience historique le montre assez. Il n'y a pas même une forme typique *unique* pour *chaque* « stade » historique du capitalisme (que ce soit la république démocratique, le bonapartisme ou le fascisme, etc.). Dire que la république démocratique est « la meilleure forme » pour le capitalisme, ce n'est pas dire que cette forme est « normale », que d'autres seraient « anormales », « exceptionnelles » ou « accidentelles ». On sait que les partis communistes, à l'époque de la IIIe Internationale, engagés dans une lutte sans merci contre le fascisme pour laquelle il leur fallait rassembler autour du prolétariat toutes les forces populaires, démocratiques, ont pensé que le fascisme, comme forme politique « d'exception », représentait le dernier sursaut de la bête, le moyen désespéré (et sans issue) que le grand capital devait mettre en œuvre pour faire face à la phase « ultime » de la crise du capitalisme, et qu'il contenait par conséquent en germe la transition immédiate à la dictature du prolétariat (cf. les rapports de Dimitrov et de Togilatti (Ercoli) au VIIe Congrès de l'Internationale communiste). On sait aussi qu'il n'en a rien été. De façon voisine, certains marxistes croient que la dictature fasciste est, de nos jours, une forme politique « anormale » qui ferait *obstacle*, en elle-même, au développement du capitalisme et des forces productives. Mais on voit bien, de l'Espagne à l'Iran et au Brésil, qu'il n'en est rien, et que la dictature fasciste appuyée, lorsque les conditions le permettent et l'exigent, sur *sa propre* base politique-idéologique *de masse*, est une forme tout à fait « normale » et « actuelle » de développement du capitalisme. C'est un point sur lequel, notamment, Alvaro Cunhal ne cesse d'insister, avant et après le 25 avril 1974. La contradiction n'est pas *entre* telle forme immuable et les rapports économiques, la « société civile ». L'Etat bourgeois est en lui-même un processus de domination d'une classe sur une autre : donc ses formes historiques dépendent *aussi* des luttes de la classe dominée et de leur degré d'organisation, dont la force et la faiblesse modifient la conjoncture politique.

ou mieux étudier *la contradiction de cet antagonisme*, ce n'est pas penser l'antagonisme « sous » une catégorie plus générale, qui serait celle de contradiction, mais c'est poser le problème : sous quelles formes, dans quelles conditions l'antagonisme est-il effectif, matériellement réalisé, et non une abstraction vide ? Autrement dit, étudier l'antagonisme en tant que contradiction, c'est *universaliser* la connaissance de l'antagonisme, mais cette universalisation ne conduit pas à une « généralité », à une subsomption d'un (cas) particulier sous un (modèle) « général » interne ou externe : elle conduit au contraire à la reconnaissance de la *série* des contradictions inégalement déterminantes dans lesquelles se matérialise l'antagonisme. Autrement dit, elle conduit à ce que L. Althusser a proposé (dans son *Pour Marx*, 1965) d'appeler la *surdétermination* matérielle de la contradiction.

Arrêtons-nous ici un instant, et ouvrons une parenthèse. Que serait, en effet, une catégorie « générale » de la contradiction, *sous* laquelle on penserait l'antagonisme comme un *cas particulier ?* Nous le voyons maintenant, ce ne serait jamais qu'un *modèle*, c'est-à-dire une *image* fabriquée *ad hoc* de la contradiction : soit celle de la négation et de la négation de la négation — image « logique » —, soit celle de la polarité, du rapport de forces en général — image « mécanique ».

Mais alors, je le vois bien, on va me poser à nouveau la question : s'il faut donner congé (sauf à titre de préparation philosophique, peut-être) à toutes ces images de la contradiction, qui semblent, dans toute la tradition philosophique, faire corps avec son concept, pourquoi parler encore de « contradiction » ? Pourquoi la dialectique est-elle ainsi liée à la catégorie et au *terme* même de contradiction [33] ?

---

33. On se souvient peut-être de quelques-unes des réactions qu'avait suscitées, pour l'approuver, mais à leur façon, la tentative d'Althusser pour définir la contradiction marxiste *par* sa propre surdétermination interne : « Dans les textes du *Pour Marx*, par un reste d'égard envers la tradition, et pour mieux prendre appui sur un texte célèbre de Mao, Althusser appelle encore la pratique articulée une contradiction. Nous abandonnons résolument cette désignation confuse. » (A. Badiou : *Le (Re)commencement du Matérialisme dialectique*, dans *Critique*, nov. 1965, p. 455.) « Les commentateurs de Marx, qui insistent sur la différence fondamentale de Marx avec Hegel, rappellent à bon droit que la catégorie de différenciation au sein d'une multiplicité sociale (division du travail) se substitue, dans *Le Capital*, aux concepts hégéliens d'opposition, de contradic-

Pour la métaphysique, la contradiction n'est jamais en fait qu'une catégorie *négative*, elle est la *limite absolue* qu'elle s'interdit (et veut nous interdire) de franchir : « halte-là ! Pas un pas de plus sinon vous tombez dans la contradiction ! ». *Faut pas* « tomber » dans la contradiction ! Et par là-même la contradiction est ce qui hante en dernière analyse toutes les catégories positives, tous les « objets » de la métaphysique : qu'il s'agisse du « sens » (la contradiction est l'absurde, l'impensable), de la « vérité » (la contradiction est le faux, l'erreur), de la « raison » (la contradiction est le mythe, le pathologique). A ce prix, elle obtient le double résultat (quasi *juridique*) qui lui importe : elle peut poser que la pensée (ou la théorie) est à elle-même son propre élément autonome, dès lors que, conformément à sa « nature », elle se développe *à l'intérieur* des limites « de droit » de la non-contradiction ; elle peut *en même temps* poser la possibilité *préétablie* de la représentation des choses dans la pensée, c'est-à-dire *la limitation de « l'être » par « la pensée »* : il n'y a pas de contradictions dans les choses, dans l'être, dans la nature, et par conséquent, « en droit », les choses ont *toujours déjà* du sens, une vérité, une raison, elles sont toujours déjà *de la pensée*, divine ou humaine, en harmonie préétablie avec la connaissance.

C'est pourquoi le matérialisme (y compris, nous l'avons dit chez Hegel) affirme d'emblée que l'être et la pratique sont *infinis*, c'est-à-dire *excèdent* toujours la pensée et la théorie, et les *déterminent*, ce qui le conduit aussi à en affirmer le caractère *contradictoire*. Placer la contradiction au centre d'une théorie et d'une philosophie (au lieu de la placer sur ses *marges* comme concept-limite, comme garde-fou et interdit), c'est alors à la fois :
— ouvrir la possibilité d'une critique radicale de tous les absolus imaginaires, qu'ils soient théologiques ou positivistes (Dieu

---

tion et d'aliénation — lesquels forment seulement un mouvement de l'apparence et ne valent que pour les effets abstraits, séparés du principe et du vrai mouvement de leur production. Evidemment, la philosophie de la différence doit craindre ici de passer dans le discours d'une belle âme : des différences, rien que des différences, dans une coexistence paisible en Idée des places et des fonctions sociales... Mais le nom de Marx suffit à la préserver de ce danger. » *(sic !)* (G. DELEUZE : *Différence et Répétition*, P.U.F., pp. 267-268.)

et ses vérités éternelles, ou la Science et son état social rationnel, donc « définitif », en l'humanité et son bonheur) ;
— mais aussi récuser d'emblée le relativisme, soit sous forme sociologique, soit sous forme psychologique, pour qui « toute vérité est relative ». Car le relativisme, où se manifeste plus que jamais l'horreur idéaliste de la contradiction, repose sur une opposition abstraite, *elle-même absolue*, du relatif et de l'absolu (ou de l'histoire et de la matérialité, etc.). C'est même, comme Lénine le montre très clairement, le seul « absolu » auquel le relativisme ne s'en prend jamais, et pour cause, puisque c'est le principal.

Mais le développement de la dialectique matérialiste n'est possible qu'à cette condition : que la contradiction échappe progressivement à toute *image* (à tout « modèle » philosophique), qui en circonscrive le concept et réglât son développement théorique par avance [34], qu'elle soit ainsi toujours en dernière instance « inimaginable ». D'où l'importance *d'étudier* la contradiction, et de l'étudier *dans* l'« élément du matérialisme historique » : plus on avance dans cette étude, plus il apparaît que la contradiction du matérialisme historique est nouvelle, qu'elle est à elle-même son propre modèle.

Il nous reste alors un dernier point à reconnaître, mais ce point est essentiel. C'est que, si les conditions d'existence de l'antagonisme bourgeoisie/prolétariat résident dans le développement des contradictions matérielles dans les forces productives et dans la superstructure, ces contradictions elles-mêmes ne sont intelligibles qu'en termes de *pratique*. C'est ainsi que le développement contradictoire des forces productives ne peut être expliqué si on fait « abstraction » de la lutte de classes économique du capital, des luttes revendicatives de la classe ouvrière, depuis les luttes pour la journée de travail « normale » et la limitation du travail des femmes et des enfants au XIXe siècle, qui permettent

34. Il faut donc appliquer à la *contradiction* ce qu'Engels et Lénine disent de la *matière* : « Le contenu (scientifique) du concept de contradiction change avec chaque grande découverte scientifique. »

On peut suggérer que, dans la métaphysique, *l'impensable* de la contradiction *comme concept* est précisément complété et compensé par son statut *imaginaire* : image « logique », image « mécanique ». Cf. les intéressantes indications de G. Lebrun : *La Patience du concept*, éd. Gallimard, p. 293.

d'analyser les premières étapes de la révolution industrielle capitaliste, jusqu'aux luttes actuelles liées aux formes du travail à la chaîne, à l'automatisation et à la préfabrication. Mais cette remarque vaut tout aussi bien pour le développement des contradictions de la *superstructure* capitaliste, dont les formes sont liées dès l'origine à l'évolution du rapport des forces entre bourgeoisie et formes successives d'organisation du prolétariat (rappelons, pour fixer les idées, ce simple fait que, dans les principaux pays européens, c'est le prolétariat qui, par la fondation des partis socialistes, puis communistes, requis par les conditions de la lutte politique *dans* l'appareil d'Etat bourgeois, a en retour imposé à la bourgeoisie la nécessité d'organiser des partis de *masses* et leur en a fourni le « modèle »). Et finalement cette présence interne de la *pratique* (de masse) dans le développement même de la contradiction, aux différents « niveaux » de la lutte des classes, permet seule d'en comprendre les transformations et les déplacements, le passage d'une époque à une autre, d'un « stade » à un autre du développement historique. Elle nous permet de comprendre en quel sens l'histoire de la lutte des classes est *déterminée*, nécessaire, un « procès naturel » comme disait Marx, sans être pour autant *prévisible* (sur le mode utopique ou sur le mode technocratique-positiviste), *prédéterminée*. Le mouvement ouvrier n'est pas *hors* du procès « naturel » de développement du capitalisme, de passage d'une étape historique à l'autre, il en est au contraire un aspect de plus en plus déterminant (par ses succès et ses victoires, bien sûr, mais aussi, il faut le dire, par ses erreurs et ses défaites [35]. La révolution prolétarienne (communiste) n'est pas un simple *avenir*, dont il faudrait supputer la venue, calculer les chances et l'opportunité, mais un processus tendanciel qui *commence* avec le capitalisme lui-même (avec la « révolution bourgeoise »), et qui détermine son histoire. C'est par conséquent un processus dont l'histoire du capitalisme modifie constamment la tendance, qui n'aboutit jamais, pourrait-on dire, exactement là où il « visait » d'abord. C'est ce qui a eu lieu en 1793, 1848, 1871 en France, en 1842 en Angleterre, en 1905 et 1917 en

35. C'est cet aspect *pratique*, déterminant, du mouvement de la contradiction historique qui rend chaque jour plus urgente pour le mouvement ouvrier la constitution d'une histoire enfin objective et critique, matérialiste, de ses organisations, de leur stratégie et des conditions de son élaboration, de leur rapport aux masses.

Russie, etc. Avec l'époque de l'impérialisme (qui est aussi l'époque des révolutions prolétariennes victorieuses), la *transition* socialiste effective devient contemporaine du développement du capitalisme et forme avec lui un seul système contradictoire [36].

Je proposerai donc trois thèses schématiques :

A. Que la dialectique matérialiste ne représente pas le passage d'une « logique de la non-contradiction » à une « logique de la contradiction », mais une critique des pseudo-contradictions, qui ne sont que des contradictions d'idées, et le passage à l'analyse des contradictions réelles, c'est-à-dire spécifiées.

B. Que la catégorie de contradiction, dans la dialectique matérialiste, n'est pas un *principe* discursif, et que par conséquent la dialectique n'est pas un système théorique de la contradiction, mais une *pratique* du développement des contradictions incluant leur analyse *théorique* comme un moment nécessaire.

C. Que le passage de la dialectique idéaliste à la dialectique matérialiste (c'est-à-dire, si l'on m'a suivi, le pas décisif dans le passage en cours de l'idéalisme au matérialisme) est impossible si on n'introduit pas, non seulement un autre usage de la contradiction, mais surtout une autre définition, et je dirai même *d'autres définitions* de la contradiction, pour lesquelles les modèles de la philosophie classique n'ont à jouer qu'un rôle provisoire.

On le voit maintenant, deux questions inséparables sont toujours en jeu dans l'étude de la dialectique matérialiste : la question de savoir *quelle est la catégorie de contradiction* élaborée par la philosophie marxiste et comment elle est présente dans les analyses théoriques du matérialisme historique ; mais aussi la question de savoir quelle philosophie, ou plutôt *quelle pratique de la philosophie* et généralement de la théorie implique la catégorie marxiste de la contradiction ? S'il s'agit de la caté-

36. Si nous nous référons à nouveau au texte de Mao, *Sur la contradiction*, nous voyons que ce point y est traité à propos de la distinction qu'il fait entre *l'aspect principal* et *l'aspect secondaire* de la contradiction, dont le « jeu » permet précisément de penser la *tendance* historique de la lutte des classes. L'aspect secondaire, nous dit Mao, devient principal au cours de la lutte. Aussi pourrait-on, suivant P. Macherey, exprimer le primat de la pratique par l'aphorisme suivant : « ne jamais oublier l'aspect secondaire ! ».

gorie fondamentale de la dialectique, c'est que la définition de la contradiction, dans sa *nouveauté* historique, implique une transformation du rapport (lui-même pratique) de la science à la philosophie, de la science et de la philosophie à la politique (du mouvement ouvrier).

Essayons donc, en conclusion, de résumer ce qui nous est apparu comme le statut complexe de la dialectique matérialiste, telle qu'elle s'est développée jusqu'à présent, telle qu'elle *existe* réellement au point d'articulation de la théorie marxiste et du mouvement ouvrier.

La « loi », le « principe », ou mieux la *thèse* fondamentale de la dialectique matérialiste, c'est la thèse de « l'unité des contraires », la thèse de l'universalité de la contradiction et de la spécificité des contradictions.

Il est donc tout à fait insuffisant de dire que le marxisme est dialectique parce qu'il pense le *mouvement* (le devenir, l'évolution, l'histoire), et que le mouvement est « contradiction » (voire « contradictoire »)[37] : ce serait en rester à la critique de l'ontologie, de la métaphysique *dans* la problématique même de l'ontologie et de la métaphysique : être ou devenir, identité ou contradiction. C'est la thèse inverse qui est juste : la dialectique marxiste, parce qu'elle est, sous le primat de la pratique, théorie de la contradiction, et donc *des* contradictions et des formes de la contradiction, est aussi nécessairement théorie du *déplacement* des contradictions, de leur « résolution » (à l'opposé de leur conciliation), de leur production et de leur développement : car *aucune* contradiction n'est « stable », « éternelle », bien que *la* contradiction, le caractère contradictoire de « l'essence des choses » soit, comme tel, éternel, ou plutôt *absolu*. C'est ce qui fait de la dialectique matérialiste une pensée, plus exactement une analyse du « mouvement », du « devenir ». La preuve : ce n'est pas parce que, contrairement à Hegel, le marxisme refuse *d'arrêter le mouvement* (dans la Fin de l'Histoire, l'Esprit absolu, le Système, etc.) qu'il penserait autrement la contradiction (ou la « résoudrait » autrement) ; mais c'est parce que le marxisme remplace tendanciellement la conception hégélienne de la contradiction, toujours

37. Notons-le, cette formulation peut figurer le point de vue *commun* aux deux grandes « déviations » que j'ai désignées plus haut, objectivisme, historicisme : le point *d'où elles divergent*.

déjà habitée par une téléologie idéaliste (qui n'est que la contrepartie immédiate de l'ontologie substantialiste de la métaphysique) par une autre conception de la contradiction, intrinsèquement différente, qu'il peut analyser le procès infini du mouvement historique, procès sans Origine ni Fin [38].

D'où une situation effectivement très nouvelle dans l'histoire des sciences et de la philosophie, que nous pouvons exprimer de deux façons :

Nous pouvons dire d'abord que, pour autant qu'elle est connaissance théorique (connaissance scientifique), la dialectique matérialiste n'a existé jusqu'à présent qu'*investie dans le matérialisme historique lui-même*, et par conséquent ses catégories ont été découvertes, définies et développées comme des *concepts scientifiques* du matérialisme historique : tels sont, non seulement les concepts de contradiction et d'antagonisme, mais aussi, entre autres, de procès, de rapports de production et de reproduction, de tendance, de développement inégal, etc. Mais la dialectique matérialiste n'est pas *réductible* à cet aspect scientifique (théorique), ni à son *objet* constitué (l'histoire des formations sociales), bien qu'elle n'en soit *pas séparable* : ses catégories fonctionnent donc aussi sur un autre registre, qui est celui de la *pratique*, elles permettent de penser le rapport du procès historique à la pratique, d'y représenter la place de la pratique et d'en penser l'orientation révolutionnaire.

Mais nous pouvons dire aussi que la dialectique matérialiste n'est pas seulement investie dans la *connaissance* de l'histoire, et qu'elle assure aussi une double *reconnaissance* : reconnaissance *par le matérialisme historique* de son objectivité, et reconnaissance *par le mouvement ouvrier* (sous des formes toujours différentes et conflictuelles) du matérialisme historique comme théorie scientifique. En ce sens, ses catégories ne sont plus les concepts scientifiques d'un objet, mais les normes et les marques *idéologiques* d'une certaine « vérité » objective du matérialisme historique : catégories idéologiques nécessairement relatives à un état

38. Procès qu'il s'agit d'analyser conformément à sa nature. Qu'il soit infini, qu'il n'ait pas de Fin(s) n'a pas à être « prouvé » par la philosophie marxiste : c'est, là encore, ce qu'on pourrait appeler, comme Lénine, un « fait matérialiste », une ligne de démarcation toujours tracée entre matérialisme et idéalisme.

donné de la connaissance *et* liées à une idéologie de classe déterminée, l'idéologie prolétarienne, qu'elles représentent dans la connaissance.

A vrai dire, ces deux formulations se rejoignent, car l'objectivité du matérialisme historique ne peut être reconnue que dans son épreuve *expérimentale*, dans le mouvement de son application, de sa vérification et de sa rectification critique incessante, dont le travail de Marx lui-même, et plus nettement encore le passage de Marx à Lénine, nous offrent les exemples les plus clairs. Or l'expérimentation, dans le cas du matérialisme historique, ce n'est pas tant, comme le disait Lénine à propos de la physique contemporaine, « la dialectique des transformations matérielles qui s'accomplissent dans les laboratoires et dans les usines » (encore qu'elles relèvent *aussi* de la pratique sociale), c'est surtout l'expérience des formes, des conditions et des résultats de la lutte de classe prolétarienne, progressivement organisée.

Et nous pouvons ainsi commencer à comprendre deux grands faits historiques, qui resteraient sans cela énigmatiques.

D'un côté le fait que le matérialisme historique lui-même, et en ce sens il s'agit manifestement d'une science dont les caractères, les conditions d'objectivité sont tout à fait singuliers, n'a pu se constituer et se développer sans une *révolution philosophique* sans précédent dans l'histoire, puisqu'elle est d'emblée un renversement de la tendance jusqu'alors dominante dans toute l'histoire de la philosophie. Une révolution philosophique à laquelle, dans un cycle incessant, il a lui-même fourni sa matière et ses armes. Ce qu'on peut exprimer aussi en disant que l'objectivité du matérialisme historique, donc son *universalité* théorique, n'est possible que par la réalisation interne d'une *position de classe* déterminée, affirmée comme telle, une position de classe prolétarienne. Le matérialisme historique ne peut exister, c'est-à-dire se développer, se transformer, que dans la mesure où il analyse ainsi, hors de toute mystification idéaliste, sa propre place *dans* le processus qu'il étudie, comme une « force matérielle ». Dans la mesure où il analyse sa propre union ou « fusion » avec le mouvement ouvrier révolutionnaire, donc l'*inégalité*, les *limites* et les *contradictions* de cette fusion, dont notre actualité suffirait à nous rappeler avec insistance qu'elle n'est jamais ni achevée ni irréversible. L'*union*, vous le savez, *est un combat* : celle-ci avant toute autre. D'où le second fait dont je parlais :

Le fait que, le matérialisme historique étant nécessairement une « science de parti » au sens général, l'histoire de la dialectique matérialiste n'a cessé, elle, d'être organiquement liée à l'histoire et à la question *du parti* révolutionnaire, au sens strict, c'est-à-dire à l'histoire *des partis* révolutionnaires, depuis la Ligue des Communistes des années 1840 et la Première Internationale jusqu'aux problèmes de ligne politique et d'organisation des Partis communistes de nos jours, dans leur configuration complexe qui englobe à la fois ceux qui sont au pouvoir dans les pays socialistes et ceux qui luttent pour la prise du pouvoir dans les pays capitalistes, ou ceux qui se situent d'un côté ou de l'autre *des* scissions actuelles du mouvement communiste international.

Aucun des grands textes « classiques » de la dialectique matérialiste n'est séparable d'un moment critique dans la constitution ou la transformation du parti révolutionnaire, où s'est trouvée liée la question de la « position de parti » en philosophie et celle de la « position de principe » en politique. De même, les contradictions internes de la dialectique matérialiste, auxquelles je faisais allusion plus haut, sont pratiquement liées aux contradictions internes de l'histoire du parti révolutionnaire, qui nous renvoient en dernière analyse à la grande contradiction historique que le prolétariat doit affronter : pour lutter contre l'exploitation, pour tendre à l'abolition du salariat et à la destruction de l'Etat, il lui faut cependant s'organiser lui-même, de façon autonome, c'est-à-dire sur sa propre base de classe, *dans* le système de l'appareil d'Etat et des appareils idéologiques d'Etat bourgeois. Ainsi, de même que le parti révolutionnaire est à la fois pour le prolétariat le *moyen* d'aboutir aux transformations sociales qu'il vise, et *le premier objectif* de sa critique et de sa transformation, de même la dialectique matérialiste est elle-même sa propre cible en même temps que l'arme de la lutte théorique et politique du prolétariat. Je suggère comme une formule plus que métaphorique : en ce sens, la dialectique est à la théorie du prolétariat ce que le parti est à sa pratique, son *organisation* ou sa « forme concentrée ». Donc aussi le lieu où se concentrent ses contradictions, et où peuvent être élaborées les conditions de leur résolution.

DIALECTIQUE ET RÉVOLUTION

Guy BESSE

Je partirai d'un texte classique, la postface de la 2e édition allemande du *Capital.* Rédigée à Londres en janvier 1873, datée du 24 de ce mois. Marx, on le sait, oppose sa méthode à celle de Hegel. Pour Hegel, dit-il, le réel est la manifestation de la pensée ; pour lui, au contraire, le mouvement de la pensée n'est que la réflexion du mouvement réel. La méthode de Marx se présente donc comme méthode matérialiste.

Cependant Marx n'en reste pas là puisque, à bien des égards, cette page est une mise au point sur Hegel. Après avoir rappelé comment, trente ans plus tôt — quand la dialectique hégélienne « était encore à la mode » —, il avait critiqué son « côté mystificateur », il s'en prend aux épigones qui dans « l'Allemagne cultivée » d'aujourd'hui traitent Hegel en « chien crevé ». Ainsi, du temps de Lessing, Moïse Mendelssohn traitait Spinoza de « chien crevé ».

Voilà pourquoi, ajoute Marx, quand il rédigea le 1er volume du *Capital* il se déclara « ouvertement disciple de ce grand penseur » :

« ... et même, dans le chapitre sur la théorie de la valeur, j'eus la coquetterie de reprendre ici et là sa manière spécifique de s'exprimer. La mystification que la dialectique subit entre les mains de Hegel n'empêche aucunement qu'il ait été le premier à en exposer les formes générales de mouvement de façon globale et consciente. Chez lui, elle est sur la tête. Il faut la retourner pour découvrir le noyau rationnel sous la pelure mystique. »

[« Il faut », traduction qui corrige une traduction antérieure (« il suffit »).]

Suit un bref développement, d'importance majeure pour mon sujet :

« Dans sa forme mystifiée, la dialectique devint une mode allemande, parce qu'elle semblait glorifier l'état de choses existant. Dans sa configuration rationnelle, elle est un scandale et une abomination pour les bourgeois et leurs porte-parole doctrinaires, parce que dans l'intelligence positive de l'état de choses existant elle inclut du même coup l'intelligence de sa négation, de sa destruction nécessaire, parce qu'elle saisit toute forme faite dans le flux du mouvement et donc aussi sous son aspect périssable, parce que rien ne peut lui en imposer, parce qu'elle est, dans son essence, critique et révolutionnaire [1]. »

La signification des termes employés par Marx dans un tel texte ne me paraît pas faire problème. La « négation » dont il est ici question a un caractère objectif. Pour Marx une « dialectique rationnelle », par opposition à une dialectique « mystifiée », met en évidence l'*essence* du processus effectif. Cette essence est *contradictoire*. Voilà pourquoi le capitalisme n'est pas éternel. Si donc la dialectique, dans sa configuration « rationnelle », est « critique et révolutionnaire », c'est parce qu'elle met radicalement en question une société, la société fondée sur l'exploitation capitaliste de la force de travail. Et c'est pourquoi la « méthode » mise en œuvre par l'auteur du *Capital* heurte de front les intérêts de la bourgeoisie.

Du texte ici rappelé nous pourrions rapprocher quelques autres ; par exemple Engels, 4e partie de *Ludwig Feuerbach et la fin de la philosophie classique allemande* ; Engels, 2e Article sur la *Contribution à la critique de l'économie politique de Karl Marx* [2]. Après avoir souligné les mérites de Hegel, le premier, dit-il, qui essaya de montrer qu'il y a dans l'histoire « un développement, une cohérence interne », Engels écrit :

« Marx était et est le seul qui ait pu prendre à tâche de décortiquer le noyau de la logique hégélienne, où sont renfermées les découvertes effectives de Hegel en ce domaine, et de reconstruire, dépouillée de ses enveloppes idéalistes, la méthode dialec-

1. Cette traduction améliorée figure dans le recueil : Marx-Engels, *Etudes philosophiques,* Editions sociales, 1974, pp. 154-155.

2. Ces deux textes figurent également dans Marx-Engels : *Etudes philosophiques*, p. 208 et p. 125.

tique dans la forme simple où elle est la seule forme juste du développement de la pensée. Nous considérons l'élaboration de la méthode qui sert de base à la critique de l'économie politique de Marx comme un résultat qui le cède à peine en importance à la conception matérialiste fondamentale. » (*Op. cit.*, p. 129.)

Les « rapports » que cette méthode soumet à l'investigation ne sont pas des rapports qui n'auraient d'autre existence que le mouvement des concepts ; ce sont des rapports historiquement constitués, comme le souligne plus loin Engels. Et c'est dans l'histoire que se développent les contradictions objectives qu'une méthode non dialectique (c'est-à-dire, selon l'expression d'Engels, « métaphysique ») est impuissante à se représenter.

Ce qui revient à dire que seule une dialectique matérialiste peut comprendre la dialectique objective qui sous-tend les manifestations, les apparences dont l'empirisme demeure prisonnier.

Hostile par principe à la transformation socialiste des rapports de production, la bourgeoisie se trouvait nécessairement conduite à une opposition de principe au matérialisme historique. Mais l'attitude de la classe ouvrière, quand elle prend conscience de ses intérêts et engage la lutte contre l'exploitation, est diamétralement opposée. Dans le socialisme scientifique se noue donc un imbrisable lien entre révolution et dialectique. La classe ouvrière, telle que Marx et Engels l'ont caractérisée dès le *Manifeste du Parti communiste*, c'est la classe qui est révolutionnaire jusqu'au bout ; son intérêt *de classe*, en effet, n'est pas de remplacer une forme d'exploitation par une autre (ce qu'a fait la bourgeoisie propriétaire des moyens modernes de production...), c'est de supprimer l'exploitation de l'homme par l'homme. Elle lutte donc pour une société libérée de l'exploitation ; elle lutte pour une transformation si profonde des rapports sociaux que la perspective de son combat révolutionnaire, c'est une société sans classes, une société où seront dépassées toutes les conséquences de la division du travail, une société communiste. Pour conduire ce combat révolutionnaire, la classe ouvrière a vitalement besoin d'une représentation adéquate et rigoureuse du processus historique. Cette science des rapports de production, cette science de la dialectique sociale que la bourgeoisie redoute, est indispensable à la classe ouvrière, et plus généralement à tous les travailleurs intéressés à la victoire du socialisme. C'est pourquoi Marx considère *Le Capital* à la fois comme un livre de science et un livre de combat. Et Lénine entendra les choses ainsi : *Le Capital* arme la classe révolutionnaire d'une science révolutionnaire. Ce qui n'a rien à voir avec un quelconque subjectivisme de classe, car cette science a un contenu objectif, les lois du processus historique.

Pour apprécier l'attitude de Lénine, on se reportera par exemple au tome I des *Œuvres* (p. 366) : « *Le contenu économique du populisme et la critique qu'en fait dans son livre M. Strouvé.* »

« L'objectiviste, écrit Lénine à propos de Strouvé, parle de la nécessité d'un processus historique donné ; le matérialisme constate avec précision l'existence d'une formation économique et sociale donnée, ainsi que les rapports antagoniques qu'elle fait naître. L'objectiviste risque toujours, en démontrant la nécessité d'une suite de faits donnés, d'en devenir l'apologiste ; le matérialiste met en valeur les contradictions de classe, et c'est ainsi qu'il détermine son point de vue. L'objectiviste parle de « tendances historiques invincibles » ; le matérialiste parle de la classe qui « dirige » tel ou tel régime économique, en provoquant telles formes concrètes d'opposition de la part des autres classes. Ainsi donc le matérialiste est, d'une part, plus conséquent que l'objectiviste ; son objectivisme est plus profond, plus complet. Il ne se contente pas d'indiquer la nécessité du processus : il montre avec clarté et précision quelle est la formation économique et sociale qui donne un contenu à ce processus, et *quelle est la classe* qui en détermine la nécessité [3]. »

Ce qui conduit Lénine à déclarer que « le matérialisme suppose en quelque sorte l'esprit de parti ; il nous oblige, dans toute appréciation d'un événement, à nous en tenir ouvertement et sans équivoque au point de vue d'un groupe social déterminé [4] ».

Ces textes de 1895 nous aident à comprendre la lecture que Lénine fait, pour sa part, des « apôtres des lumières » et des populistes. Les apôtres des lumières font confiance à « l'évolution actuelle de la société, car ils ne remarquent pas les contradictions qui lui sont inhérentes ». Ils ne sont pas attentifs à la division de la société en classes ; ils parlent donc du « peuple » en général, et même de la « nation » en général. Quant aux populistes, ils redoutent l'évolution sur laquelle les apôtres des lumières fondaient tous leurs espoirs. Tout en prétendant représenter les

---

3. LÉNINE, *Œuvres complètes*, tome I, p. 433.
4. *Idem*.

« intérêts du travail », les populistes, incapables de « distinguer entre les groupes qui composent le système économique actuel », adoptent en fait le « point de vue du petit producteur que le capitalisme transforme en producteur de marchandises ». Là est la source du « pessimisme historique » qui leur est propre [5].

De ces analyses faites par Lénine dans ses premières œuvres on pourrait rapprocher bien d'autres textes où apparaît la volonté, constante chez lui, de lier le point de vue de classe, la prise de parti révolutionnaire et la représentation scientifique des contradictions qui caractérisent le mode de production capitaliste. D'où l'importance, en contrepoint, de la critique du « romantisme économique », à travers l'œuvre de Sismondi. Sismondi qui, par certains aspects, préfigure les populistes russes, perçoit clairement que le capitalisme ruine les petits producteurs. Mais il ne sait pas reconnaître la dialectique du mode de production capitaliste parce qu'il est inconsciemment prisonnier de l'optique de ce petit producteur qui a la nostalgie du vieux temps et qui rêve de restaurer dans le mode de production fondé sur l'extorsion de la plus-value des rapports d'échange égal entre les producteurs [6].

Ni Sismondi ni les populistes ne conçoivent le caractère progressiste, et transitoire, du capitalisme. Pour le socialisme scientifique, c'est précisément dans le développement des contradictions essentielles au capitalisme que s'accumulent les possibilités objectives d'une transformation socialiste. Il y a donc unité, historiquement constituée, entre la lutte révolutionnaire de la classe ouvrière et la science des formations économico-sociales.

Les anciens amis de Marx, les docteurs de la gauche hégélienne, en particulier Bruno Bauer, ne pouvaient maîtriser une telle science parce que, piégés par l'idéalisme hégélien, ils entendaient la dialectique comme purement subjective. Ils étaient ainsi conduits à penser l'histoire comme manifestation temporelle de principes posés *a priori*. Mais Marx lui-même n'aurait pu concevoir le matérialisme historique si le mode de production capitaliste n'avait pas pris corps, notamment en Angleterre. L'histoire du savoir, l'histoire de la connaissance est en effet inséparable de l'histoire des formations économico-sociales. Un des meilleurs

---

5. *Idem, op. cit.*, (*Quel héritage renions-nous ?*), pp. 541-542.
6. Voir sur Sismondi, l'étude de Lénine : *Pour caractériser le romantisme économique (Sismondi et nos sismondistes nationaux)*, 1897.

exemples nous en est donné au livre 1er du *Capital,* quand Marx consacre un très intéressant développement au grand philosophe grec Aristote. Etudiant la valeur des produits du travail, Aristote a fort bien compris qu'il y avait échange égal entre des objets qualitativement distincts. Mais pour avoir une conception adéquate de cet échange égal, donc pour constituer une théorie scientifique de la valeur, il faut pouvoir se représenter le couple travail-abstrait/travail-concret ; il faut pouvoir reconnaître la production d'objets qualitativement distincts comme manifestation d'une certaine quantité de travail social. Or les limites du mode de production esclavagiste enferment la pensée d'Aristote.

« Le secret de l'expression de la valeur, l'égalité et l'équivalence de tous les travaux, parce que et en tant qu'ils sont du travail humain, ne peut être déchiffré que lorsque l'idée de l'égalité humaine a déjà acquis la ténacité d'un préjugé populaire. Mais cela n'a lieu (nous soulignons, G.B.) que *dans une société où la forme marchandise est devenue la forme générale des produits du travail, où, par conséquent, le rapport des hommes entre eux comme producteurs et échangistes de marchandises est le rapport social dominant.* Ce qui montre le génie d'Aristote, c'est qu'il a découvert dans l'expression de la valeur des marchandises un rapport d'égalité. *L'état particulier de la société dans laquelle il vivait l'a seul empêché de trouver quel était le contenu réel de ce rapport*[7]. »

Cependant, pour que Marx ouvre à la connaissance un continent nouveau[8], il ne fallait pas seulement que le mode capitaliste de production atteigne un certain degré de développement ; il a aussi fallu que Marx fasse une expérience que les maîtres du socialisme utopique n'étaient pas en mesure de faire : l'expérience de la lutte révolutionnaire, dans des pays où, en raison du développement du capitalisme, la classe ouvrière était sortie de l'enfance. Cette expérience, Marx et Engels l'ont faite en France et en Angleterre. Prenant part aux combats de la classe ouvrière, les fondateurs du matérialisme historique firent une très grande découverte : la dialectique présente dans les rapports sociaux *est*

7. *Le Capital*, Ed. sociales, 1972, livre premier, tome I, p. 73.

8. L'expression est de Bacon, parlant des sciences de la nature à l'ère post-aristotélicienne. Elle a été reprise par L. Althusser pour caractériser l'entreprise de Marx.

toujours concrète. Si ce caractère concret est méconnu, l'action révolutionnaire est condamnée à l'échec. Cette découverte fut particulièrement douloureuse, puisqu'elle se fit au lendemain des événements de 1848-1849 en Europe. Le reflux qui suivit la « révolution » — une « révolution » qui avait vu les ouvriers parisiens, en juin 48, se battre les armes à la main pour les intérêts propres de la classe ouvrière —, ce reflux conduisit Marx et Engels à s'interroger sur les conditions auxquelles une révolution peut concrètement s'effectuer. La réponse, ils ne seront pas capables de la donner avant la 2e moitié de l'année 1850. Le profond ébranlement de 1848 est né de la crise commerciale de 1847. Mais en 1849-1850 l'économie se rétablit ; il y a reprise de la prospérité industrielle. Dans ces conditions le mode de production capitaliste, qui a encore un bel avenir devant lui en Europe, ne peut être ébranlé par le mouvement révolutionnaire. Marx et Engels, comprenant cette situation, sont conduits à critiquer les illusions, la phraséologie de ceux qu'ils appellent les « alchimistes de la révolution »[9]. Pour qu'une révolution n'avorte pas, il ne suffit pas qu'existe la volonté de changer fondamentalement les rapports sociaux ; il faut que les formes dans lesquelles évolue la production, les rapports de production, entrent en conflit avec les forces productives. Tant que les rapports bourgeois sont en mesure

---

9. Lénine, à son tour, fera une critique vigoureuse du volontarisme. Voir notamment son article de 1915 sur la *Faillite de la IIe Internationale :*
« ... on ne peut « faire » la révolution..., les révolutions *naissent* des crises et des tournants historiques objectivement mûris (indépendamment de la volonté des partis et des classes...) (*O.C.*, t. XXI, p. 246.)

Une telle conception du processus historique n'annule pas les effets des facteurs subjectifs. Bien plutôt c'est quand la représentation des rapports objectifs est la plus claire et la plus précise que l'intervention des facteurs subjectifs est la plus efficace. Et de nombreux textes de Lénine soulignent que la prise de conscience du rôle de ces facteurs est essentiellement *politique.* D'où l'effort constant de Lénine (et l'on peut dire que c'est un des grands traits du léninisme) pour cultiver la conscience politique de la classe ouvrière et des couches sociales qu'elle est suceptible d'entraîner. On sait qu'il place le journal au centre de cette culture politique. Mais le journal lui-même doit assumer sa fonction d'analyse, d'élucidation, de divulgation, de critique en liaison avec sa tâche organisatrice. Il en est ainsi parce que la conscience politique n'est pas solitaire ; c'est la forme la plus élevée de la conscience de classe ; comme telle, elle est organiquement liée au travail par lequel la classe ouvrière organise son combat révolutionnaire.

d'assurer le progrès de ces forces, une situation révolutionnaire ne peut apparaître [10]. Marx et Engels en concluent que, pour l'immédiat et pour de longues années encore, la tâche primordiale du prolétariat à l'échelle internationale, c'est de s'organiser. On ne peut improviser une révolution quand les conditions objectives n'en sont pas réalisées.

Prenant conscience du rôle révolutionnaire de la classe ouvrière, tel qu'il est décrit dans le *Manifeste*, Marx et Engels avaient accompli un pas décisif par rapport aux utopistes de la génération précédente. Ils avaient compris que la transformation d'une société ne peut s'opérer que du dedans, par la dialectique interne des rapports entre des classes dont les intérêts s'opposent. A la différence du socialisme utopique, le socialisme scientifique refuse de croire qu'un législateur ou une petite minorité auraient la possibilité de transformer radicalement les rapports sociaux en soumettant la réalité à un plan longuement médité. Les forces capables d'opérer un changement véritable naissent et croissent dans la société considérée ; c'est la contradiction qui est révolutionnaire, la lutte entre les classes qui ont intérêt à transformer la société et les classes qui ont intérêt à maintenir les rapports dominants. Ni Fourier, ni Saint-Simon ne comprennent le rôle historique de la classe ouvrière ; de leur temps, elle est trop faible encore pour se porter au premier plan de l'histoire. Marx et Engels ouvrent donc une ère nouvelle dans le développement de la pensée socialiste. L'utopiste confronte les dures réalités d'une inhumaine société à l'image d'une société fraternelle ; mais comment passer du mal au bien ? Le socialisme scientifique, en apportant à la classe ouvrière la connaissance des lois du processus social, lui permet de prendre appui sur ces lois pour conduire son combat révolutionnaire.

Mais cette découverte de la dialectique de la révolution gardait encore un caractère général. L'expérience des années 1848-

---

10. En 1859, dans sa Préface à la *Contribution à la critique de l'Economie politique,* Marx brossera en quelques lignes le tableau des contradictions qui mettent une « révolution sociale » à l'ordre du jour : « A un certain stade de leur développement, les forces productives matérielles de la société entrent en contradiction avec les rapports de production existants, ou, ce qui n'en est que l'expression juridique, avec les rapports de propriété au sein desquels elles s'étaient mues jusqu'alors... », etc. (P. 121 de l'ouvrage cité.)

1849-1850 conduit Marx et Engels plus loin. Ils apprennent alors que, pour vaincre, la classe ouvrière doit être capable d'avoir une représentation concrète de cette dialectique à chaque étape de son mouvement ; il faut qu'elle apprenne à faire une évaluation précise des contradictions réelles ; car seule une telle évaluation donne la mesure de ce qui est possible en pratique. C'est bien là qu'on voit que la science de la révolution socialiste ne peut s'enfermer dans l'énoncé global de l'antagonisme historique entre classe exploiteuse et classe exploitée. Sans théorie la pratique est aveugle, condamnée à l'empirisme ; mais la théorie est dépourvue de toute prise sur la réalité si elle ne se lie pas à la pratique des luttes de classe. D'autant plus que, ces luttes contribuant à modifier la réalité, la théorie prend inévitablement du retard sur la vie si elle ne se renouvelle pas au feu de l'expérience.

Durant les dernières décennies du XIXe siècle et jusqu'à la Première Guerre mondiale, les guesdistes, qui avaient compris la portée décisive du marxisme pour le mouvement ouvrier, ne surent pas en faire un instrument d'analyse concrète, appropriée aux conditions historiques mouvantes, aux transformations du capitalisme qui entrait dans sa phase ultime, celle de l'impérialisme. Quand un parti ouvrier n'a pas une représentation différenciée des situations auxquelles il est confronté, il est condamné à juxtaposer un langage volontiers doctrinaire à une politique opportuniste — opportunisme qui, selon les cas, peut être gauchisant ou droitier.

Plus précisément, on peut dire que la méconnaissance ou la sous-estimation de la dialectique des rapports sociaux, qui n'est jamais la simple répétition d'une situation antérieure, interdit au mouvement ouvrier de repérer sa route. De ce point de vue le révisionnisme des dirigeants de la *II*e Internationale est particulièrement instructif. Ils furent incapables de déceler le processus réel sous les apparences qui pouvaient laisser croire que le capitalisme international allait amortir ses contradictions, trouver un point d'équilibre. Certains, parmi les théoriciens de l'époque, allèrent jusqu'à professer, avec Hilferding, en 1910, que pourrait se constituer une espèce de cartel universel qui supprimerait la majeure part des antagonismes au sein du capitalisme.

Il est clair que de telles conclusions étaient en complète rupture avec ce qu'il y a de plus fondamental dans le marxisme. L'auteur du *Capital* n'a-t-il pas montré que le mode de production capitaliste s'édifie tout entier sur une contradiction entre la classe exploiteuse et la classe exploitée ? Cette contradiction, à quelque phase qu'on la considère, a un caractère antagonique, et elle ne peut être résolue que par une transformation socialiste du mode de production. L'originalité de Lénine fut d'approprier l'enseignement de Marx à l'étude du capitalisme parvenu à son suprême stade. Voir son ouvrage de 1916, *L'Impérialisme, stade suprême du capitalisme.*

L'impérialisme étant la « veille de la révolution sociale du prolétariat », la lutte contre l'impérialisme est phrase creuse si on ne lutte pas contre l'opportunisme dans le mouvement ouvrier.

L'analyse conduit Lénine à découvrir la loi de l'*inégalité du développement économique et politique* des pays capitalistes à l'époque de l'impérialisme. Marx avait certes remarqué que le développement du capitalisme n'est pas égal. Mais Lénine, étudiant la loi du développement inégal, conclut que le jeu de cette loi entraîne la formation de foyers de crise, de nœuds de contradictions favorables à la création d'une *situation révolutionnaire.*

Si à ces conditions objectives correspond l'existence de facteurs subjectifs — eux-mêmes engendrés par l'action d'un parti capable de comprendre et de maîtriser cette situation —, la révolution socialiste peut faire sa percée là où le maillon est le plus faible.

Je renvoie sur ce point à l'article publié le 23 août 1915 : « A propos du mot d'ordre des Etats-Unis d'Europe Lénine écrit :

« L'inégalité du développement économique et politique est une loi absolue du capitalisme. Il s'ensuit que la victoire du socialisme est possible au début dans un petit nombre de pays capitalistes ou même dans un seul pays capitaliste pris à part [11]. »

Voir également *Le Programme militaire de la Révolution prolétarienne* (septembre 1916) :

« Le développement du capitalisme se fait d'une façon extrêmement inégale dans les différents pays. Il ne saurait d'ailleurs en être autrement sous le régime de la production marchande. D'où cette conclusion inéluctable : le socialisme ne peut triompher simultanément *dans tous* les pays. Il triomphera d'abord dans

11. *Œuvres complètes,* tome XXI, pp. 354-355.

un seul ou dans plusieurs pays, tandis que les autres resteront pendant un certain temps des pays bourgeois ou prébourgeois [12]. »

Une telle conclusion était radicalement nouvelle par rapport aux enseignements de Marx et Engels. Dans *Les principes du communisme* (1847), considérant que le capitalisme tend à égaliser le développement des sociétés les plus évoluées, Engels avait écrit que la « révolution communiste » se produirait simultanément dans les pays les plus industrialisés ; « c'est-à-dire au moins, écrivait-il, en Angleterre, en Amérique, en France et en Allemagne ».

En dépassant cette thèse, Lénine s'opposait aux leaders de la IIe Internationale qui sous-estimaient l'importance des transformations mondiales entraînées par l'impérialisme. Mais la conclusion à laquelle il était conduit n'était pas moins opposée au mot d'ordre de Trotski sur les Etats-Unis d'Europe socialistes.

Lénine donnait ainsi aux bolchéviks la possibilité d'exploiter la situation créée en Russie par la Première Guerre mondiale. Alors que Plekhanov contestait la possibilité objective d'une victoire du socialisme en Russie, Lénine sut reconnaître que le maillon le plus faible dans l'ensemble constitué par les pays impérialistes engagés dans la guerre était précisément la Russie.

Un des aspects les plus importants de l'apport de Lénine en cette période, c'est la définition d'une « situation révolutionnaire » :

« Pour un marxiste, écrit-il dans la *Faillite de la IIe Internationale* (mai-juin 1915), il est hors de doute que la révolution est impossible sans une situation révolutionnaire, mais toute situation révolutionnaire n'aboutit pas à la révolution. Quels sont, d'une façon générale, les indices d'une situation révolutionnaire ? Nous sommes certains de ne pas nous tromper en indiquant les trois principaux indices que voici : 1. Impossibilité pour les classes dominantes de maintenir leur domination sous une forme inchangée ; crise du « sommet », crise de la politique de la classe dominante, et qui crée une fissure par laquelle le mécontentement et l'indignation des classes opprimées se fraient un chemin. Pour que la révolution éclate, il ne suffit pas, habituellement, que « la base ne veuille plus » vivre comme auparavant, mais il importe encore que « le sommet ne le puisse plus ». 2. Aggra-

12. *O.C.*, tome XXIII, p. 86.

vation, plus qu'à l'ordinaire, de la misère et de la détresse des classes opprimées. 3. Accentuation marquée, pour les raisons indiquées plus haut, de l'activité des masses, qui se laissent tranquillement piller dans les périodes « pacifiques », mais qui, en période orageuse, sont poussées, tant par la crise dans son ensemble *que par le « sommet » lui-même,* vers une action indépendante. Sans ces changements objectifs, indépendants de la volonté non seulement de tels ou tels groupes et partis, mais encore de telles ou telles classes, la révolution est, en règle générale, impossible. C'est l'ensemble de ces changements objectifs qui constitue une situation révolutionnaire [13]. »

Mais Lénine ajoute, après avoir noté que de telles situations ont existé en Russie en 1859-1861, en 1879-1880, en 1905, en Allemagne dans les années 1860..., que :

« La révolution ne surgit pas de toute situation révolutionnaire, mais seulement dans le cas où, à tous les changements objectifs ci-dessus énumérés, vient s'ajouter un changement subjectif, à savoir : la capacité, en ce qui concerne la *classe* révolutionnaire, de mener des actions révolutionnaires de masse assez vigoureuses pour briser complètement (ou partiellement) l'ancien gouvernement, qui ne « tombera » jamais, même à l'époque des crises, si on ne le « fait choir [14]. »

Ce qui est une façon de rappeler, comme Marx et Engels l'ont en leur temps souligné, que ce sont les hommes qui font leur histoire.

Cela dit, la question fondamentale de la révolution c'est la question du *pouvoir.*

« Le passage du pouvoir d'Etat d'une *classe* à une autre est l'indice premier, principal, fondamental de la *révolution,* tant au sens strictement scientifique de cette notion qu'au sens pratique et politique [15]. »

Mais la solution de cette question fondamentale n'est jamais donnée de façon identique. Ce qui frappe le plus, dans cette année 1917, c'est l'aptitude de Lénine à comprendre les changements de situation et la nécessité de les évaluer au plus juste pour ne pas prendre du retard sur la vie. On aura une idée de cette

13. *O.C.*, tome XXI, pp. 216-217.
14. *Ibid.*, p. 217.
15. *O.C.*, tome XXIV, p. 34.

intelligence dialectique en lisant les *Lettres sur la tactique* (avril 1917). Lénine critique les « vieux bolchéviks » qui « plus d'une fois déjà, ont joué un triste rôle dans l'histoire de notre Parti en répétant stupidement une formule *apprise par cœur,* au lieu *d'étudier* ce qu'il y avait d'original dans la réalité nouvelle, vivante ». Tout ce qui suit est de la plus haute importance pour qui se demande en quoi le socialisme scientifique peut être *science de la révolution.* Lénine cite le *Faust,* de Gœthe : « Grise est la théorie, mon ami, mais vert l'arbre éternel de la vie. » Il montre comment une prévision peut être, « dans l'ensemble », entièrement confirmée par l'histoire ; mais que « dans la réalité concrète » cette confirmation est toujours plus originale, plus curieuse, plus nuancée que ce qu'on pouvait prévoir. Il montre que le passage d'une formule dans la vie la modifie en la concrétisant. Il montre que s'accrocher à un mot d'ordre qui ne correspond plus aux exigences de la situation en développement, c'est tourner le dos à la révolution.

« ... il faut bien se mettre en tête cette vérité incontestable que le marxiste doit tenir compte de la vie, des faits précis de la *réalité*, et non se cramponner à la théorie d'hier qui, comme toute théorie, est tout au plus capable d'indiquer l'essentiel, le général, de fournir une *idée approchée* de la complexité de la vie [16]. »

Qu'une telle attitude ne soit pas épisodique, mais se fonde sur une réflexion longuement mûrie, on en aura confirmation en rapprochant de tels textes les notes de Lénine sur Hegel, ces *Cahiers philosophiques* qui remontent aux années 1914-1915-1916.

Durant ces années qui précèdent la révolution d'Octobre, Lénine approfondit la dialectique en réfléchissant sur la *Science de la logique* du philosophe allemand. Il écrit, en marge du texte hégélien :

« *L'ensemble de tous* les aspects du phénomène, du réel et leurs *rapports* (réciproques) — voilà de quoi se compose la vérité [17] ... »

La vérité, dit-il encore, est *processus* et, comme telle, elle inclut la *pratique* dans son mouvement [18]. La pratique est « *supé-*

---

16. *O.C.*, tome XXIV, p. 35.
17. *Cahiers philosophiques*, Editions sociales, p. 162.
18. *Ibid.*, pp. 166-167.

rieure à la connaissance (théorique), car elle a la dignité non seulement du général, mais aussi du réel immédiat [19]. »

« Il faut l'unité de la pratique et de la connaissance [20]. »

On comprend mieux, quand on est attentif à cette réflexion sur la dialectique comme méthode d'investigation appropriée à la réalité, que Lénine ne se laisse pas surprendre par les rapides transformations qui s'effectuent dans le monde à l'ère impérialiste et par celles qui caractérisent la Russie de la période révolutionnaire. Si le marxisme est science aux yeux de Lénine, c'est justement parce qu'il permet d'avoir l'intelligence d'une réalité qui change, d'une histoire qui n'est jamais répétition. Cela signifie-t-il que la conception marxiste de l'histoire ramène à l'empirisme ? Non, car si la vérité est toujours « concrète », c'est parce que l'universel n'existe effectivement que dans la particularité. D'où suit qu'on ne peut comprendre le mouvement en pliant la vie à un système de notions fixées une fois pour toutes. C'est ainsi que, durant l'année 1917, Lénine n'hésite pas à modifier, en fonction d'une situation qui se modifie, sa conception du passage à la révolution pacifique. Quand il lance, dans les *Thèses d'avril,* le mot d'ordre « Tout le pouvoir aux soviets », il ne définit pas ce processus comme impliquant nécessairement la violence armée. Il ne s'agit pas pour lui, à ce moment-là, de renverser par l'insurrection le gouvernement bourgeois. Le prolétariat peut pacifiquement conquérir le pouvoir.

« Pour devenir le pouvoir, les ouvriers conscients doivent conquérir la majorité : *aussi longtemps* qu'aucune violence n'est exercée sur les masses, il n'existe pas d'autre chemin pour arriver au pouvoir. Nous ne sommes pas des blanquistes, des partisans de la prise du pouvoir par une minorité. Nous sommes des marxistes, des partisans de la lutte de classe prolétarienne ; nous sommes contre les entraînements petits-bourgeois, contre le chauvinisme jusqu'au-boutiste, la phraséologie, la dépendance à l'égard de la bourgeoisie [21]. »

Mais quelques mois plus tard, en juillet, les forces de la contre-révolution, avec la complicité des chefs des partis conciliateurs, passent à l'offensive contre le mouvement populaire et

19. *Cahiers philosophiques, ouvr. cité,* p. 175.
20. *Ibid.*, p. 177.
21. *O.C.*, tome XXIV, p. 30.

cherchent à détruire par la terreur l'avant-garde révolutionnaire, les bolchéviks. La conquête pacifique du pouvoir devient impossible dans ces conditions nouvelles. Lénine en tire donc les conséquences sur le plan tactique. Il explique, dans un article intitulé « La situation politique », que le mot d'ordre : « Tout le pouvoir aux soviets », qui fut celui du développement pacifique de la révolution possible « jusqu'au moment où le pouvoir réel passa aux mains de la dictature militaire », ce mot d'ordre « n'est plus juste aujourd'hui, car il ne tient pas compte de ce changement de pouvoir ni de la trahison complète, effective, des socialistes révolutionnaires et des menchéviks ». La perspective doit être donc maintenant celle de « l'insurrection armée » qui assurera le « passage du pouvoir au prolétariat soutenu par les paysans pauvres » [22]. Cela ne signifiait pas que Lénine renonçait à l'objectif, énoncé dans les *Thèses d'avril,* d'une république des soviets. Mais la voie pour y parvenir ne pouvait être la même qu'en avril.

En septembre, nouveau changement. L'échec du coup de force de Kornilov, grâce aux bolchéviks qui mobilisent les masses contre la tentative de ce général aventurier, modifie le rapport des forces. Dans son article du 14 septembre (« Au sujet des compromis »), Lénine prend acte du fait que vient de s'effectuer « un tournant tellement brusque et tellement original de la révolution que nous pouvons, en tant que parti, proposer un compromis volontaire, non certes à la bourgeoisie, notre ennemi direct, notre ennemi principal, mais à nos adversaires les plus proches, aux partis « dirigeants, de la démocratie petite-bourgeoisie, aux socialistes-révolutionnaires et aux menchéviks » [23]. « La réalisation d'un tel compromis, si cette occasion est saisie sans retard, rendrait possible la « *progression pacifique de la révolution russe* » [24].

Mais, quelques jours après avoir écrit cet article, Lénine estime que cette « chance » est passée. Il ne perd pas de vue, pour autant, l'éventualité d'une prise pacifique du pouvoir, comme en témoigne son article des 9 et 10 octobre sur « Les tâches de

---

22. *O.C.*, tome XV, p. 191.
23. *O.C.*, tome XXV, p. 334. Au passage Lénine rappelle comment, en 1873, Engels raillait les communards blanquistes, systématiquement hostiles à tout compromis.
24. *O.C.*, tome XXV, p. 335.

la révolution ». On sait comment la prise du pouvoir s'effectuera en novembre par la lutte armée, dans des conditions favorables aux bolchéviks, qui ont conquis pied à pied la majorité aux Soviets des députés ouvriers et soldats de Pétrograd et de Moscou.

Le rappel de cette période, où les changements s'effectuent si vite, n'a d'autre objet que de montrer que, pour Lénine, la dialectique du processus révolutionnaire est toujours concrète. Nul n'est, plus que Lénine, convaincu que l'histoire n'est pas une succession quelconque d'événements ; il a découvert, en étudiant Marx et Engels, qu'il y a des lois du développement social. Mais, si la science est maîtrise de ces lois, le propre du parti révolutionnaire qui dirige le combat de la classe ouvrière est de différencier chaque étape du processus, de reconnaître chaque conjoncture en son originalité, de percevoir à temps la *nouveauté* d'une situation. D'où l'importance donnée par Lénine à la prévision. Le parti ne peut diriger les luttes que s'il n'est pas à la remorque de l'événement. En même temps, Lénine manifeste, durant cette période décisive, son aptitude à tirer rapidement les enseignements de l'expérience. La pratique est, pour lui — cf. *Matérialisme et empiriocriticisme* —, le critère d'une connaissance objectivement fondée. Cela ne signifie pas que toute vérification soit possible à court terme. Tout dépend de la nature du problème posé et de l'existence des conditions concrètes qui, seules, peuvent actualiser une hypothèse. Voilà pourquoi lorsque, en novembre 1917 [25], Lénine prévoit la révolution socialiste dans d'autres pays d'Europe, notamment en Allemagne, il ne peut être question pour lui d'une programmation effective.

Autre remarque : Lénine n'oppose pas le caractère objectif des lois de l'histoire aux possibilités d'intervention dans le processus lui-même. D'abord parce que la lutte révolutionnaire, pour être victorieuse, doit s'appuyer sur ces lois. Mais aussi parce que cette lutte, lorsqu'elle met en mouvement des masses importantes d'individus intéressés au changement, a elle-même des effets objectifs qui modifient le contexte offert à l'action. D'où l'importance donnée par Lénine à *l'initiative* historique. Cette initiative, il ne la conçoit pas comme une irruption de l'irrationnel dans le cours des choses. Mais plutôt comme une exploitation pertinente

25. Cf. notamment *O.C.*, tome XXVI, pp. 364-365.

des possibilités ouvertes à un moment donné ; l'initiative est, en ce sens, génératrice d'événement [26].

Une stratégie révolutionnaire ne peut conduire à la victoire si elle n'est pas en mesure de résoudre les problèmes de l'*alliance* entre la classe ouvrière et les couches sociales qui peuvent prendre place à ses côtés face à un adversaire commun.

Très tôt, Lénine a mesuré l'importance de ces problèmes. On en peut juger en lisant *Que faire ?* (*Questions brûlantes de notre mouvement,* 1902). Dans cet ouvrage, où il met en relief le rôle indispensable de la théorie révolutionnaire — une théorie qui n'est pas un dogme, et qui ne peut orienter l'action que si elle est sans cesse fécondée par l'expérience —, Lénine explique que la classe ouvrière n'élèvera sa conscience au niveau politique que si elle est capable de se situer dans le réseau des rapports sociaux, si elle acquiert une juste représentation des diverses classes et de leurs intérêts respectifs, si elle apprend à intervenir pour défendre toute cause dont son propre combat est solidaire face à l'oppression. Et c'est avec l'aide du parti révolutionnaire que s'effectue cette prise de conscience [27].

Lénine affirmait ainsi, contre les « économistes », la permanence d'un des plus précieux enseignements du socialisme scientifique. Dans le *Manifeste* déjà, Marx et Engels n'avaient-ils pas montré que le prolétariat, parce qu'il est la classe révolutionnaire jusqu'au bout, parce que sa victoire n'a pas pour objet de substituer une exploitation à une autre, peut et doit se porter à la tête du combat pour la démocratie ? Une telle conception de la lutte révolutionnaire a pour référence le matérialisme historique lui-même : la révolution socialiste, en effet, ne sort pas de rien ;

26. Cf. le remarquable article de 1919 : « La grande initiative », à propos des « samedis communistes » des cheminots du réseau Moscou-Kazan.

27. Il n'est pas inutile de rappeler qu'au temps de l'affaire Dreyfus et en d'autres circonstances en notre pays, des marxistes comme Jules Guesde ne mesuraient pas la nécessité, pour la classe ouvrière, d'intervenir dans une « affaire » qui semblait ne pas la concerner directement. En réalité, la dialectique de la démocratie et du socialisme ne fut véritablement maîtrisée par le mouvement révolutionnaire dans notre pays que lorsque le Parti communiste sut définir une orientation juste pour vaincre le fascisme. Je reviens un peu plus loin sur cette étape décisive.

elle prend un relais dans l'histoire universelle ; il lui appartient donc de prendre en charge les exigences démocratiques que la révolution bourgeoise a portées au premier plan et de faire progresser plus loin, sur son propre terrain, les libertés démocratiques. Elle accomplit les promesses trahies par la bourgeoisie ; elle enfante de nouvelles libertés et de nouveaux droits.

Lénine a fait fructifier cet enseignement en rejetant la thèse selon laquelle « la lutte pour la démocratie est susceptible de détourner le prolétariat de la révolution socialiste ou d'éclipser celle-ci, de l'estomper, etc. Au contraire, de même qu'il est impossible de concevoir un socialisme victorieux qui ne réaliserait pas la démocratie intégrale, de même le prolétariat ne peut se préparer à la victoire sur la bourgeoisie s'il ne mène pas une lutte générale, systématique et révolutionnaire pour la démocratie [28]. »

Une telle conception de la lutte révolutionnaire est au cœur du léninisme ; l'expérience en a montré la valeur et la portée. La victoire sur le fascisme en France dans les années 1934-1936 ne fut possible que parce que, sous la direction de Maurice Thorez, le Parti communiste donna vie à cet enseignement dans les conditions propres à notre pays.

Il faudrait pouvoir traiter longuement tous les aspects de cette histoire pour comprendre à quel point elle fut décisive pour l'avenir du mouvement révolutionnaire en France ; et aussi pour mesurer sa portée en Europe (comme le souligna Dimitrov au VIIe Congrès de l'International communiste, en 1935).

L'adhésion de la majorité du Parti socialiste à la IIIe Internationale en 1920 avait une signification claire : elle s'était faite sur une base de *classe,* dans la claire perception du caractère *universel* de la révolution d'Octobre 1917. La révolte de la mer Noire, le soutien actif apporté au jeune Etat ouvrier et paysan témoignaient de la force, de la profondeur du courant.

Mais l'assimilation du léninisme, c'est-à-dire de la science de la révolution, ne pouvait s'effectuer que si les communistes français apprenaient à lutter et à vaincre dans un contexte bien différent de celui que les bolchéviks avaient connu. Il serait indispensable, pour comprendre la difficulté de la tâche, de retracer en fait toute l'histoire du Parti communiste français jusqu'à la

28. « *La révolution socialiste et le droit des nations à disposer d'elles-mêmes* », *O.C.,* tome XXII, p. 156.

Seconde Guerre mondiale. Que faut-il, au lendemain du Congrès de Tours, pour que les communistes français se donnent un véritable parti révolutionnaire ? Il faut qu'ils rompent avec les pratiques opportunistes qui ont caractérisé le vieux parti socialiste ; il faut en finir avec les conceptions qui subordonnent la vie du parti à l'activité du groupe parlementaire ; il faut constituer un parti d'action apte à diriger les luttes sur les lieux mêmes de l'exploitation, dans les entreprises. Mais il faut en finir aussi avec l'anarcho-syndicalisme, qui sous-estime la lutte politique et qui méconnaît la véritable nature du rapport entre parti et syndicat. Dans *Fils du peuple,* Maurice Thorez rappelle comment, dans la conjoncture créée par la guerre colonialiste du Rif, le jeune parti fit l'expérience du travail de masse.

Mais c'est la montée du fascisme qui va bientôt placer les communistes devant une responsabilité nouvelle, devant des obligations qui ont une ampleur internationale. A lire aujourd'hui certains développements sur l'histoire du mouvement communiste international, et sur l'histoire de l'Union soviétique, on se demande si le fascisme a jamais existé. Oublier le fascisme, c'est à coup sûr s'interdire de parler valablement de l'Union soviétique — et de Staline — à cette époque. Et pour comprendre la montée du fascisme, la menace pesant alors sur notre pays, il faut rappeler la crise des années 1929-1930 ; elle frappe non seulement la classe ouvrière, mais les couches moyennes des villes et des campagnes. Pour sauvegarder leur domination, les éléments les plus réactionnaires, les plus chauvins, les plus impérialistes du capital financier mettent en œuvre une politique qui a pour but de faire porter sur les masses populaires tout le poids de la crise. Faire payer la crise aux travailleurs. Et par tous les moyens, y compris la violence. En prenant exemple sur la grande bourgeoisie allemande, qui avait (matériellement, politiquement, idéologiquement) favorisé la victoire d'Adolf Hitler. A l'époque, en France, les dirigeants socialistes ne comprenaient pas la nature du fascisme ; ils y voyaient une manifestation de la petite-bourgeoisie révoltée contre les « gros », alors qu'il était le serviteur et l'instrument des intérêts du grand capital. La crise économique mondiale était en effet le produit du capitalisme ; pour enrayer la montée du mouvement populaire, la grande bourgeoisie était logiquement conduite à mettre en question les conquêtes démocratiques, les acquis de la révolution bourgeoise elle-même. Tout cela dans la perspective d'une nouvelle guerre impérialiste, précipitant les peuples les uns contre les autres.

Un trait important du fascisme — un trait auquel on n'est pas toujours assez attentif —, c'est sa démagogie. Pour transformer les couches moyennes et les catégories les moins évoluées de la classe ouvrière en auxiliaires de sa lutte contre l'avant-garde révolutionnaire et, plus généralement, contre le mouvement démocratique, le fascisme se donne un visage « social », une apparence « populaire ». Il exploite à ses fins la colère des couches moyennes victimes de sa politique. Il utilise les chômeurs contre leurs frères de classe ; il embrigade certaines couches de la jeunesse dans des formations paramilitaires chargées de mater le mouvement ouvrier et démocratique.

C'est dans ces conditions que Maurice Thorez, secrétaire général du Parti depuis 1930, appelle les communistes à travailler d'arrache-pied à l'union de la classe ouvrière, et à rassembler autour de la classe ouvrière toutes les couches qui ont intérêt à mettre le fascisme en échec. Ainsi va se développer, du Front unique au Front populaire, une dialectique qui accule le fascisme à la défensive et lui inflige la défaite de mai 1936.

Or, pour jouer son rôle à la tête de ce mouvement, pour isoler la grande bourgeoisie qui voulait isoler l'avant-garde révolutionnaire, le Parti communiste devait se donner pour tâche prioritaire d'unir la classe ouvrière. Tâche prioritaire, mais très très difficile puisqu'il fallait unir des courants qui se combattaient, le courant révolutionnaire et le courant réformiste ; et puisque les dirigeants du Parti socialiste refusaient, en principe et en pratique, la politique d'union préconisée par le Parti communiste.

Maurice Thorez ne fut pas le premier en France à parler du front unique. Mais il comprit que, pour faire prévaloir une telle politique, il fallait surmonter, dans les rangs du Parti communiste, des attitudes qui avaient pris forme durant toute la période antérieure. Il fallait éclairer le contenu de classe de l'union à constituer. « Tous les prolétaires sont nôtres » déclare-t-il en 1932, salle Bullier. Non seulement l'opposition entre le courant révolutionnaire et le courant réformiste ne signifie pas que les ouvriers socialistes sont des ennemis, mais — parce qu'une telle opposition est à penser à la lumière du matérialisme historique — elle signifie que le Parti communiste, pour mener à bien sa tâche révolutionnaire, doit entraîner tous les ouvriers à la lutte sur le terrain de leurs intérêts communs, leurs intérêts de classe. Et c'est dans l'*action* que se nouent les liens de combat entre les uns et les autres ; c'est dans l'action que la classe ouvrière fait son expérience ; c'est dans l'action que s'opère le clivage entre les conceptions périmées et les conceptions novatrices que le parti révolutionnaire propose à l'ensemble de la classe ouvrière ; c'est dans l'action, et sous la poussée des masses qui porte ses effets au sein du Parti socialiste, que les dirigeants de ce Parti sont conduits à accepter l'union dont ils ne voulaient pas [29]. L'« impossible » devient donc possible. Et de ce possible un autre possible va naître, avec le Front populaire qui fut, lui aussi, mis au monde dans l'action, dans la lutte pour barrer la route au fascisme.

Il est indispensable, pour se représenter dans son ensemble ce mouvement historique, de lire ou de relire les rapports présentés par Maurice Thorez au VIIIe Congrès (Villeurbanne, janvier 1936), et au IXe Congrès (Arles, décembre 1937).

Evoquant les premières victoires du Front populaire, Maurice Thorez déclare à Villeurbanne :

« Il est bien vrai que ce n'est pas venu tout seul. Qu'il a fallu travailler et lutter jusque dans nos propres rangs pour que le Parti soit en mesure d'entreprendre sa tâche historique de rassemblement et d'organisation des travailleurs.

Beaucoup de questions paraissent simples maintenant, qui ne l'étaient pas pour tous, dans le moment où le Comité central les posait. *Front unique, Front populaire, attachement pour le pays, véritable réconciliation française,* autant de questions déjà vieilles ou toutes nouvelles que le Comité central a dû expliquer, commenter, en évitant leur déformation ou leur interprétation opportuniste. »

L'expérience ainsi créée était neuve ; elle n'avait pu être conduite avec succès que parce que les communistes français, avaient, *à temps,* défini et mis en pratique une stratégie appropriée à un contexte national et mondial inédit. Il ne s'agissait pas de s'enfermer dans l'analyse d'une situation antérieure, mais

---

29. Le 27 juillet 1934, Parti communiste et Parti socialiste signent un pacte d'unité d'action. Le secrétaire général du Parti socialiste, Paul Faure, déclare qu'il a bien fallu « se résigner au Front unique ».

de concevoir avec clarté l'originalité de la situation engendrée par la montée du fascisme.

Il serait faux de croire que l'Internationale n'avait pas compris la gravité de la menace fasciste [30]. Mais le problème était, face à ce danger, de porter au premier plan non le mot d'ordre d'une République socialiste, mais la défense de la démocratie. En s'inspirant des enseignements de Lénine, pour qui, nous l'avons vu, le parti révolutionnaire unit indissolublement le combat pour le socialisme et le combat pour la démocratie.

Alors que, le 6 février 1934, Maurice Thorez considère encore qu'il n'y a pas de différence « de nature » entre la démocratie bourgeoise et le fascisme, l'une et l'autre étant « deux formes de la dictature de la bourgeoisie, il est très vite conduit à différencier. En témoigne avec éclat la conférence nationale d'Ivry (juin 1934), centrée sur le Front unique communiste-socialiste, le « front unique de la lutte antifasciste », de la lutte contre la guerre.

« La course de vitesse, déclare Maurice Thorez, est engagée entre « nous » et le fascisme » (...). Et si nous ne parvenons pas à faire « plus, et encore plus, toujours plus pour le front unique », le fascisme peut battre la classe ouvrière. Or, nous ne voulons pas que le fascisme passe en France. »

Les communistes, dit encore Maurice Thorez, « luttent contre toutes les formes de la dictature bourgeoise, même lorsque cette dictature revêt la forme de la démocratie bourgeoise. Mais les communistes ne se désintéressent jamais de la forme que revêt le régime politique de la bourgeoisie (...). Ils ont défendu, défendent et défendront toutes les libertés démocratiques, conquises par les masses elles-mêmes ».

Ces appréciations se fondaient sur une pratique, celle que le Parti faisait quotidiennement en menant la lutte contre les ligues fascistes, en démasquant leur démagogie, en refusant de leur abandonner la rue, de reculer devant la terreur qu'elles prétendaient faire régner. Elles se fondaient sur une appréciation pertinente du fascisme, comme produit d'une grande bourgeoisie qui reniait l'héritage de 1789. En décembre 1937, au Congrès d'Arles, Maurice Thorez apostrophe ainsi Goebbels :

---

30. Là-dessus, voir G. COGNIOT : « *Parti communiste français et Internationale communiste* » ; dans G. WILLARD, J. CHAMBAZ, J. BRUHAT, G. COGNIOT, Cl. GINDIN : *Le Front populaire, la France de 1934 à 1939.*

« ... Le fascisme se déclare lui-même l'antithèse de la démocratie. Donc, c'est contre les idées de 1789, contre les principes de la Déclaration des droits de l'homme et du citoyen que sont partis en guerre les dictateurs de Rome et de Berlin.

« Eh ! bien, il nous plaît à nous, prolétaires communistes, fils du peuple de France, héritiers de la pensée des matérialistes du XVIIIe siècle, continuateurs de l'action révolutionnaire des Jacobins, il nous plaît que la question soit ainsi posée : *Démocratie ou Fascisme ?*

« C'est bien ainsi que, dans la réalité concrète d'aujourd'hui, la question est posée aux prolétaires communistes et socialistes, comme à leurs amis et alliés des autres partis républicains. »

Ainsi est lumineusement définie la tâche révolutionnaire que la classe ouvrière doit remplir si elle veut assurer son avenir. Cela supposait donc qu'elle reconnût que la démocratie n'est pas une propriété de la bourgeoisie, que ses intérêts de classe, son hostilité au socialisme conduisaient à renier la révolution dirigée par une bourgeoisie qui était, au XVIIIe siècle, à la tête du mouvement social.

Au lendemain de la mort de Maurice Thorez, Jacques Duclos, évoquant ses souvenirs de cette époque, me racontait les efforts que Thorez avait eu à déployer pour convaincre l'ensemble du Parti, pour aider tous les militants à comprendre la spécificité de la situation née du fascisme international, à ne pas s'emprisonner dans des thèses vieillies [31] ; le Parti communiste français ne serait pas devenu une grande force nationale s'il n'avait pas su comprendre l'enjeu des années 1930 et se donner la stratégie exigée par la marche des événements.

Il fallait donc maîtriser la dialectique concrète d'une situation en mouvement, ne pas se laisser piéger par une conception statique de « la bourgeoisie qui *est* la bourgeoisie », de l'Etat bourgeois qui *est* identique à lui-même quelle que soit sa *forme*. La classe ouvrière prenait conscience que la « forme », en cette affaire, n'est pas une simple écorce ; qu'elle peut être, pour son combat, un indispensable point d'appui [32]. *Parce qu'elle est la classe révolu-*

31. « Nous nous sommes comportés en marxistes, rejetant les formules sans vie... », déclare Maurice Thorez au Congrès d'Arles.

32. Je note au passage que, pour une dialectique matérialiste, une « forme » n'est pas simple et passive extériorité. Elle n'est pas moins réelle que le « contenu », elle est manifestation du processus objectif, alors même

tionnaire jusqu'au bout, il lui appartenait de relever et d'opposer à la bourgeoisie réactionnaire, qui le piétinait, le drapeau des libertés démocratiques. Ce n'était pas là, ce n'est pas davantage aujourd'hui, une intervention défensive, mais une tâche historique dont l'accomplissement est indispensable au succès du combat pour le socialisme. En l'accomplissant elle démontre son aptitude à diriger l'ensemble du mouvement démocratique (et toute l'histoire de notre pays depuis 1934 a montré qu'il en est bien ainsi), à nouer les alliances qui lui permettent d'isoler les forces les plus redoutables de la réaction. Voilà pourquoi, en juillet-août 1935, au VIIe Congrès de l'Internationale, Dimitrov rappelait Lénine montrant que le prolétariat ne peut se préparer à vaincre la bourgeoisie sans mener une lutte détaillée, conséquente et révolutionnaire — chaque mot a son poids — pour la démocratie.

Les émeutiers du 6 février 1934 criaient : « La France aux Français ! » Un aspect essentiel du fascisme était en effet de se présenter, aux yeux des Français victimes de la crise, en défenseur de l'intérêt national. Pour tenir ferme le maillon décisif (« démocratie ou fascisme »), la classe ouvrière ne pouvait donc laisser ses ennemis occuper le terrain national. Les mêmes, en fait, n'allaient-ils pas, quelques années plus tard, livrer la France à Hitler ? (« Plutôt Hitler que le Front populaire ! ») La bourgeoisie réactionnaire ne pouvait maintenir son pouvoir qu'en trahissant les intérêts de la nation. La classe ouvrière, *comme classe révolutionnaire,* est le défenseur de ces intérêts.

Mais, si une pratique de plusieurs décennies a rendu possible l'assimilation de cette dialectique concrète (on l'a vu en particulier durant les années de la Résistance à l'occupant nazi et à ses complices, quand la classe ouvrière consentit les plus grands sacrifices à la lutte pour la libération du pays), tout n'était pas simple au départ. Les ouvriers avaient le souvenir de la guerre du Rif, le souvenir de la guerre impérialiste de 1914-1918, le souvenir de la Commune de 1871, quand le drapeau des Versaillais et le drapeau rouge se défiaient. Le « chiffon tricolore »

---

qu'elle le dissimule. Les contradictions qui sont essentielles à l'histoire concrète ne se développent pas indépendamment de la « forme » ; celle-ci les reflète *et les développe* à sa manière. Mais ce point mériterait une analyse qui déborde l'objet de cette conférence.

n'avait-il pas servi les mauvaises causes ? Comment un ouvrier peut-il être « patriote » ?

Le mérite du Parti communiste français fut alors de montrer que les combats de la classe ouvrière et de ses alliés contre le fascisme renouait le fil du patriotisme véritable, qui est patriotisme populaire.

« Nous avons repris *la Marseillaise* et le drapeau tricolore de nos aïeux, les soldats de l'an II. Nous avons repris les strophes sur la liberté et appliqué aux fascistes, ennemis du peuple de France, les paroles de Rouget de l'Isle :

Ils viennent jusque dans nos bras,
Egorger nos fils et nos compagnes

(Congrès d'Arles).

Il s'agissait, en fait, pour notre peuple, de dépasser une fausse image que ses ennemis prétendaient lui donner de ce qui le fait *nation.* Percevoir la continuité du chemin de boue où tour à tour s'enfoncent les émigrés de Coblence et ceux qui préparaient la trahison de Vichy. Et percevoir en contraste la continuité des traditions et des combats qui, à travers les siècles, de Jeanne d'Arc aux soldats de l'an II, ont donné son sens populaire au mot « patrie ».

Les années 1934-1936 ont donc été celles d'un tournant décisif, quand la classe ouvrière, unissant le drapeau de la Commune et le drapeau de Valmy, a mesuré son aptitude à rassembler autour d'elle les couches sociales que la bourgeoisie voulait fixer à ses côtés, pour isoler l'avant-garde révolutionnaire.

Voilà pourquoi, contrairement à ce que prétendaient les trotskystes et autres révolutionnaires de la phrase, les communistes, en préconisant l'« union de la nation française » (titre du rapport présenté par Maurice Thorez à Villeurbanne), ne regonflaient pas les baudruches de « l'union sacrée ». L'« union sacrée » sacrifie les intérêts populaires au bénéfice d'une oligarchie, d'une minorité exploiteuse et privilégiée. L'« union de la nation française » s'opère autour de la classe ouvrière contre cette minorité parasitaire. Sans doute la dissolution du Front populaire, la capitulation de Munich, la « drôle de guerre », l'Occupation devaient-elles mettre notre peuple à rude épreuve. Mais quelle erreur si on croyait que l'expérience acquise durant les années que je viens d'évoquer fut perdue ! C'est bien autour de la classe ouvrière, une classe ouvrière apte à concevoir et à vivre son rapport majeur à la nation, que la résistance du peuple français à ses ennemis peut se nouer, se diversifier, s'élargir [33]. Durant cette période, le Parti communiste fut l'objet d'une terrible répression. Mais il était, à la Libération, le premier parti de France. Non seulement son audience avait grandi dans la classe ouvrière, mais il avait conquis des adhérents et des appuis dans tous les milieux sensibles à l'intérêt national.

Un mot encore : la dialectique classe-nation qui prit corps grâce à l'initiative des communistes était en même temps une dialectique patriotisme-internationalisme. La lutte des classes se déroule à l'échelle internationale. Le contenu de l'internationalisme prolétarien est constitué par la communauté des intérêts qui unissent les ouvriers, les travailleurs de tous les pays, face à l'exploitation capitaliste. Mais la nation étant une réalité qui doit son existence — notamment en France — aux combats de la bourgeoisie révolutionnaire, c'est dans les conditions ainsi créées que la classe ouvrière de chaque pays conduit ses luttes. Les obligations du révolutionnaire prolétarien ne peuvent donc être remplies que s'il est capable d'affronter la bourgeoisie capitaliste de son propre pays. Cette bourgeoisie, quelles que soient à tel ou tel moment les contradictions qui l'opposent à la bourgeoisie des autres pays, n'en est pas moins solidaire, comme classe exploiteuse, de l'ensemble de la bourgeoisie à l'échelle mondiale. Et l'expérience montre que la bourgeoisie française n'hésite pas, pour sauvegarder sa domination, à sacrifier les intérêts nationaux en aliénant l'indépendance du pays. Internationalisme et patriotisme sont deux aspects inséparables du combat de la classe ouvrière. Mais la bourgeoisie réactionnaire peut, simultanément ou successivement, se montrer « nationaliste » ou cosmopolite.

Je ne développe pas cette question qui garde son actualité. Mais je veux souligner qu'elle ne peut être correctement résolue si le mouvement ouvrier cède à l'opportunisme. Celui-ci, qu'il soit gauchiste ou droitier, pose le problème en termes faux. Confondant patriotisme et chauvinisme, il refuse d'admettre le rôle national de la classe ouvrière, sous prétexte d'internationa-

33. Ainsi naquit le Front national pour la libération et l'indépendance de la France.

lisme. Mais il a, tout autant, une conception erronée de l'internationalisme. On l'a vu par exemple à l'époque du plan Marshall, puis lors de la formation du Marché commun. La subordination de notre pays aux intérêts du grand capital (américain, européen) était présentée par les leaders de la social-démocratie comme une victoire du socialisme...

En un troisième temps, je présente quelques réflexions sur ce que peut être une dialectique du processus transformateur dans les conditions françaises aujourd'hui, c'est-à-dire dans la lutte pour mettre fin au C.M.E. (capitalisme monopoliste d'Etat).

Le C.M.E. est apparu dans le contexte général de l'impérialisme. Il se caractérise comme monopolisation accentuée des secteurs principaux de l'économie et comme intervention de l'Etat tellement renforcée sur le plan économique, social, politique, qu'il y a interpénétration profonde de l'Etat et des monopoles (on sait que, dans la dernière période, les firmes de type multinational ont pris une importance croissante).

De cette situation découle une conséquence très importante, qui est de plus en plus marquée dans la vie de notre pays. Autrefois l'Etat bourgeois pouvait maintenir une certaine distance entre lui-même et les rouages de l'Etat ; il pouvait se présenter, avec un certain succès, comme un arbitre « au-dessus des classes ». (C'était le thème développé par le président du Conseil, J. Laniel, pendant les grèves de 1953). Aujourd'hui l'Etat est de plus en plus présent à l'ensemble du système économique et social. Son action s'exerce en permanence pour perpétuer et renforcer le processus d'exploitation qui est au cœur du mode de production capitaliste. Il intervient pour faciliter, pour accélérer la concentration capitaliste, pour intensifier l'accumulation, pour préserver le taux de profit moyen des grandes sociétés, pour agir sur le mouvement des prix, pour orienter la production agricole et l'économie régionale, etc. Et la personnalisation du pouvoir ne peut qu'accentuer dans l'opinion cette omniprésence de l'Etat qui est, en fait, celui du grand capital.

Dans ces conditions, le lien entre luttes économiques, luttes sociales, luttes politiques peut être plus qu'autrefois perceptible à la conscience de larges masses. L'Etat doit donc affronter plus qu'autrefois le choc direct du combat revendicatif des différentes catégories sociales. D'autant plus que — différence importante avec la IIIe et la IVe Républiques — les couches moyennes se sentent, comme jamais, éloignées des centres de décision. Elles découvrent avec amertume que cet Etat qui est partout, qui se mêle de tout, n'est pas le leur ; ce sont les membres de l'oligarchie industrielle et financière qui exercent l'autorité, et le rôle des assemblées élues n'a cessé de s'affaiblir. Il suit de là que les revendications économiques, sociales, culturelles de ces couches ne peuvent se formuler sans impliquer ou sans appeler un choix politique. Exemple : les défenseurs de la réforme Haby n'ont pu, comme ils le souhaitaient, enfermer le débat dans un espace purement pédagogique. Reflet des exigences du haut patronat en matière d'école et de formation, cette « réforme » a pour fonction de défendre et consolider le pouvoir de la grande bourgeoisie. Quand un enseignant, un étudiant la refuse il fait deux choses à la fois : il combat le pouvoir et le C.N.P.F. Quelles que soient d'ailleurs ses convictions politiques [34]. De nos jours, défendre le caractère *public* de l'enseignement, à quelque niveau que ce soit, c'est en fait prendre position contre une politique, celle du grand patronat qui veut décider en maître du destin de l'Université, adapter l'école à ce qu'il appelle les « besoins de l'économie », une économie soumise aux monopoles.

Mon propos n'est pas de répéter que le C.M.E. est en crise, mais de rappeler trois aspects d'une situation en devenir :

a — globale et fondamentale, la crise a sa source dans la domination d'une féodalité d'argent sur le pays. Ce qui est en cause à l'étape actuelle, c'est cette domination non seulement dans notre pays, mais dans les divers pays victimes de la crise d'un tel système. Et la compétition entre capitalisme et socialisme fait de plus en plus apparaître la supériorité du socialisme comme système où la force de travail est libérée de l'exploitation.

b — La dialectique du système fait que les tentatives de la

---

34. L'une des soirées de la Semaine de la Pensée marxiste de 1974 sur « Morale et Société » avait pour thème la « culture ». Je renvoie au débat entre J. Chambaz et R. Rémond. Pour R. Rémond la « crise » de la culture était un phénomène inhérent à toute culture ; elle n'était pas un aspect, une manifestation de ce qui, aux yeux de J. Chambaz, était à considérer comme une crise globale de la société française. Cf. *Morale et Société*, Semaine de La Pensée marxiste, Editions sociales.

grande bourgeoisie pour maîtriser la crise se traduisent par son aggravation. C'est ainsi que non seulement les P.M.E., mais les grandes entreprises qui n'ont pas les moyens d'atteindre la taille internationale sont malmenées par le pouvoir ; ce qui aggrave la plaie du chômage. C'est ainsi encore que, dans la logique des intérêts qu'il représente et défend, le pouvoir favorise la liquidation de la modeste exploitation paysanne. J'ai pu récemment, à l'occasion d'un voyage d'études en Limousin, mesurer ce que cela signifie concrètement. Des exploitants se sont modernisés pour être « compétitifs » — comme le leur recommandait le gouvernement, qui leur veut du bien. Les mêmes — logique de la modernisation, qui passe par l'emploi d'un matériel plus puissant — ne peuvent acquérir les surfaces qui leur seraient indispensables pour utiliser au mieux leur équipement ! Les producteurs ne peuvent acquérir le moyen de production. Pourquoi ? Parce que nos paysans sont écartés du marché foncier ; parce que la terre est la proie des spéculateurs... Ainsi un même système pousse l'exploitant à « se moderniser » s'il veut tenir le coup et l'empêche de soutenir la concurrence avec les rafleurs de terre... On voit ici très concrètement comment un système économique et social s'enlise dans la crise qu'il engendre. Le malthusianisme imposé par le pouvoir d'Etat à notre agriculture (règlement sur règlement ; limitation autoritaire des productions, etc.) et le carcan du Marché commun ont fini par mettre en question l'agriculture, comme pôle important de l'économie nationale, comme activité apte à satisfaire les besoins du pays. Voilà comment la dialectique du grand capital le conduit à l'isolement. Il est connu que la bourgeoisie, pendant de longues décennies, a su se conserver de précieux appuis dans la France rurale. De nos jours, les exploitants familiaux (qui, dans la production agricole, constituent de loin la majeure part de la population) sont de plus en plus nombreux à s'interroger, à se poser la question : si nous voulons que l'agriculture française satisfasse les besoins du pays, et si nous voulons qu'elle trouve au dehors des débouchés, ne convient-il pas de la libérer du corset dans lequel ce pouvoir l'a emprisonnée ?

On pourrait multiplier les exemples. Le plus spectaculaire n'est-il pas celui de l'énergie ? Le pouvoir de la grande bourgeoisie a tout fait, pendant des années, pour convaincre les Français qu'une économie « compétitive » ne pouvait marcher qu'au pétrole, et que l'exploitation des mines de charbon en France même coûtait trop cher. Tel était, bien entendu, l'impératif de rentabilité dans la logique du système. On connaît les conséquences. La réévaluation du prix du pétrole a mis en évidence à quel point cette logique est contraire aux intérêts de notre pays, aux exigences d'une économie nationale capable de satisfaire les besoins populaires.

c — La crise frappe durement la classe ouvrière. Mais à des degrés divers, sous de multiples formes, elle touche la grande majorité des Français. Toutes les catégories victimes de cette crise de société trouvent ainsi dans leurs intérêts respectifs non seulement la source des motivations qui, de plus en plus, les opposent aux monopoles, mais des raisons de faire alliance avec la classe ouvrière, c'est-à-dire avec la force principale de la révolution socialiste. Même quand elles ne sont pas favorables au socialisme...

C'est ainsi dans le mouvement objectif des rapports sociaux que se fondent la possibilité d'une alliance et le mot d'ordre d'union du peuple de France.

Je rappelais tout à l'heure, en évoquant les années 1930 en France, qu'« union sacrée » et « union de la nation française » sont deux concepts opposés. Il est significatif que de nos jours le mot d'ordre d'union sacrée ait été repris par M. Lecanuet, c'est-à-dire par le leader de ces « réformateurs » qui ne pouvaient plus se permettre de poursuivre le jeu de « l'opposition » au pouvoir, et qui devaient (à la veille des élections présidentielles de 1974) rallier ouvertement le pouvoir de la grande bourgeoisie pour l'aider à se défendre contre la poussé des forces populaires, contre les progrès de la gauche. Aussi bien, l'oligarchie maîtresse du pays comprend la portée révolutionnaire de l'« union du peuple de France ». Elle comprend que cette union a un *contenu de classe,* puisqu'elle signifie union, autour de la classe ouvrière, de toutes les couches sociales intéressées à libérer le pays du pouvoir de l'argent.

C'est en mettant l'accent sur le contenu de classe du Programme commun qu'il devient possible de comprendre que sa victoire ouvrira une étape nouvelle dans la dialectique des rapports sociaux. On sait que, dans la période d'élaboration du Programme commun, le principal différend entre communistes et socialistes portait sur le problème des nationalisations. Le Parti socialiste voulait limiter au maximum le nombre des nationalisations prévues par le Programme. Or, il ne peut y avoir de changement profond que si les pôles décisifs de l'économie passent sous le contrôle démocratique de la nation.

L'attitude de la grande bourgeoisie à l'égard du Programme commun est significative. C'est en raison du contenu de ce programme qu'elle le combat, et qu'elle essaie de ramener le Parti socialiste sur le terrain de la collaboration de classes.

Ce programme n'est pas un programme de construction d'une société socialiste. Mais son application permettra à la classe ouvrière et à ses alliés de faire une expérience novatrice qui ouvrira la voie à une France socialiste. D'un double point de vue :

— la défaite du pouvoir des monopoles, la limitation considérable des moyens dont dispose actuellement le grand capital créeront une situation beaucoup plus favorable à la classe ouvrière, à l'ensemble des forces populaires ;

— la dialectique de ce processus objectif entraînera, sur le plan subjectif, une prise de conscience massive : il apparaîtra concrètement à des millions de gens que le pouvoir de l'argent n'est pas invincible, qu'une autre société est possible, où la vie est meilleure.

Certains, tout en se réclamant de la gauche, ont voulu présenter le Programme commun comme annonciateur d'un renoncement à la lutte de classes. Il constituerait donc, si on les croit, un compromis avec la grande bourgeoisie. Appréciation profondément erronée puisque le but du Programme commun est de détruire l'emprise des monopoles sur le pays, de promouvoir une démocratie économique, sociale et politique comme notre peuple n'en a jamais connu. Pas davantage le Programme commun n'est un compromis avec le réformisme au sein du mouvement ouvrier. Sans doute, dans telle ou telle de ses dispositions, ce programme représente-t-il un point d'équilibre entre les propositions des communistes et celles des socialistes. Mais, dans son orientation fondamentale et dans son ensemble, ce programme a une portée révolutionnaire. Il est le fruit d'une longue action de masse suscitée par le Parti communiste ; cette action a conduit le Parti socialiste à accepter un programme commun, alors qu'il en avait longtemps refusé le principe même. Mais ce parti, l'expérience le montre, n'a pas pris un engagement irréversible : si l'influence du Parti communiste faiblissait, le Parti socialiste cèderait aux sollicitations de la grande bourgeoisie.

La signification révolutionnaire du Programme commun apparaît dès lors qu'on reconnaît le caractère *antagonique* de la contradiction qu'il se donne les moyens de résoudre. Antagonisme entre les intérêts de l'oligarchie monopoliste et ceux de toutes les couches sociales qui ont intérêt à se joindre au combat de la classe ouvrière contre l'étroite minorité qui règne sur le pays. (Et parmi ces couches, il y a la bourgeoisie non monopoliste, victime du processus de concentration qui s'effectue de plus en plus ouvertement à l'avantage des firmes les plus puissantes.)

La dialectique des rapports de classes dans notre pays quand le Programme commun entrera dans la vie ne peut évidemment être décrite par anticipation. Mais un certain nombre de processus sont prévisibles, dès lors que nous ne perdons pas de vue deux aspects fondamentaux et inséparables :

— D'une part, je viens de le souligner, le fait que le Programme commun a un contenu de classe ; il a donc pour première tâche de libérer le pays du pouvoir des monopoles.

— D'autre part, l'application d'un tel programme ne pourra se faire que par l'intervention permanente de la classe ouvrière et de toutes les forces intéressées au changement. C'est à cette condition que, si l'on me permet une formule, la « démocratie avancée » sera une démocratie avançante. Il ne suffira pas, pour que ce processus de démocratisation s'effectue, que la majorité des Français se prononce pour le Programme commun. Il faudra que les masses populaires se mobilisent, qu'elles agissent, qu'elles prennent en main l'application du Programme, qu'elles défendent leurs conquêtes. Il est impensable, en effet, de considérer que l'ennemi de classe laissera ces changements s'opérer sans réagir. Et nous savons que les dirigeants réactionnaires des Etats-Unis sont hostiles à une telle transformation de notre pays. Mais ces messieurs sont-ils seuls au monde ? L'évolution de la situation internationale, les progrès de la coexistence pacifique imposée à l'impérialisme en recul, les progrès des pays socialistes, le développement du mouvement ouvrier et démocratique en Europe — autant de facteurs objectifs qui seront favorables à une transformation démocratique de notre pays. Une France libérée du règne du grand capital aura beaucoup d'amis en Europe et dans le monde. Sa marche vers le socialisme en sera facilitée.

Une telle expérience aura le caractère d'un changement *qualitatif,* à la fois sur le plan économique, sur le plan social, sur le plan politique. Elle aura pour effet, non seulement de briser le pouvoir des monopoles, mais d'orienter les secteurs-clés de l'économie d'une façon radicalement nouvelle. Leur finalité ne sera plus le profit d'une oligarchie, mais la satisfaction des besoins populaires. Cela s'effectuera par l'intervention conjuguée d'un pouvoir nouveau (fondé sur l'assentiment populaire qui s'exprimera dans le suffrage universel) et des travailleurs-citoyens aux diverses instances de la vie économique, sociale, politique.

Ainsi s'amorcera un mouvement qui tirera sa force de son développement propre. C'est ainsi que la dialectique production-besoins se développera : car les besoins populaires dans notre pays libérés de la domination du grand capital ne seront pas seulement la finalité de la production ; ils en seront le moteur. C'est ainsi (autre exemple) qu'une dialectique se développera entre l'économie et les réformes démocratiques prévues par le Programme commun. La nationalisation démocratique des secteurs-clés de l'économie appellera, en effet, un développement novateur (et lui aussi démocratique) de la recherche scientifique, une refonte (elle aussi démocratique) et une modernisation de l'enseignement, une véritable formation permanente. En retour, cette promotion de la recherche, de l'enseignement, de la formation — et plus généralement l'essor de la vie culturelle — favoriseront et stimuleront le progrès de l'économie nouvelle.

L'activation syndicale et politique stimulées par les transformations à la base de la société faciliteront ces transformations elles-mêmes. Disposant, grâce à l'application du Programme commun, de puissants moyens pour intervenir dans le développement du pays, les travailleurs prendront conscience de leurs forces accrues, de l'efficacité de leur action. Ils construiront ainsi eux-mêmes leurs raisons de vouloir que le développement amorcé par la victoire du Programme commun se poursuive. Leur expérience les encouragera à engager notre pays sur la voie du socialisme.

La dialectique d'une démocratie avancée, telle que le Programme commun en trace le profil, est donc bien celle d'un changement qualitatif qui s'effectuera sur une certaine durée.

Elle tendra à réduire toujours davantage les possibilités objectives d'un retour au passé. Et c'est le progrès de cette démocratie nouvelle — qui portera ses effets dans tous les aspects de la vie nationale, à tous les niveaux de la société française — qui, de plus en plus, modifiera le rapport des forces à l'avantage de la classe ouvrière et de ses alliés.

En fait, le Programme commun, dans tous ses aspects, sera générateur d'une dialectique du nouveau et de l'ancien. Une dialectique où le nouveau se renforcera. Y compris quand il attirera à lui des formes anciennes pour les réactiver à ses fins. Exemple : alors que le pouvoir des monopoles a considérablement diminué l'importance des conseils municipaux, ceux-ci retrouveront une vie nouvelle et disposeront de moyens nouveaux.

On connaît l'aphorisme de Malebranche, un des grands disciples de Descartes : « Nous avons toujours du mouvement pour aller plus loin. »

L'application du Programme commun, *parce qu'elle sera l'œuvre des masses populaires,* sera génératrice d'un mouvement qui s'appuiera sur ses premières victoires pour aller plus loin.

On ne peut évidemment concevoir cette dialectique si l'on pense démocratie et si l'on pense socialisme comme appartenant à deux sphères séparées. C'est-à-dire si on méconnaît l'enseignement de Lénine que nous avons rappelé tout à l'heure : les chemins du socialisme sont ouverts par le combat pour développer la démocratie. Le défi lancé par les communistes à la grande bourgeoisie, c'est précisément le « défi démocratique ». C'est sur le terrain de la démocratie, où elle se trouve de plus en plus mal à l'aise, qu'elle sera isolée.

Les défenseurs du pouvoir des monopoles l'ont compris : voilà pourquoi ils tentent d'effrayer les Français en leur répétant qu'une victoire de la gauche aux élections déclenchera une mécanique impitoyable ; la France, disent-ils, sera prise alors dans un « engrenage » qui interdira aux Français tout choix nouveau, toute possibilité d'un retour en arrière. Ce qui est faux, puisque le Programme commun est foncièrement démocratique, et que ses dispositions ne pourront prendre effet que par la souveraine décision et par l'intervention des travailleurs, des citoyens.

Mais, en raison de son caractère global, il ne pourra pas se réaliser en telle ou telle de ses parties sans exiger de se réaliser dans les autres.

Remarque : dire que la construction d'une démocratie novatrice sur tous les terrains suppose l'action de la classe ouvrière, l'intervention de toutes les couches intéressées à la victoire sur le grand capital, cela ne signifie pas qu'aucune contradiction ne naîtra au sein de ce processus. Aujourd'hui déjà nous savons comment, au sein même de la classe ouvrière en lutte contre l'exploitation, tout mouvement revendicatif d'une partie de la classe ouvrière n'est pas victorieux à n'importe quelles conditions ; nous savons que ce mouvement, en de nombreux cas, a besoin pour vaincre, de l'appui des autres couches ouvrières et, plus largement, des autres couches de la population laborieuse ; et nous savons que le pouvoir de la grande bourgeoisie fait de son mieux pour empêcher les travailleurs en lutte de trouver un appui dans la population.

Mais de tels phénomènes sont porteurs d'avenir. Ils signifient que, la crise de la société française ayant pris un caractère global, les travailleurs qui s'engagent dans la lutte pour telle ou telle revendication ont plus qu'autrefois le sentiment que cette lutte s'inscrit dans un ensemble. En témoignent leur volonté de ne pas se laisser isoler, leur souci de bénéficier de l'appui de la population. Et cette situation ne caractérise pas seulement la classe ouvrière. Nous l'observons maintenant dans la paysannerie laborieuse. Les luttes des exploitants familiaux ont enrichi leur expérience. L'idée a grandi dans les campagnes françaises qu'une « aide » accordée par le gouvernement n'avait pas la vertu de résoudre tous les problèmes ; les exploitants se disent de plus en plus souvent qu'une grande politique agricole française est désormais nécessaire. Ils ne veulent pas se laisser enfermer dans l'impasse d'une agriculture « assistée ». Plus ils prennent conscience de la portée nationale de leurs luttes, plus ils ont le souci de bénéficier de la solidarité des autres couches des travailleurs, en particulier la classe ouvrière.

Si j'insiste sur tout cela, c'est pour souligner que *dès aujourd'hui* se forme une expérience qui sera précieuse demain : l'expérience de la solidarité et de l'interaction entre les diverses luttes. Dans l'édification d'une démocratie économique, politique et sociale, qui réalisera le Programme commun, méconnaître la position respective des diverses couches et catégories serait courir le risque d'affaiblir l'ensemble du processus. Alors l'ennemi de classe pourrait utiliser à ses fins des oppositions entre telle et telle fraction de la population. Cela s'est passé au Chili.

Cela signifie que, pour assurer son avenir, le mouvement populaire ne devra ni prendre de retard sur les tâches posées par son propre développement ni brûler les étapes, ce qui aboutirait à isoler une avant-garde. Et cela montre aussi que le mouvement ne pourra progresser sans une intense lutte d'idées. A tous les niveaux, les problèmes ne seront solubles que par une intervention consciente des forces sociales dont le concours sera nécessaire pour qu'ils soient en effet résolus. On peut prévoir que, dans la construction d'une France socialiste, la lutte des idées prendra une importance croissante. Elle conditionnera l'élévation de la conscience sociale, le progrès du sens des responsabilités individuelles et collectives.

Ce processus est d'autant plus aisément prévisible qu'il y aura pluralité des partis politiques ; et la compétition entre les idées révolutionnaires et les idées réformistes se poursuivra dans des conditions nouvelles. Ce qui exigera la présence permanente, l'activité accrue d'un Parti communiste capable de poser à temps les problèmes du développement économique, social, politique, culturel. Déjà le *Manifeste de Champigny* (1968) portait l'accent sur le rôle du parti révolutionnaire dans une démocratie avancée.

Marx n'a pas inventé la lutte des classes. Mais c'est le socialisme scientifique qui permet à la classe ouvrière d'avoir une représentation non-illusoire du processus historique ; et c'est le socialisme scientifique qui lui permet d'intervenir de la façon la plus efficace dans ce processus.

La fonction d'un Parti communiste est de nouer le lien entre le mouvement ouvrier et la théorie. Ce lien fait du parti à la fois l'éducateur et l'éduqué ; car il instruit la classe ouvrière, il instruit les masses, et il s'instruit auprès d'elles.

Post-scriptum :

a — L'objet de cet exposé (qui fut présenté au C.E.R.M. en 1975) n'est évidemment pas de mettre en forme une « dialectique de la révolution ». Une telle ambition sera d'ailleurs toujours dépassée par les événements. Le marxisme se dissoudrait, (et il n'y aurait pas lieu de parler de philosophie marxiste) s'il ne savait pas définir et exposer le moment *théorique* non réductible à telle ou telle situation historique donnée. Ce moment théorique est, par exemple, celui que la pensée de Lénine assume dans les *Cahiers philosophiques,* dans la réflexion sur les catégories, sur la dialectique matérialiste. Mais c'est dans l'analyse concrète d'une situation concrète, dans le courant d'une histoire qui ne se répète pas, que le parti révolutionnaire fait ses preuves. Lénine ne disait-il pas que la vérité est « toujours concrète » ? Voilà pourquoi j'ai rappelé les combats livrés par lui en 1917 contre une conception répétitive du mouvement historique. J'aurais pu développer cet aspect beaucoup plus longuement ; et de même pour l'expérience du Parti communiste français durant les années de la lutte contre le fascisme. Dans *Fils du peuple,* Maurice Thorez souligne que la tâche posée aux communistes français au lendemain du Congrès constitutif de Tours était d'assimiler le marxisme vivant, comme sut le faire Lénine ; « apprendre à vaincre, écrit Maurice Thorez, dans les conditions spécifiques de la France ». J'ai, à cet égard, noté comment le P.C.F. fut conduit, dans la lutte contre le fascisme, à poser en termes nouveaux pour notre pays le problème des rapports avec le courant réformiste. J'aurais pu aussi bien dégager la signification novatrice de la politique de la « main tendue » aux travailleurs chrétiens. C'est en effet sur une représentation dialectique de la France contemporaine, sur une évaluation dynamique des rapports de classes que Maurice Thorez fondait la possibilité objective de l'action commune des travailleurs, croyants et non-croyants, contre leur ennemi mortel. Considérer les idéologies dans l'absolu est antidialectique. C'est dans le mouvement des luttes de classes qu'elles sont à considérer. Il peut alors se constituer des situations où une opposition entre idéologies n'empêche pas l'action commune entre des couches sociales ; à plus forte raison au sein d'une même classe. Et l'expérience a montré comment en 1934-1936, et plus tard dans la Résistance nationale, l'action commune englobait des hommes, des femmes qui avaient des conceptions du monde profondément différentes. Au demeurant, c'est dans l'action que la conscience des individus et des groupes se transforme ; l'histoire contemporaine des Eglises en offre de multiples témoignages.

b — Mon exposé est antérieur de plusieurs mois au déroulement du XXIIe Congrès du Parti communiste français. Si j'avais à en reprendre la substance dans les conditions créées par le XXIIe Congrès, j'insisterais évidemment sur l'approfondissement de la crise de la société française, sur les aspects nouveaux que les débats du XXIIe Congrès ont mis en évidence. Et sans doute soulignerais-je fortement l'aggravation, au sein du processus d'ensemble, de la *crise de l'Etat*. On ne peut, dans les conditions françaises de la crise du capitalisme monopoliste d'Etat, reprendre mécaniquement le mot d'ordre : « briser l'Etat ». L'Etat bourgeois s'est beaucoup modifié durant les dernières décennies. On pourrait longuement montrer que ses fonctions se sont transformées sous la poussée des besoins des monopoles. Je me contenterai de souligner qu'en son sein se développent des contradictions qui manifestent, sous des formes spécifiques, le progrès des forces de changement dans notre pays. D'où, par exemple, la situation qui se crée dans l'armée où s'affirme l'aspiration à une transformation démocratique du statut de l'officier, du sous-officier, du soldat ; il s'agit-là d'une question qui, désormais, fait l'objet d'un grand débat national. Le pouvoir du grand capital n'est donc pas en mesure de traiter l'armée comme un grand corps passif et malléable. De même pour cet autre corps : la magistrature. Au moment même où ces lignes sont écrites, on voit comment un nombre croissant de magistrats sont pratiquement conduits à élaborer, dans le contexte des luttes sociales et politiques, une nouvelle conception de leurs fonctions et à refuser la conception que les dirigeants de la bourgeoisie réactionnaire prétendent leur imposer. Nous pourrions multiplier les exemples qui mettraient en évidence ce que veut avoir une représentation schématique de l'« appareil d'Etat » et des « appareils idéologiques d'Etat ». Car la lutte des classes est présente dans le réseau des institutions étatiques elles-mêmes. Ce qui n'a rien de mystérieux puisque les services publics en France emploient plusieurs millions de travailleurs. On comprend que, dans de telles conditions, un des objectifs du pouvoir des monopoles soit de porter atteinte, chaque fois qu'il le peut, aux garanties que les travailleurs de l'Etat trouvent dans le « Statut de la fonction publique » mis en place à la Libération par un ministre communiste. On comprend que les représentants du grand capital rêvent d'appliquer en France les mesures discriminatoires qui, en Allemagne fédérale, frappent les fonctionnaires communistes et bien d'autres. On comprend aussi que, de plus en plus, l'oligarchie industrielle et financière installe ses hommes aux points décisifs, faute de pouvoir s'appuyer en toute confiance sur les fonctionnaires eux-mêmes ; les cabinets ministériels, le cabinet du président de la République leur offrent des moyens d'intervention autoritaire, en marge des dispositions réglementaires que les fonctionnaires publics, en France, ont l'habitude de respecter scrupuleusement.

En 1789, ne l'oublions pas, la transformation révolutionnaire de la société française fut directement préparée par une crise de l'Etat féodal. La bourgeoisie victorieuse sut élaborer et faire prévaloir, pendant de longues décennies, l'image d'un Etat au-dessus des classes, serviteur serein de l'intérêt général. Cet universalisme est, de nos jours, de plus en plus contesté. Et la haute Eglise catholique elle-même (cf. les déclarations de Mgr Etchegaray) met en doute la conception traditionnelle de l'Etat, serviteur de tous. Quand le XXIIe Congrès du Parti communiste appelle les Français à soustraire l'Etat à la toute-puissance des féodalités modernes, quand il leur propose de lutter pour l'avènement d'un Etat effectivement démocratique, au service de tous les travailleurs, de tous les citoyens, il va dans le sens de l'histoire.

Le XXIIe Congrès a mis au centre de ces travaux une idée que la grande bourgeoisie redoute ; c'est pourquoi elle emploie que les moyens pour faire obstacle à sa popularisation. Cette idée, c'est que le socialisme c'est la démocratie jusqu'au bout ; cette idée, c'est que l'édification d'une France socialiste « ne peut être que l'œuvre démocratique de la majorité du peuple français », la classe ouvrière étant la force dirigeante des luttes populaires pour le changement — un changement dont la crise du capitalisme monopoliste d'Etat souligne toujours davantage la nécessité historique. Et c'est dans la dialectique même de la démocratie en mouvement qu'une France socialiste trouvera les moyens propres à défendre ses conquêtes.

c — De nombreux autres aspects appelleraient une étude différentielle... Celui-ci par exemple : montrer comment l'universalité du socialisme se réalise dans les conditions qui caractérisent l'histoire de chaque pays. La dialectique de l'universel et du particulier est concrète. L'universel serait-il authentiquement universel s'il se réduisait à la simple répétition, c'est-à-dire à une forme vide ? Et le particulier ne peut se développer que s'il ne brise pas ses liens avec le mouvement historique qui porte l'humanité vers le socialisme. L'étude des rapports entre mouvement ouvrier international et réalité nationale exige une représentation dialectique du rapport universel/particulier.

Cela signifie-t-il que l'universel soit condamné à ne jamais apparaître *comme tel* dans le processus historique ? Non, puisque le caractère universel du socialisme comme mode de production auquel l'humanité doit accéder pour se libérer des rapports capitalistes d'exploitation s'affirme de plus en plus largement à travers l'expérience des luttes révolutionnaires pour le socialisme dans les pays où le capitalisme domine encore, à travers l'expérience des peuples qui construisent une société sans classe exploiteuse. Et puis dans ce processus historique riche et diversifié s'exprime de plus en plus clairement l'exigence des conditions objectives qui, dans une société communiste, assureront le plein développement humain de tout individu. C'est bien ici l'universel comme tel qui, en quelque sorte, devient lisible à travers les luttes qui conduisent l'humanité à sa libération.

PEUT-ON « ISOLER » LA DIALECTIQUE (LOIS, CATEGORIES ET PRATIQUES SOCIALE) ?

Jean-Pierre COTTEN

Le titre de cette conférence peut paraître énigmatique ou, pour le moins, ambigu, susceptible d'interprétations variées. Et c'est pour cette raison que je voudrais partir d'une remarque sur la signification, courante ou savante, du mot, du verbe isoler [1].

Prenons donc n'importe quel dictionnaire : isoler, c'est un verbe dont on fait usage dans des expressions comme « *Isoler un corps simple, un virus,* les séparer de leur combinaison ou du milieu auquel ils sont d'ordinaire mêlés » (*Petit Robert*). D'une façon plus générale, mais aussi plus vague, isoler veut dire abstraire, distinguer, séparer.

---

1. Il faudrait s'arrêter longuement sur cette distinction du langage « populaire » et du langage « savant » : en effet, les questions qui se posent, dans la philosophie marxiste, sont des problèmes qui intéressent les masses, ceux-ci seraient-ils « difficiles », la philosophie marxiste-léniniste est devenue, historiquement, l'idéologie organique de la classe ouvrière révolutionnaire : il est très important d'éclairer la relation, ainsi que la différence, entre les formes actuelles du langage tel qu'il est actuellement utilisé par les masses, tel qu'il sert de véhicule à l'idéologie dominante — et cela tant en ce qui concerne la « syntaxe » que le « lexique » — et le type de langage dont usent les marxistes pour diffuser une conception du monde qui est nouvelle ; les concepts marxistes, dans leur spécificité, requièrent un langage rigoureux, mais s'ils sont présentés de telle sorte que le lien avec la langue de tous les jours n'est plus perceptible par les masses, ils ne peuvent devenir, d'une façon organique, leur propriété : ne point se soucier de ces interrogations, c'est ne pas rompre avec une conception élitaire de la culture et de la philosophie, c'est, me semble-t-il, ne pas prendre une mesure suffisamment exacte des formes — et de la force — de l'inculcation de l'idéologie dominante dans une société capitaliste ; il y a des indications très riches, sinon suffisantes et définitives, chez Gramsci sur ce sujet.

Mais, dira-t-on, qu'est-ce que cela a à voir avec les problèmes que pose la dialectique, la dialectique matérialiste ?

Je désirerais, avant de répondre directement et de vous présenter le plan de l'argumentation que je compte exposer, faire deux citations. Nullement pour jouer au jeu des citations, célèbres ou non, et pas plus pour me protéger derrière des autorités, comme le faisaient les théologiens du Moyen Age, autorités qu'il suffit, alors, de commenter car elles garantissent, de par leur existence positive, la vérité elle-même (*cf.*, par exemple, M.D. Chenu, *Introduction à l'étude de Saint Thomas d'Aquin,* Paris, Vrin, 1954, 1re partie, ch. IV, Les procédés de documentation).

D'abord, une formule de V.I. Lénine :

« A étudier :

Plékhanov a bien écrit sur la philosophie (la dialectique) sans doute 1 000 pages (Beltov + contre Bogdanov + contre les kantiens + questions fondamentales, etc.). Là-dessus, *sur* la grande Logique, *à propos* d'elle, de *ses* idées (c.-à-d. *proprement* la dialectique comme science philosophique) nil [2] ! ! »

Cette citation, très classique, fait référence à la dialectique comme à une « science philosophique », donc, semble-t-il, à quelque chose d'autonome, d'isolable, de relativement indépendant, pour le moins de spécifique.

Ensuite, une formule qui permet de faire le point sur l'état des travaux chez les marxistes français, une formule de Lucien Sève dans son pré-rapport au Colloque d'Orsay des 4 et 5 décembre 1971, *Lénine et la pratique scientifique* : parlant des problèmes les plus importants que pose la dialectique matérialiste, Lucien Sève écrivait :

« Il semble qu'on puisse désigner comme point focal de ces problèmes la question de savoir si la dialectique marxiste est *isolable comme telle* [...]. Si, selon la formule de Lénine dans *Un pas en avant, deux pas en arrière,* « le principe fondamental de la dialectique est qu'il n'existe pas de vérité abstraite, la vérité est toujours concrète », quelle sorte de « vérité » pourrait bien avoir un exposé de la dialectique marxiste « prise à part » donc abstraite de toute réalité ou situation concrètes, même et surtout si l'abs-

2. *Œuvres,* Paris-Moscou, t. 38, Résumé des *Leçons d'histoire de la philosophie* de Hegel, p. 260.

traction foncière de l'exposé devait être plus ou moins masquée par l'évocation faussement concrète d' « exemples » ? Ne faut-il pas dire, comme l'on fait certains marxistes au cours des quinze dernières années, que pour le marxisme la dialectique n'*existe* qu'investie dans des savoirs concrets, dans des pratiques concrètes [3] ? »

Je peux maintenant développer ma question principale, celle qui va orienter toute la conférence : est-ce que le problème, théoriquement et politiquement décisif, ce n'est pas le suivant : peut-on présenter, dans quelle mesure et à quelles conditions, un savoir théorique sur la dialectique matérialiste, à l'état pur, à l'état purifié, de façon séparée et distincte ? En un mot, peut-on présenter en elle-même et pour elle-même la dialectique ? N'y a-t-il pas le risque — et, si oui, comment l'éviter ? — de masquer le processus historique réel dans toute sa richesse et sa complexité, de masquer, en définitive, la pratique politique effective et, en conséquence de la recouvrir peu ou prou [4] ?

---

3. In *Lénine et la pratique scientifique*, Paris, Editions sociales, C.E.R.M., 1974, pp. 25-26.

4. Lorsque j'use de l'expression de pratique politique effective, je songe à un concept spécifique qui est présent en toutes lettres dans divers textes de Lénine, par exemple, celui d'*art* politique : à propos d'une lettre de W. Gallacher, rédigée au nom du Conseil ouvrier d'Ecosse, Lénine écrit : « l'auteur oublie visiblement que la politique est une science et un art » (*La maladie infantile du communisme (le « gauchisme »), Œuvres,* t. 31, p. 76) ; il n'y a là nul pragmatisme, comme si Lénine opposait à un savoir aux principes généraux, universels et, par-là même, trop lâches pour guider la conduite d'une politique effective une empirie sans principes, qui ne peut être normée par des principes ; mais il y a une dialectique extrêmement fine et subtile de la théorie et de la pratique : Lénine pense à une analyse non point dans l'abstrait, en dehors de la conjoncture, mais en prise sur la « situation concrète », le « moment actuel », se rectifiant constamment, maîtrisant, d'une façon nécessairement partielle, le développement du rapport des forces sur tous les plans. Il y a, ici, tout un ensemble de concepts spécifiques, à mon sens radicalement nouveaux dans la théorie politique, signalés par ce terme d'art politique et il est intéressant de voir que, un peu plus bas, Lénine reproche à certains en même temps de ne pas savoir conduire effectivement une politique et de ne pas comprendre ce qu'est véritablement la dialectique. Lénine écrit : « Ce qui aujourd'hui manque au communisme, d'une si belle venue, dans les pays avancés surtout, c'est cette conscience (« le sentiment net et profond, chez les communistes de tous les pays, de la nécessité d'avoir le maximum de *souplesse* dans leur tactique ») et l'art de s'en inspirer dans la pratique. » (*Ibid.*, p. 98). Et il remarque, à propos

Ce que j'avance vaut, également, pour l'activité de recherche et d'élaboration de nouvelles connaissances, activité distincte de l'enseignement de vérités déjà établies, de la synthèse ou du résumé de connaissances avérées [5].

Cela dit, si, comme j'espère le montrer, ces questions sont profondément politiques, elles ne sont nullement politistes : elles ne se donnent pas pour un substitut d'une pratique politique effective. En effet, on sait que Lénine, dans un passage très connu, reprend une formule du révolutionnaire russe du milieu du XIXe siècle, Herzen, lorsqu'il écrit :

« Dans la Russie féodale de 1840-1850, il a su s'élever à la hauteur des plus grands penseurs de son temps. Il s'est assimilé la dialectique de Hegel. Il a compris qu'elle était “ l'algèbre de la révolution ” [6]. »

---

de dirigeants de la IIe Internationale : « Ce qui est advenu à des marxistes d'une aussi haute érudition, à des chefs de la IIe Internationale aussi dévoués au socialisme que Kautsky, Otto Bauer et autres, pourrait (ou devrait) être une utile leçon. Ils comprenaient parfaitement la nécessité d'une tactique souple ; ils avaient appris eux-mêmes et ils enseignaient aux autres la dialectique marxiste (et beaucoup de ce qui a été fait par eux dans ce domaine restera à jamais parmi les acquisitions précieuses de la littérature socialiste) ; mais au moment d'*appliquer* cette dialectique, ils commirent une erreur si grande, ou se révélèrent pratiquement de tels *non*-dialecticiens, des hommes tellement incapables d'escompter les prompts changements de forme et la rapide entrée d'un contenu nouveau dans les formes anciennes, que leur sort n'est guère plus enviable que celui de Hyndman, de Guesde et de Plékhanov. » (*Ibid.*, pp. 98-99.) Pour le dire vite, il me semble qu'il y a à développer pour eux-mêmes, sans les couper, évidemment, des analyses concrètes, les concepts léninistes pour penser la *pratique* politique, concepts spécifiques par rapport à ceux qui permettent une analyse objective d'une formation économique et sociale, et il me semble qu'il est temps, en ce domaine, de faire apparaître cet aspect de la richesse du léninisme.

5. Notons-le dès à présent : la question décisive concernant le rapport de la théorie marxiste et des sciences, décisive au plan théorique — tant il est vrai qu'un résumé ou une synthèse des connaissances positives peuvent avoir une vertu pédagogique et produire des effets idéologiques de masse des moins négligeables — c'est celle des rapports entre le marxisme et la *recherche* scientifique ; toutes choses différentes par ailleurs, il en va de même pour les rapports entre le marxisme et la culture : beaucoup se joue dans les relations que le marxisme entretient avec la *création* culturelle et non pas simplement avec la reprise critique ou la diffusion dans les masses des richesses du patrimoine culturel.

6. *Œuvres*, t. 18, « A la mémoire de Herzen », p. 19.

Mais si la dialectique, un de ses traits, peut-être le plus essentiel, ce serait bien de constituer une algèbre de la révolution, son juste usage ne va pas sans une détermination très précise de la teneur scientifique de cette fameuse « algèbre ». Sans cette détermination, on peut toujours tomber, au plan de la théorie, dans la spéculation ou dans son envers, l'empirisme et le pragmatisme — au plan de la pratique, dans le dogmatisme dialectiquement lié à son contraire, l'opportunisme.

Lorsque l'on essaie de caractériser le contenu théorique spécifique de la dialectique matérialiste, on fait d'ordinaire référence à un certain nombre de textes classiques que l'on extrait de ceux que l'on rassemble sous le terme (ou le concept ?) de « classiques du marxisme-léninisme ». Et, dans ces textes, il est question de lois de la dialectique, il est question de catégories de la dialectique. La dialectique matérialiste se composerait, donc, de lois et de catégories ?

Quelques passages, parmi les plus caractéristiques :

« C'est donc de l'histoire de la nature et de celle de la société humaine que sont abstraites les lois de la dialectique. Elles ne sont précisément rien d'autre que les lois les plus générales de ces deux phases du développement historique ainsi que la pensée elle-même. Elles se réduisent pour l'essentiel aux trois lois suivantes :

« la loi du passage de la quantité à la qualité et inversement ;

« la loi de l'interpénétration des contraires ;

« la loi de la négation de la négation [7]. »

L'usage de l'expression : « les lois les plus générales (*die allgemeinsten Gesetze*) », il est courant dans les textes rassemblés dans la *Dialectique de la nature* : par exemple, dans *Sur les prototypes de l'infini mathématique dans le monde réel* [8].

« Dans le présent ouvrage, la dialectique a été conçue comme la science des lois les plus universelles de *tout* mouvement » (*Dialectique de la nature,* p. 273).

---

7. *Dialectique de la nature, « La dialectique »*, Editions sociales, 1971, p. 69 ; Marx-Engels-Werke, t. 20, p. 348. Le texte date probablement de 1879 et l'on trouve en marge du texte : « Lois dialectiques *(Dialektische Gesetze).* »

8. Note à propos d'un passage de l'*Anti-Dühring*, Editions sociales, pp. 67-69 de l'édition de 1950.

Pour ce qui est du terme de catégorie, à s'en tenir aux textes de la *Dialectique,* on le trouve dans des passages des notes sur Büchner : « Deux courants philosophiques : le courant métaphysique avec des catégories immuables [9] « *Mit fixen Kategorien* », M.E.W., t. 20, p. 472, le courant dialectique (Aristote et surtout Hegel) ; les preuves que ces oppositions immuables : fondement et conséquence, cause et effet, identité et différence, apparence et essence ne résistent pas à la critique, que l'analyse montre l'un des pôles contenu déjà *in nuce* dans l'autre, qu'à un point déterminé un pôle se convertit en l'autre et que toute la logique ne se développe qu'à partir de ces oppositions en mouvement progressif » (*Dialectique de la nature,* pp. 203-204).

On n'aura pas de peine à trouver des phrases quasiment identiques dans les *Cahiers philosophiques* de Lénine :

« La logique est la théorie non des formes extérieures de la pensée, mais des lois de développement de « toutes les choses matérielles, naturelles et spirituelles » — c'est-à-dire des lois du développement de tout le contenu concret du monde et de la connaissance de celui-ci, c'est-à-dire le bilan, la somme, la conclusion de l'*histoire* de la connaissance du monde [10]. »

Deux formules, parmi tant d'autres, sur les catégories :

« Objectivisme : les catégories de la pensée ne sont pas un formulaire de l'homme, mais l'expression des lois auxquelles obéissent tant la nature que l'homme [11]. »

« Les catégories sont les échelons de ce détachement, c'est-à-dire de la connaissance du monde, elles sont des points nodaux dans le réseau qui aident à le connaître et à se l'approprier [12]. »

Je ne veux nullement dire que de faire, ainsi, référence à des textes qui parlent de lois et de catégories de la dialectique, cela épuise, de ce seul fait, le contenu même de la dialectique, je veux seulement dire que ce peut être une bonne chose que de tenter d'examiner pour eux-mêmes et en eux-mêmes ce que sont, ce que peuvent être ces lois et catégories, pour savoir si nous avons une représentation « claire et distincte » de ce que nous pensons, de ce que nous disons, non pas lorsque nous parlons

---

9. Avec des catégories fluides « *mit flüssigen* », *ibid.*
gen », *ibid.*

10. *Œuvres,* t. 38, p. 90.

11. *Ibid.,* p. 89.

12. *Ibid.,* p. 91.

du contenu de telle ou telle loi, de telle ou telle catégorie, mais — si l'on ose ainsi s'exprimer, et cela fait problème, cela semble très scolastique— lorsque nous parlons d'une façon générale et/ou universelle de lois et de catégories.

La meilleure façon de procéder, ce n'est pas, me semble-t-il, d'aborder *directement* le problème : en effet, ces termes ou ces notions de loi et de catégorie, ils n'ont nullement été forgés par Marx et Engels, même si Marx et Engels en ont profondément transformé la nature, la fonction et la signification. De plus — et nous en avons de nombreux témoignages — c'est un souci constant de Marx, Engels et Lénine de penser le plus rigoureusement possible le contenu de la dialectique matérialiste par différence d'avec ce qui l'a précédée. Par différence : la dialectique matérialiste n'est pas en solution de continuité pure et simple par rapport à ce qui est venu avant elle, elle n'introduit pas, en toute hypothèse, une pure et simple coupure, une rupture, une cassure. Ce qui ne veut nullement dire, bien au contraire, qu'elle s'inscrive dans on ne sait quelle tradition, dans le cadre d'on ne sait quel continuisme.

La manière la plus adéquate n'est-elle pas, alors, de voir comment le marxisme-léninisme analyse sa propre préhistoire, non pour se forger de toutes pièces des précurseurs (ce qui est de bonne logique téléo-théologique : Hegel, finalement), mais pour mieux comprendre la nouveauté qualitative, tant au plan de la théorie qu'à celui des rapports entre la théorie et la pratique sociale, qu'introduit le marxisme.

En effet, il y a peut-être une histoire spécifique, quoique nullement autonome, de la philosophie, de la « pensée théorique », pour reprendre une expression d'Engels, mais cette spécificité n'apparaît qu'à partir du saut qualitatif que constitue le marxisme comme théorie d'un type nouveau dialectiquement liée à la pratique sociale dans son ensemble et sa diversité. Sans tomber, donc, dans le travers d'une archéologie ou d'une téléologie qui ne font que reprendre, par exemple, le modèle hégélien, il ne doit pas être sans intérêt, sans importance, de retracer certains moments, certains aspects de certains moments de l'histoire de la dialectique, des lois et catégories de la dialectique, ceci afin de mieux comprendre la spécificité de la dialectique matérialiste.

Ici, je propose deux citations, avant d'indiquer quels seront les moments sur lesquels l'analyse s'arrêtera un peu précisément : deux citations d'Engels :

« Par contre la pensée dialectique — précisément parce qu'elle a pour condition préalable l'étude de la nature des concepts eux-mêmes (*eben weil es die Untersuchung der Natur der Begriffe selbst zur Voraussetzung hat*) — n'est possible qu'à l'homme [13]. »

« Mais la pensée théorique n'est pas une qualité innée que par l'aptitude qu'on y a. Cette aptitude doit être développée, cultivée, et, pour cette culture, il n'y a jusqu'ici pas d'autre moyen que l'étude de la philosophie du passé.

« La pensée théorique de chaque époque, donc aussi celle de la nôtre, est un produit historique qui prend en des temps différents une forme très différente et, par là, un contenu très différent. La science de la pensée est donc, comme toute autre science, une science historique, la science du développement historique de la pensée humaine [14]. »

Maintenant, j'isolerai donc deux moments :

a. Le moment aristotélicien.

b. Le moment hégélien ou, plutôt, le moment de la critique, par Hegel, de la dialectique kantienne du point de vue d'une *Science de la logique* et / ou d'une *Encyclopédie des sciences philosophiques.*

Ceci exige quelques précisions méthodologiques et quelques justifications :

a. Il est bien évident, autrement on s'enferme dans une pratique traditionnelle de la philosophie, de la « pensée théorique », que déchiffrer ces moments, ce n'est nullement se contenter de lire autrement, d'une autre façon, le corpus que, par exemple, Hegel déchiffre dans ses *Leçons sur l'histoire de la philosophie* [15]. Surtout lorsque l'on sait quelle est la fonction du savoir philosophique, en un mot du concept (*Begriff*), par rapport aux différents savoirs et aux diverses pratiques. Pour une juste appréciation

---

13. *Dialectique de la nature*, p. 225, M.E.W., t. 20, p. 491.

14. *Dialectique de la nature*, p. 49, M.E.W., t. 20, p. 330.

15. A supposer, d'ailleurs, que l'on s'entende sur la nature exacte de ce corpus et sur son interprétation par Hegel ; cf., en dernier lieu, le bref avant-propos de P. Garniron à sa traduction de l'ouvrage de Hegel, Paris, Vrin, 1971, t. 1, pp. 7-12, ainsi que le recueil *Hegel et la pensée grecque*, publié sous la direction de J. D'Hondt, Paris, P.U.F., 1974.

du rapport, complexe, entre dialectique hégélienne et dialec-lectique matérialiste, il s'agit, bien évidemment, de démanteler comme de l'intérieur l'apparente systématicité du Savoir hégélien et, d'un point de vue matérialiste, de montrer en quel sens il reflète, quoique sur le mode de la méconnaissance (partielle), aussi bien le développement réel du processus de la connaissance que le développement contradictoire de l'histoire réelle (cela, en laissant de côté le difficile problème théorique du rapport entre les textes que Hegel a publiés ou des cours publics qu'il a prononcés et de ses autres écrits, question sur laquelle J. D'Hondt a beaucoup attiré notre attention [16]).

Ce qui veut dire qu'il faut se soucier de la manière suivant laquelle Lénine utilise les *Leçons* de Hegel : bien sûr, Lénine n'est pas en priorité préoccupé par des problèmes tels que : découpage du corpus hégélien, élargissement, retravail de celui-ci, et, surtout, modification du rapport au corpus. Encore que, c'est très visible dans la façon qu'il a d'user de la *Science de la Logique*, par son mode d'intervention, à l'état pratique, il indique qu'il ne reprend nullement tels quels les matériaux et leur élaboration hégélienne.

b. Pourquoi choisir ces deux moments ? Sur le rapport de Hegel à Kant, les textes sont bien connus, Louis Althusser les rappelait naguère et en proposait une interprétation intéressante et suggestive dans sa communication *Lénine devant Hegel* [17].Ils le sont un peu moins, pour Aristote (quoique, dans son dernier ouvrage, Louis Althusser écrive : « Marx, l'a-t-on assez remarqué, ne se contente pas du seul détour par Hegel, mais il se rapporte aussi constamment, de son aveu explicite, par l'insistance de certaines catégories, à Aristote, « ce grand penseur des Formes [18]. »)

Engels dit d'Aristote qu'il est « le Hegel du monde antique, (qu'il) a déjà étudié les formes les plus essentielles de la pensée dialectique [19] ».

On retrouve souvent les mêmes idées : a) le rapprochement entre Aristote et Hegel, b) l'insistance mise sur ce fait qu'Aristote

---

16. Cf., par exemple, *Hegel en son temps*, Editions sociales, 1968.
17. Communication au « Congrès Hegel », Paris, avril 1968, *in Lénine et la philosophie*, Paris, Maspero, 1972.
18. *Eléments d'autocritique*, Paris, Hachette, 1974, ch. IV, Sur Spinoza, p. 68.
19. *Anti-Dühring*, Editions sociales, p. 387.

a dégagé des formes parmi les plus essentielles, c) le contenu dialectique (et les limites) de la pensée d'Aristote [20]. Des remarques homologues, presque identiques, on en trouve bon nombre dans les *Cahiers philosophiques* de Lénine : évidemment, dans le résumé de la *Métaphysique* d'Aristote [21] mais aussi dans le résumé / commentaire du passage qui lui est consacré dans les *Leçons sur l'histoire de la philosophie* [22], de Hegel, ainsi que dans divers passages, en particulier dans le résumé de la *Science de la logique* de Hegel.

I. Premier moment, donc, le moment aristotélicien.

Une petite remarque préliminaire : qu'il ne soit pas inutile de dire quelques mots sur cet « auteur » des plus classiques, cela pourrait ne pas être évident. Certes, on m'accordera que, pour de multiples raisons, il a pu y avoir, dans certaines conjonctures, comme une hégélianisation de la philosophie marxiste et je ne pense pas, ici, à l'hégélo-marxisme de la première édition de *Geschichte und Klassenbewusstsein* de Georg Lukács (1923), mais à une version quelque peu spéculative de la doctrine des lois et catégories de la dialectique avec, à la place du *Geist* hégélien, la catégorie de matière, une certaine « ontologie matérialiste ». On m'accordera plus difficilement — et il me faudrait de longs développements pour l'établir — une transformation de la théorie marxiste en quelque chose qui ressemble à une *Critique de la raison pure,* avec une reprise, plus ou moins avouée, de la question des conditions de possibilité d'une théorie et d'une pratique légitimées, donc de la fonction transcendantale des catégories, comme dans le kantisme (pour la reprise de la *Critique de la raison pratique,* cela ne pose guère de problème ! c'est une bonne façon de repérer, au plan philosophique, l'émergence du révisionnisme dans la IIe Internationale, chez E. Bernstein, le premier, évidemment). Mais on ne m'accordera généralement pas qu'un auteur aussi « dépassé » qu'Aristote ait pu produire quelques effets. Et, pourtant, l'hypothèse n'est ni farfelue ni aberrante, je n'en veux pour preuve que le livre de G. Planty-Bonjour, *Les catégories du matérialisme dialectique,* qui a pour sous-titre

20. Par exemple, *Dialectique de la nature,* pp. 50, 108, 204.
21. *Œuvres,* t. 38, p. 349-56.
22. *Ibid.,* pp. 266-273.

L'ontologie soviétique contemporaine (Paris, P.U.F., 1965), où les références à Aristote sont fréquentes, justement à propos de la définition de la « notion » de catégorie [23]. Cet ouvrage a, au moins, le mérite d'avancer cette formule, peut-être discutable, mais qui mérite d'être discutée à fond : « on ne trouve pas chez les " classiques " du marxisme une véritable élaboration de la notion de catégorie » (p. 27).

J'énonce un peu sèchement un certain nombre de propositions concernant le « moment » aristotélicien — un « moment » à ne pas appréhender de façon hégélienne, un moment dont je n'énonce que quelques caractéristiques et je prie les spécialistes de l'aristotélisme de m'excuser de ces quelques approximations qui n'aspirent nullement à remplacer, d'une façon dogmatique et dérisoire, le long travail de l'érudition contemporaine.

1. Si, comme le dit Hegel [24], « il faut tout d'abord voir un progrès d'une importance considérable dans le fait que les formes de la pensée aient été libérées de la matière dans laquelle elles sont plongées dans l'intuition et la représentation conscientes [25] », le mérite en revient à Platon et à Aristote : « Ce fut un progrès considérable, lorsqu'on se mit à considérer ces formes pour elles-mêmes, lorsque, comme Platon et, après lui, Aristote, on en fit l'objet d'une étude spéciale [26]. » Plus précisément, le terme même de catégorie, et non pas seulement de genre, comme chez Platon (cf. par exemple dans le *Sophiste*, la référence aux « plus grands des genres *(Mégista mèn tôn genôn)* », 254 d), il ne reçoit de signification technique, précise, que dans la philosophie, disons plus modestement dans l'œuvre qui nous a été transmise sous le nom d'Aristote. Il en va de même aussi pour le terme de loi, l'expression de loi de la pensée, même si, historiquement, celle-ci est anachronique, pour le moins inappropriée : on peut songer à la différence qui existe entre la présence implicite de l'énoncé de la non-contradiction dans des textes de la *République* de Platon (par exemple, *Rép.*, IV, 436 b-c et sq.) et sa formulation claire dans la *Métaphysique* d'Aristote (*Méta.*, Gamma). De toutes

23. Chapitre III, I, p. 28 et sq.
24. Repris par Lénine, *Œuvres*, t. 38, p. 88.
25. *Science de la logique*, tr. fr. S. Jankélévitch, Paris, Aubier, 1947, t. I, p. 14.
26. *Ibid.*

façons, catégorie, en tant que terme qui reçoit une signification théorique décisive, cela nous vient d'Aristote. Il est bon de le savoir et d'en tirer toutes les conséquences, même s'il ne faut pas être prisonnier d'un fétichisme des mots.

2. Je n'exposerai pas, ce n'est ni le lieu ni le moment, toute la complexité de la théorie, de la doctrine, de la description ou de l'exposé des catégories aristotéliciennes ; je n'en retiendrai que quelques traits, à mon sens importants, pour comprendre surtout pourquoi, par exemple, cela pose quelques problèmes que de faire usage du terme d'être, des mots d'ontologie ou d'ontologique.

a. Appelons ces catégories des formes, sans trop préciser. Ce qui les caractérise, de quelque manière qu'on les interprète [27], c'est qu'il s'agit de genres premiers. Il n'est pas possible de remonter en deçà de ces catégories : on peut les caractériser par un degré de généralisation, d'universalisation maximales. Au-delà de ces catégories, on ne peut trouver un genre ou, plutôt, on ne peut que trouver quelque chose qui ne saurait être un genre. Ces catégories seraient donc des genres premiers. Il en existe plusieurs listes, par exemple celle que l'on trouve au livre E de la *Métaphysique* (E, 2, 1026 a 33, 1026 b 1) : « L'être proprement dit se dit en plusieurs sens : nous avons vu qu'il y avait l'être par accident, ensuite l'être comme vrai et le non-être comme faux ; en outre, il y a les figures de la prédication, par exemple le *quoi,* le *quel*, le *combien*, le *où*, le *quand* et autres termes qui signifient de cette manière. Et il y a, en plus de tous ces sens de l'être, l'être en puissance et l'être en acte [28]. » Il est classique de compléter, par exemple en faisant référence à deux passages des *Catégories* (*Cat.*, 4, 1 b 25) et des *Topiques* (*Top.*, I, 9, 103 b 21). L'être, lui-même, je simplifie et je passe sur bon nombre de controverses, n'est, de toutes façons, pas un genre (*Métaphysique*, B, 998 b). Donc, dans le cadre d'une hiérarchie de subsumption

27. Comme catégories « ontologiques » ou comme genres derniers de la prédication, voire les deux à la fois, cf. un exposé classique. P. Aubenque, *Le problème de l'être chez Aristote*, Paris, P.U.F., 1962, 1re Partie, ch. II, § 3, quelque peu influencé par l'heideggerianisme, à en croire un grand spécialiste d'Aristote ; cf. J.M. Le Blond, *Logique et méthode chez Aristote*, Paris, Vrin, rééd., 1970, p. XXXVI.

28. Trad. P. Aubenque, *op. cit.*, p. 164.

(suivant le modèle : genre/espèce/individu, qui correspond à la distinction : universel/particulier/singulier, si elle ne s'y identifie pas pour autant), hiérarchie telle que ce qui est subsumé se laisse penser à partir du genre immédiatement supérieur, plus une différence spécifique, la catégorie constitue le degré dernier de la subsumption.

b. Ces diverses catégories, quel que puisse être leur mode d'articulation (c'est, là aussi, un point très controversé que de savoir ce que signifie, par exemple, le type d'unité signalé par le « *pros hen* », *Méta.*, Gamma, 2, 1003 a 33), ne sauraient être articulées en un système ni dérivées simplement, semble-t-il, d'un terme premier (quel que soit le rôle de la substance *(ousia)*, cf., par exemple, *Méta.*, Zèta, passim). Il est un « principe » que l'on trouve constamment répété chez Aristote : l'être se dit de plusieurs manières, « *To de on legetai* [...] *pollakhôs* » (*Méta.*, Gamma, 2, 1003 a 33), il a des significations multiples et ces significations ne sont pas réductibles l'une à l'autre. Ce qui a pour conséquence la non-communication de ces genres suprêmes que seraient les catégories. De plus, il y a une liaison entre pluralité des catégories et discontinuité entre les diverses catégories : il n'y a pas de passage, de médiation, de transformation — en un mot de passage d'un genre à un autre. La qualité n'est pas la quantité et ne saurait le devenir. On peut le montrer sur le célèbre « obstacle épistémologique » que constitua, longtemps, la séparation aristotélicienne entre le domaine du mathématique et du physique, même de la géométrie et de l'arithmétique : « On ne peut pas, par exemple, prouver une proposition géométrique par l'Arithmétique [...]. On ne peut pas non plus démontrer un théorème d'une science quelconque par le moyen d'une autre science, à moins que ces théorèmes ne soient l'un par rapport à l'autre comme l'inférieur au supérieur [29]. » On comprend mieux la perspicacité d'Engels lorsqu'il parle de mode de pensée métaphysique (mode de pensée qui ne caractérise pas que le XVIIe siècle). D'autant plus que par rapport à cette fameuse prohibition du passage à un autre genre (de la « *métabasis eis allo genos* », *Mét.* I, 1057 a 26), il faudra situer cette catégorie centrale de la dialectique matérialiste, cette catégorie qui, seule, permet de définir, de cerner

29. *Seconds analytiques*, livre I, ch. 7, 75 a-b, tr. fr. J. Tricot, Paris, Vrin, 1962, pp. 44-47.

les catégories de la dialectique matérialiste, le *Zusammenhang* ou la *Zusammenfassung* qu'il conviendra de traduire par tout sauf par synthèse.

c. La hiérarchie est simple : la catégorie subsume le particulier et le singulier. Et ceci a des conséquences sur les relations entre sciences et philosophie, pour autant que l'on puisse faire usage de cette distinction, sans anachronisme, à propos d'Aristote : toute science particulière dépend de principes, communs et propres, et, logiquement, toute connaissance dérive de ces principes :

« Il est par suite nécessaire non seulement de connaître avant la conclusion les prémisses premières, soit toutes, soit du moins certaines d'entre elles, mais encore de les connaître mieux que la conclusion [...]. Par conséquent, si notre connaissance, notre croyance, provient des prémisses premières, ce sont celles-ci que nous connaissons le mieux et auxquelles nous croyons davantage, parce que c'est par elles que nous connaissons les conséquences [30]. »

Il est une relation de déduction, au sens strict, entre ces prémisses et les conséquences : telle est, du moins, la théorie de la science des *Seconds analytiques*, même si la pratique effective de la science, chez Aristote, ne se plie pas au modèle de la démonstration de ces *Seconds analytiques* (cf. l'ouvrage classique de J.M. Le Blond).

Ici, une petite remarque : nous avons critiqué — et à juste titre — le déductivisme, dans le marxisme, pour penser le rapport entre la philosophie marxiste et les sciences, il faut voir que le déductivisme, dont nous avons un exemple sinon un modèle chez Aristote, se caractérise en ceci que les connaissances particulières ou singulières seraient, en droit, les conséquences directes que l'on peut tirer de « prémisses premières », en l'espèce de principes, de catégories universels (le particulier est inclus dans le général et l'universel, il suffit de déployer, d'« expliquer » ce qui est potentiellement contenu dans l'universel).

3. Sans trop forcer les textes, sans trop vouloir leur faire dire ce qui nous ferait plaisir, ce que l'on peut nommer les fameuses « lois de la pensée », elles ne font qu'un — et de plu-

30. *Seconds analytiques*, I, 2, 72 a, trad. cit., p. 13.

sieurs façons — avec cette doctrine des catégories, dans la mesure où elles énoncent les principes d'identité, de non-contradiction et de tiers-exclu.

Si l'on reprend la formulation la plus classique de ce « principe », que voit-on, en effet ?

« Il est impossible que le même attribut appartienne et n'appartienne pas en même temps, au même sujet et sous le même rapport [31]. »

Ce principe, est-il besoin de le dire, n'est pas démontré, il est établi par une sorte de régression et on ne peut le séparer du principe d'identité, ainsi que de celui du tiers-exclu : « Mais il n'est pas possible non plus qu'il y ait aucun intermédiaire entre des énoncés contradictoires : il faut nécessairement ou affirmer ou nier un seul prédicat, quel qu'il soit, d'un seul sujet [32]. »

Sans trop détailler, on voit qu'on ne peut passer d'un terme à un autre, on ne peut qu'identifier un terme, quel qu'il soit, et le distinguer d'un autre terme, ce qui se répercute sur toutes les catégories, leur enchaînement et leur articulation.

4. Encore une remarque, sur Aristote et l'aristotélisme : sur la disjonction entre la théorie et la pratique. Tout le monde connaît la formule de Marx, la XIe Thèse sur Feuerbach :

« Les philosophes n'ont fait qu'*interpréter* diversement le monde, ce qui importe, c'est de le transformer [33]. »

Mais, à ce propos, ce à quoi il faut faire attention chez Aristote, ce n'est pas seulement et uniquement à la définition spéculative de la philosophie, de cette « science qui spécule sur les premiers principes et les premières causes [34] », c'est à la disjonction entre ce qui est de l'ordre de la spéculation ou du théorétique et ce qui relève de l'éthique ou de la vie dans la cité, la politique [35].

---

31. *Méta.*, Gamma, 3, 1005 b 18 et sq., tr. fr. J. Tricot, Paris, Vrin, 1964, t. 1, p. 195.
32. *Méta.*, Gamma, 7, 1011 b 23 et sq., *op. cit.*, p. 235.
33. *L'idéologie allemande*, Editions sociales, éd. bilingue, p. 33.
34. *Méta.*, A, 2, 982 b, trad. cit., p. 16.
35. Un pamphlet récent, trop spéculatif pour faire avancer la réflexion dans des domaines pourtant fort importants, ne veut pour responsable de tous nos « malheurs » que le vieux Platon : André Glucksmann écrit, dans *La Cuisinière et le mangeur d'hommes* (Ed. du Seuil, 1975) : « Il y a plus de deux mille ans, Platon fixa l'idée d'une science politique

Il y a plusieurs caractères qui opposent la théorie à la pratique : en particulier, la théorie est connaissance de l'universel, surtout du nécessaire ; alors que la pratique (l'éthique et/ou la politique) relève du domaine du particulier, du singulier, qui n'est pas susceptible de science, *stricto sensu.* C'est un thème qui parcourt toute l'*Ethique à Nicomaque* : « En une matière qui a trait à l'action et à ce qu'il est expédient de faire, il n'y a rien qui soit rigoureusement fixe et stable, pas plus qu'en matière de santé [36]. » La pratique s'intéresse à ce qui est « le plus souvent » [37]. Les mêmes thèmes se retrouvent dans les livres dits « réalistes » de la *Politique* (en particulier dans les livres IV et V).

Tout cela, il faudrait l'approfondir, car ce qu'il y a de décisif, dans cette pensée classique, ce n'est pas tant l'évacuation pure et simple de la pratique que la disjonction, non dialectique, non dialectisable, entre la théorie et la pratique, entre la généralité, l'universalité, la nécessité propres à la théorie comme science, et la particularité, la singularité, la contingence propres à l'activité, à l'action des hommes. Et, en ce sens, si la formule léniniste : « l'âme du marxisme, c'est l'analyse concrète d'une situation concrète » concentre bien certains traits fondamentaux de la dialectique matérialiste, ce n'est certainement pas dans la mesure où le concret, comme particularité infinie, s'opposerait à l'universel et au général, c'est-à-dire au sens où la pratique serait, de par sa nature, rebelle à la théorisation, car ce thème serait des plus classiques (on le trouve chez Descartes). On le trouve chez les premiers praticiens-théoriciens un peu conscients de la pratique politique, dans la cité grecque, les sophistes. Et cela a un nom : pas plus qu'il n'y a de science universelle, pas plus il n'y a de

---

fondée en raison, organisée par les compétents, produisant le bonheur des simples citoyens sans leur demander leur avis », p. 82, il serait, pour le moins, mieux inspiré s'il montrait cette contradiction, interne même à la pensée de Platon, entre la théorie et la pratique ; certes, Platon dit bien : « les chefs sont ceux qui savent », *Pol.*, 258 b, mais, comme l'a montré d'une façon convaincante P. Aubenque, la réalité historique du *phronimos* que furent certains sophistes n'est pas totalement absente de son œuvre, cf. *La prudence chez Aristote*, Paris, P.U.F., 1963.

36. *Ethique à Nicomaque,* II, 2, 1104, trad. fr. de R.A. Gauthier et J.Y. Jolif, Louvain, Publications universitaires, 1970, t. I, 2e partie, p. 36.

37. *Eth. à Nic.,* VI, 2, 1139 a, *op. cit.*, p. 160.

science de l'instant propice, du moment opportun, du « *kairos*[38]. » Or l'action prend place, justement, dans l'instant présent.

Ce qui sera inédit, dans la dialectique matérialiste — et un détour par l'aristotélisme n'est pas inutile pour le montrer — c'est qu'il puisse y avoir : a) une dialectique de la théorie et de la pratique, b) une science, d'un genre nouveau assurément, mais non pas seulement une simple interprétation approximative du moment actuel, de la conjoncture, c) en un mot, du moins en son principe, une pratique politique d'un type tout à fait nouveau par rapport à la disjonction traditionnelle de la pure théorie et de la pratique nécessaire mais nécessairement empirique, en un mot une science de la conjoncture qui soit radicalement distincte de l'appréciation sophistique du « moment opportun[39]. »

5. Dernière remarque, à propos d'Aristote : une fois mis en place tout ce système de distinctions, de séparations, il est classique de remarquer que réapparaît, à un autre niveau, en quelque sorte, l'exigence d'universalisation, d'unification — pour tout dire de liaison. Exigence théorique, certes[40], mais également exigence pratique. En effet, si l'on remonte en deçà de Platon et du platonisme, jusqu'aux sophistes, on constate que la dialectique a partie liée avec l'exigence d'un savoir non-régional, non-limité, universel, en définitive[41], savoir requis, implicitement, dans, par et pour la pratique politique : l'intervention politique, qui produit, certes, des effets précis et déterminés, ne prend pas appui uniquement sur des compétences spécialisées, elle concerne la ligne globale d'une société globale (d'où le dialogue, sans issue, entre Gorgias et Socrate, dans le *Gorgias*). Et l'on sait que c'est

38. « Aucun rhéteur, aucun philosophe non plus jusqu'ici n'a donné une définition de l'art de l'instant opportun, et pas davantage Gorgias de Léontium qui le premier entreprit d'écrire sur ce sujet, mais n'écrivit rien qui soit digne d'être mentionné », Gorgias, fgt B 13, trad. fr. J.-P. Dumont in *Les sophistes, fragments et témoignages*, Paris, P.U.F., 1969, p. 103.

39. Même s'il est, comme le note Lénine, un côté positif du relativisme et de la sophistique, bien qu'il ne faille pas les confondre avec la véritable dialectique, *Œuvres*, t. 38, p. 344, par ex.

40. Comme le montre bien J.M. Le Blond, *op. cit.*, 1re Partie, ch. 1, « La Dialectique ».

41. C'est l'idéal de la « *polumathiè* », cf. par exemple, *Les Double-Dits*, 8, trad. cit., pp. 245-246.

bien l'un des enjeux capitaux, dans cette période de la pensée antique, que de savoir s'il y a une science, une *épistémé*, en ce domaine. Les sophistes répondent : non, il n'y a pas de science du politique, au sens où : il n'y a pas de maîtrise théorique véritable de la pratique politique effective. Par certains côtés, l'entreprise platonicienne consiste à tenter de faire coïncider, de façon idéaliste, les deux termes, les deux concepts de science (telle qu'on pouvait la définir à l'époque) et de politique. Or, on remarquera que chez Aristote réapparaît bien l'exigence de l'universel, mais celle-ci ne saurait être satisfaite par une science. D'où, je résume à grands traits, la fonction indispensable de la dialectique au plan théorique : parlant de l'avantage, d'un des avantages de la dialectique, Aristote écrit :

« Mais on peut encore attendre un service de plus, qui intéresse les notions premières de chaque science. Il est impossible, en effet, d'en dire quoi que ce soit en s'appuyant sur les principes spécifiques de la science considérée, puisque précisément les principes sont ce qui est premier au regard de tout le reste ; il est donc nécessaire, si l'on veut en traiter, d'avoir recours à ce qu'il existe d'idées admises à propos de chaque notion. Cette tâche appartient en propre à la seule dialectique, ou du moins à elle principalement ; de fait, sa vocation examinatrice lui ouvre l'accès des principes de toutes les disciplines [42]. »

La dialectique est donc d'autant plus nécessaire qu'elle ne peut prétendre à une quelconque dignité proprement scientifique. Et il en va de même pour les rapports de la théorie et de la pratique, une étude de divers passages de la *Rhétorique* le confirmerait.

Nous n'avons fait qu'esquisser une étude et je n'en tirerai qu'une question : en définitive, en quel sens et à quelles conditions des « généralités dialectiques » pourront-elles être dites scientifiques, de façon assurée ?

II. J'isole un deuxième moment dont je ne traiterai, d'ailleurs, que de certains aspects : non pas, même, le moment hégélien et son importance dans le cadre d'une préhistoire de la dialectique matérialiste, mais le sens et la portée de la critique

42. *Topiques*, I, 2, 101 a-b, trad. J. Brunschwig, Paris, Belles Lettres, 1967, p. 4.

hégélienne de Kant par rapport à une théorie de la dialectique, de ses lois et catégories.

Ce n'est pas là préoccupation érudite ou académique : tout retour à Kant, dans le marxisme, toute reprise, même voilée, même indirecte, de « thèmes » kantiens sont à relier, politiquement, au révisionnisme, à l'opportunisme. Toute théorie qui oppose le *Sollen* au *Sein,* le devoir-être à l'être, juge l'histoire au nom d'une norme supra-historique, au lieu d'analyser les contradictions réelles et le type de résolution, historique, complexe, des contradictions, antagoniste ou non. Pour être plus direct : il y a deux représentations très différentes — opposées, même — de l'erreur (et/ou de la faute) dans la conduite de la résolution historique des contradictions antagoniste ou non-antagoniste : il en est une qui est finalement kantienne, opposant à ce qui est un idéal ; il en est une hégélienne — plutôt : pensable à partir du renversement et d'une réélaboration matérialiste de l'idéalisme objectif hégélien : celle qui met en évidence le traitement possible de contradictions objectives (et subjectives), mais qui ne fait pas des erreurs dans le traitement de ces contradictions une sorte de « mal » métaphysique mais une réalité historique dont il faut analyser la nature, qu'il faut analyser d'autant plus lucidement que la réalité historique qu'il s'agit de comprendre fut dramatique pour les hommes qui la vécurent.

Kant — et ses divers avatars — c'est toujours, du point de vue de la « belle âme », une dénégation du « cours du monde ». Sauf à retomber dans une conception religieuse de l'histoire, il faut dire que les modes de résolution des contradictions font partie du développement historique de ces contradictions, même — et surtout — s'il n'est pas qu'une seule façon de résoudre celles-ci. Bien au contraire : mais il faut, alors, analyser la catégorie matérialiste de possibilité objective, qui ne s'oppose pas à la nécessité de l'histoire, sans rêver à des possibles d'autant plus idéaux qu'ils ne pourront, pour reprendre un mot du philosophe idéaliste classique Leibniz, jamais s'existantifier. Cela dit, il y a bien un statut matérialiste et dialectique de l'erreur, comme catégorie qui permet de penser la pratique sociale.

On glissera sur plusieurs problèmes :

a. Qu'est-ce qui se passe, dans l'histoire de la dialectique, entre Aristote et Kant ?

b. Pourquoi, pour les marxistes, dans cette histoire de la dialectique, le moment kantien est-il important ? On notera, seulement, une formule de Lénine : « Le grand mérite de *Kant* est d'avoir ôté à la dialectique « den Schein von Willkür » (l'apparence de l'arbitraire) ».

Deux choses importantes :

(1) *Die Objektivität* (*NB :* pas clair y revenir !)
des Scheins (l'objectivité de l'apparence)

(2) *Die Notwendigkeit des Widerspruchs* (la nécessité de la contradiction) [43]

Ce qui apparaît, avec Kant, même de façon voilée et spéculative, c'est dans le même mouvement l'objectivité de l'apparence, qui n'est pas un pur et simple non-être, une pure et simple illusion, et la nécessité de la contradiction, d'une contradiction interne, qui n'est nullement le produit d'une sorte de collision entre deux éléments par nature indépendants. Cela exigerait, entre autres choses, plus qu'une relecture des textes où il est explicitement question de dialectique dans l'œuvre de Kant, en particulier dans les trois *Critiques*.

Le plus important, Lénine le dit à plusieurs reprises, Louis Althusser l'a bien remarqué [44], même si les conséquences qu'il en tire sont sujettes à discussion [45], c'est la critique, par Hegel, non pas d'un élément de la philosophie kantienne, mais de la détermination de l'objet, de la nature même de la philosophie (c'est très net dès *Foi et savoir*, 1802, qui porte comme sous-titre : ou philosophie de la réflexion de la subjectivité dans l'intégralité de ses formes en tant que philosophies de Kant, de Jacobi et de Fichte). Avec, comme conséquence, une critique radicale de la fonction et de la nature des catégories dans la philosophie kantienne.

Ces choses sont, maintenant, assez bien connues [46] : l'idéaliste

43. *Œuvres*, t. 38, Résumé de la « Science de la Logique » de Hegel, introduction, concept universel de la logique, p. 95.

44. Cf. *op. cit.*, pp. 82-85.

45. En particulier la signification de l'élimination de la catégorie de sujet dans et par la dialectique hégélienne : pour Louis Althusser, est-ce une proposition théorique de fond ? Est-ce une façon de contrebattre tous les effets de l'humanisme spéculatif ?

46. Cf. parmi les textes récemment publiés par les marxistes français sur le sujet : J.-C. Michéa, *Sur le statut du matérialisme dialectique*,

objectif Hegel critique l'idéaliste subjectif Kant ; il critique, du point de vue de cette « science de la pensée », que veut être la *Science de la logique*, une simple *Critique de la raison pure* ; il critique, donc, la fonction transcendantale des catégories, dans la philosophie kantienne, du point de vue, non matérialiste, certes, d'une fonction spéculative des mêmes catégories. Et, seule, cette critique permet, au plus près, de penser la nature et les fonctions des catégories dans la dialectique matérialiste.

Il faut partir de la position de Kant, telle que la définissent Engels et Lénine : idéaliste subjective. Cela a, au moins, deux conséquences :

a. D'une part, une disjonction entre les catégories et le réel, car ces catégories, de toute façon, n'épuisent pas le réel mais ne sont que la condition de possibilité de penser ce réel. Ce qui entraîne une disjonction entre la forme et le contenu qui correspond, pour l'essentiel, à la différence entre le phénomène, qui est pour nous, et la chose en soi, pensable mais non connaissable. Ce que voit bien Lénine :

« Chez Kant, la *Ding an sich* est une abstraction *vide* alors que Hegel exige des abstractions correspondant *der Sache* (à la nature de la chose) : " le concept objectif des choses constitue leur nature même ", correspondant — pour parler en matérialiste — à l'approfondissement réel de notre connaissance du monde [...] Hegel, quant à lui, exige une logique dont les formes soient des *gehaltvolle Formen* (formes pleines de contenu), des formes au contenu réel, vivant des formes inséparablement unies au contenu [47]. »

Il y a donc une relation entre la fonction des catégories, par rapport au divers de l'expérience, et la disjonction entre phénomène et chose en soi. Les catégories, si elles sont condition de possibilité de l'expérience, de la synthèse de l'expérience, ne sont, justement pas, unies à cette diversité de l'expérience.

b. D'autre part, ces catégories ne peuvent être que des catégories de l'entendement, dans leur usage légitime, du moins, reliées donc à un sujet, celui-ci serait-il transcendantal et non

---

Cahiers du C.E.R.M., n° 108 (1973) ; en particulier : Sur la « science de la pensée », pp. 8-20, plus le post-scriptum des pp. 21-23.

47. *Œuvres*, t. 38, p. 90.

psychologique [48]. Et il est bien vrai qu'il y a chez Hegel toute une critique du sujet, même transcendantal, comme porteur, même non psychologique, mais d'une façon tout de même subjective, des catégories. Et la critique est décisive : la gnoséologie marxiste ne saurait se contenter d'historiciser le sujet transcendantal comme déclare le faire explicitement Gaston Bachelard, par exemple dans la *Philosophie du non :*

« D'abord au niveau d'une catégorie fondamentale : la substance, nous aurons l'occasion de montrer l'ébauche d'un non-kantisme, c'est-à-dire d'une philosophie d'inspiration kantienne qui déborde la doctrine classique » (Avant-propos, p. 15).

Le problème n'est pas finalement, de savoir si, oui ou non, le sujet kantien est psychologique, si le transcendantal est ou non distinct du psychologique, le problème, c'est la relation entre le sujet — et l'idéalisme subjectif — et la détermination transcendantale des catégories. A ce propos, Lénine, lisant Hegel, remarque que la philosophie de Kant sépare nécessairement la forme — ou le sujet — du contenu :

« A mon avis, voici le fond de cette argumentation : (1) chez Kant la connaissance divise (sépare) la nature et l'homme ; en fait, elle les unit ; (2) chez Kant, l'« *abstraction vide* » de la chose en soi, au lieu du *Gang* (de la marche), de la *Bewegung* (du mouvement) vivante de plus en plus profonde de notre connaissance [49]. »

Ainsi, ce qu'il y a de décisif, chez Hegel, dans sa conception de la dialectique, ce seront au moins deux choses, qui sont intimement liées :

— les catégories ne sont pas de simples formes, elles sont l'essence même, à laquelle on ne peut opposer que d'une manière prédialectique le phénomène, l'inessentiel, le particulier ou le singulier. Le thème est bien connu, quelques citations suffiront : c'est dans le même mouvement que Hegel critique Kant [50] et qu'il présente la Logique :

---

48. On prendra au sérieux les lectures néo-kantiennes de Cohen ou de Cassirer ; on n'anthropologisera pas, à bon compte, le transcendantal kantien, certes, mais on ne peut pas séparer, finalement, le transcendantal du sujet, d'un sujet.

49. *Ibid.*, p. 89.

50. « *La critique des formes de l'entendement* a abouti à ce résultat dont nous venons de parler et d'après lequel elles seraient *inapplicables aux choses en soi* », *Science de la logique, op. cit.*, t. I, p. 31.

« Mais la raison logique est elle-même le substantiel et réel qui comprend toutes les déterminations abstraites et forme leur unité parfaite, absolument concrète. Il ne faut donc pas aller bien loin pour chercher ce qu'on appelle une matière : si la logique manque de contenu, la faute n'en est pas à son objet, mais uniquement à la manière dont il est appréhendé [51]. »

Les catégories sont les différents moments du concept qui épuisent, en principe, la totalité du réel. En témoignent, par exemple, les introductions aux diverses éditions de l'*Encyclopédie des sciences philosophiques* [52].

— de plus pour Hegel, il n'y a plus de juxtaposition des catégories, comme chez Kant [53], mais les catégories ne peuvent se laisser penser que dans et par un procès d'exposition, d'auto-exposition du concept *(Begriff)*, procès qui est identique à la *Science de la logique* elle-même, dans lequel les différentes déterminations, les différents moments du concept se montrent. Le concept de « science de la pensée », c'est celui d'un déploiement du procès de tous les moments du concept, en un mot de toutes les catégories :

« C'est en suivant cette voie que doit se former le système des concepts, c'est en suivant une marche ininterrompue, pure de tout apport extérieur, que peut se constituer ce système de logique... [et Hegel ajoute, à propos du plan de la *Science de la logique* :] Les titres et divisions que comporte ce système ne doivent avoir en soi aucune autre signification que celle d'une table des matières. En outre, la nécessité du lien qui rattache les unes aux autres les diverses parties du système et l'opposition ou les différences qui les séparent doivent ressortir de l'exposé

51. *Ibid.*, p. 33.

52. « Dans le spéculatif le *contenu* et la *forme* ne sont absolument pas isolés comme ils ont été séparés dans ce paragraphe et dans le paragraphe précédent ; les *formes* de l'Idée sont ses *déterminations* », *Encyclopédie des sciences philosophiques*, I, La science de la logique, tr. fr. de B. Bourgeois, Paris, Vrin, 1970, p. 190.

53. C'est tout du moins comme cela que Hegel voit les choses : « Les *formes* plus précises de l'*a priori*, c'est-à-dire de la pensée et, en vérité, de celle-ci se dégagent de la manière suivante — celle d'une systématisation qui, du reste, ne repose que sur des bases psychologiques et historiques », *Encyclopédie..., op. cit.*, p. 302.

même du sujet, autrement dit de la détermination progressive du concept [54]. »

En droit, l'enchaînement des diverses catégories n'est nullement l'effet d'une simple juxtaposition, mais d'un processus un et unitaire qui, seul, donne son sens au contenu des diverses déterminations du concept. Il y a unité du processus et des divers moments de ce processus : unité des « lois de la pensée », ici, de la dialectique hégélienne (infini, fini, fini/infini, en soi, pour soi, en soi et pour soi) et des catégories de la dialectique hégélienne. Par exemple, il y a unité entre les trois premiers moments du commencement, qui n'en est pas un, de la *Science de la logique* (être pur/néant pur/devenir) et le processus d'engendrement des divers moments : soit, ici, l'unité des contraires, ainsi que la négation de la négation. Mais il y a chez Hegel non pas interconnexion *(Zusammenfassung, Zusammenhang)* comme dans la dialectique matérialiste, mais développement d'un processus d'auto-engendrement qui est systématique [55]. L'articulation est nécessairement pensable, du moins en droit, à partir du concept, s'il est vrai que, dans cet idéalisme objectif, le processus n'est qu'auto-aliénation de l'Absolu, de Dieu. L'articulation, la médiation dérivent de la nature même du procès spéculatif. Cela, soit dit en passant, nous apprend beaucoup sur les conditions de la philosophie comme système. Ensuite, le plus important, le plus essentiel, c'est la relation entre ces diverses catégories et le concret et le déterminé, les actions particulières : en droit, les divers moments de la *Science de la logique* doivent se retrouver, mais sous une forme particulière, dans les différentes « sphères » de cette « sphère de sphères » qu'est la philosophie hégélienne. En droit, car dans le détail, les choses ne sont pas aussi simples.

---

54. *Science de la logique, op. cit.*, t. I, pp. 40-41.

55. Le thème est connu, il apparaît dès *Différence des systèmes philosophiques de Fichte et de Schelling* (1801), cf. trad. fr. de M. Méry, Gap, Ophrys, 2e éd., 1970, A, VIII. Rapport de l'activité philosophique avec un système philosophique, pp. 104-108, il est très clairement exposé dans l'*Encyclopédie* : « La philosophie est une *encyclopédie des sciences philosophiques,* dans la mesure où la sphère tout entière qu'elle embrasse est exposée avec l'indication déterminée des parties et elle est une encyclopédie *philosophique*, dans la mesure où la séparation et la connexion de ses parties sont exposées suivant la nécessité du concept », *Introduction,* § 6, éd. de 1817, *op. cit.*, p. 157.

Les diverses sciences ne peuvent être appréhendées, quant à leur place, qu'à partir du concept : « en tant que la philosophie est un savoir de part en part rationnel, chacune de ses parties est un Tout philosophique, un cercle se fermant en lui-même de la totalité, mais l'Idée philosophique y est dans une déterminité particulière ou un élément particulier [56]. » C'est ce que l'on voit dans les *Lignes directrices de la philosophie du droit* : aussi bien la place de ces *Lignes directrices* que ses diverses articulations trouvent leur justification dans la *Logique* : la place de la philosophie du droit, en tant que partie de la philosophie, celle-ci trouve sa raison d'être dans la *Logique* (§ 2) ; le passage d'un moment à un autre s'explique par la logique, ainsi la dialectique de la volonté (§§ 5 à 7) se voit renvoyée, pour son explicitation dernière, à la *Logique* (§ 7). Cela va jusqu'à une analyse des moments de l'Etat à partir des moments du concept (§ 272). En un mot, le concret ou, plutôt, le déterminé sont et ne sont qu'autodétermination du concept. Ce qui permet, d'ailleurs, à Hegel de distinguer le déterminé et le simple accident que l'on peut laisser tomber : Platon aurait pu se dispenser de donner des conseils aux nourrices dans sa *République* et Fichte de souhaiter que l'on mît sur les passeports des suspects non seulement leur signalement, mais aussi leur portrait (*Préface* des *Lignes directrices*).

— Cela étant, ultime remarque, justement parce que Hegel est un idéaliste objectif, le processus de développement des catégories n'est plus référé à un sujet, humain, psychologique ou transcendantal : ce processus est auto-déploiement de l'Absolu. Et c'est ce qui intéresse au plus haut point Lénine, dans sa lecture de Hegel, dans les *Cahiers* : auto-déploiement en quelque sorte objectif, même s'il est nécessaire de ne pas oublier qu'à un autre niveau, ce qui différencie Hegel de Spinoza, c'est, justement, que la substance est aussi précisément sujet [57]. Lénine écrit :

« Le total et le résumé, le dernier mot et l'essence de la Logique de Hegel, c'est la *méthode dialectique* — ceci est tout à fait remarquable. Et encore ceci : dans cette œuvre de Hegel,

---

56. *Encyclopédie, op. cit.*, p. 157.

57. « Selon ma façon de voir, que doit seulement justifier la présentation du système tout dépend de ce point essentiel : saisir et exprimer le vrai, non seulement comme *substance* mais encore comme *sujet* », Préface de la *Phénoménologie de l'esprit,* II, tr. fr. J. Hyppolite, Paris, Aubier, 1966, p. 47.

la *plus idéaliste,* il y a *le moins* d'idéalisme, *le plus* de matéria-*lisme.* " c'est contradictoire ", mais c'est un fait [58]. »

Auto-déploiement sans point d'arrêt subjectif (sinon sans sujet) : tout est processus, les catégories ne sont que les moments d'un processus sans origine ni fin(s).

Je n'ai présenté ces deux moments —et, encore, d'une façon très partielle — que pour mieux faire apparaître, par différence, ce que peuvent bien être les catégories et les lois de la dialectique matérialiste.

Cela dit, je n'ai pas l'ambition d'exposer et, *a fortiori,* d'épuiser les problèmes théoriques qu'il faudrait examiner en ce domaine. Je détacherai le problème de l'interconnexion *(Zusammenhang, Zusammenfassung)* ainsi que celui de l'universalité ou de la généralité *(Allgemenheit).* Mais je voudrais, auparavant, rappeler ce qui ne me paraît point trop contestable :

1. Il y a bien, au niveau de la position philosophique, un renversement *(Umkehrung),* lorsque l'on passe de la dialectique spéculative idéaliste achevée à la dialectique matérialiste. Cela dit, il ne faut pas confondre position philosophique, concept qui permet de penser la dominance, et une philosophie concrète où l'articulation entre éléments dominants et dominés n'est pas simple (on ne saurait les séparer mécaniquement, on ne saurait « isoler » le « bon » côté matérialiste comme on extrait un minerai de sa gangue), pour des raisons en même temps idéologiques et gnoséologiques (ce n'est que tendanciellement, dans certaines formes d'irrationalisme, que se réduisent presque à rien les sources gnoséologiques). Le renversement n'est donc pas qu'une métaphore, puisqu'il signifie un renversement de dominance. Ne citons sur ce point, qu'une phrase de Lénine, à propos de la définition hégélienne de la *Science de la logique* : « A renverser : la logique et la théorie de la connaissance doivent être déduites du " développement de toute la vie naturelle et spirituelle " [59]. »

2. De ce renversement dérivent un certain nombre de conséquences. Je rectifie ma formule, qui pourrait être théoriciste : ce renversement est à relier dialectiquement à d'autres phénomènes

58. *Œuvres,* t. 38, p. 222.
59. *Œuvres,* t. 38, p. 86.

et ce qui est déterminant, bien évidemment, c'est la prise de parti effective dans la lutte de classe :

a. Quel que soit le statut de la théorie, il y a un primat — non pragmatiste — de la pratique, de la pratique sociale et politique, c'en est fini, en principe, avec l'interprétation du monde. Comme on le voit constamment dans *Matérialisme et empiriocriticisme,* le renversement ne fait qu'un avec l'affirmation du primat de la pratique :

« Nous avons vu, écrit Lénine, Marx en 1845 et Engels en 1888 et 1892 fonder la théorie matérialiste de la connaissance sur le critère de la pratique. Poser en dehors de la pratique la question de savoir " si la pensée humaine peut aboutir à une vérité objective ", c'est s'adonner à la scolastique, dit Marx dans sa deuxième thèse sur Feuerbach [60]. »

La théorie ne saurait être pensée que comme un moment de la pratique sociale dans son ensemble. C'en est fini avec la philosophie, la dialectique spéculatives. Cela dit, le critère de la pratique n'implique nul pragmatisme et n'implique aucune méconnaissance practiciste, donc agnosticiste et nullement matérialiste, de la spécificité du « moment théorique ». Cela est bien connu.

b. C'en est fini, pour l'essentiel [61], avec toute une conception de la philosophie qui n'est possible que sur la base d'une position philosophique idéaliste et, ici, on pourrait rassembler les éléments de la critique, dans le marxisme, de l'hégélianisme, donc de la dialectique hégélienne, comme « fin *(Ausgang)* », — en un certain sens : achèvement —, de la philosophie allemande classique.

C'en est fini avec :
— la science des sciences ;
— l'encyclopédie philosophique ;
— la déduction du particulier, ou du singulier, à partir du concept ;
— l'enchaînement téléologique.

Pour la dialectique matérialiste, c'en est donc fini avec une science, tout du moins un savoir qui se présenterait comme en dehors, au-dessus ou au-delà de la pratique sociale, donc des luttes de classe dans cette période de la « préhistoire » où nous

60. *Matérialisme et empiriocriticisme, Œuvres,* t. 14, p. 141.
61. Même si tout un mouvement historique complexe est nécessaire pour assurer tendanciellement l'hégémonie de cette nouvelle conception.

vivons encore, ou en dehors de l'activité scientifique et technique. Cela, on le trouve constamment chez Engels :

« La rupture avec la philosophie de Hegel se produisit ici également par le retour au point de vue matérialiste. Cela signifie qu'on se décida à concevoir le monde réel — la nature et l'histoire — tel qu'il se présente lui-même à quiconque l'aborde sans lubies idéalistes quelconques ; on se décida à sacrifier impitoyablement toute lubie idéaliste impossible à concilier avec les faits considérés dans leurs rapports réels et non dans des rapports fantastiques. Et le matérialisme ne signifie vraiment rien de plus [62]. »

Voilà qui semble faire place nette, réduire le matérialisme à une prise de position pour l'objectivité dans les sciences et la dialectique à une analyse juste, nécessairement liée à une pratique de la lutte des classes. A la limite, l'*Ausgang* serait un achèvement au sens où l'on achève une bête, où l'on liquide de vieux phantasmes, de vieilles illusions. Il s'agirait de sortir de cet « espace », comme disent certains, où « ruminent » les philosophes, entendons : les professeurs de philosophie. Le problème d'une possible « extraction », d'une possible « isolation » de « généralités dialectiques » (nous ne tenons pas absolument à ce langage, mais nous tenons à ce que les problèmes théoriques qu'il signale soient formulés avec la plus grande netteté, c'est là toute notre ambition) ne serait ni légitime (théoriquement) ni importante, ni opportune (pratiquement). Plus : si les marxistes se laissent, encore, aller à poser de telles questions, cela voudrait dire qu'ils ne sont pas totalement libérés d'une certaine pratique idéaliste et spéculative de la philosophie et, par voie de conséquence, qu'ils méconnaissent quelque peu les enjeux réels de la lutte de classe (ici, la lutte théorique et idéologique comme l'une des trois formes de la lutte de classe) dans la phase actuelle de la crise de la société capitaliste.

Il faut prendre, en tant que marxistes, toutes ces observations très au sérieux, mais je voudrais essayer de voir si notre contribution spécifique, en tant que marxistes conséquents, au développement des luttes de classe, ne passe pas, entre autres choses, par une élucidation précise du moment théorique et, ici, au niveau le plus abstrait, par un essai d'élucidation non seule-

62. *Ludwig Feuerbach...*, Editions sociales, 1966, p. 59.

ment du contenu mais de la nature même de ce moment théorique.

Que nous dit, en effet, Engels, que nous dit Lénine ? Ce ne sont pas des « autorités », mais ce sont des guides, à coup sûr :

« Il ne reste plus dès lors à la philosophie, chassée de la nature et de l'histoire, que le domaine de la pensée pure, dans la mesure où celui-ci subsiste encore, à savoir des lois du processus même de la pensée, c'est-à-dire la logique et la dialectique [63]. »

« Continuer l'œuvre de Hegel et de Marx doit consister dans le traitement *dialectique* de l'histoire de la pensée humaine, de la science et des techniques [64]. »

Il n'y aurait donc pas, c'est tout du moins notre fil conducteur, de rupture dans l'histoire de la dialectique, mais, bien plutôt, un saut qualitatif : demeurerait bien le problème de la dialectique *comme théorie*, celle-ci serait-elle d'un genre tout à fait inédit. Et, dans cette direction, si le problème de la réélaboration — et pas seulement du renversement — de la dialectique hégélienne est décisif, c'est qu'il ne fait qu'un avec la compréhension et le développement de la dialectique matérialiste. Ce que l'on voit bien dans la lettre du 9 mai 1868 de Marx à Joseph Dietzgen :

« Quand je me serai débarrassé de mon fardeau économique, j'écrirai une " Dialectique ". Les lois correctes de la dialectique sont déjà contenues dans Hegel, sous une forme, il est vrai, mystique. Il s'agit de la dépouiller de cette forme [65]. »

Beaucoup — sinon tout — tient donc, à mon sens, à une analyse correcte de deux traits de la dialectique :

a. le concept — ou la notion — de connexion, d'inter-connexion ;

b. le moment du général ou de l'universel.

Les deux choses sont, peut-être, liées.

a. Ici, quelques phrases classiques d'Engels :

« La dialectique comme science de la connexion universelle

---

63. *Ludwig Feuerbach..., op. cit.*, pp. 83-84.

64. *Œuvres*, t. 38, p. 138.

65. K. Marx, F. Engels : *Lettres sur les sciences de la nature.* Editions sociales, 1974, lettre n° 55, p. 64.

(Dialektik als Wissenschaft des Gesamtzusammenhangs) [66]. » Il s'agit là du point trois de l'Esquisse du plan d'ensemble *(Skizze des Gesamtplans).* On le rapprochera du point cinq : « Connexion des sciences. Mathématiques, mécanique, physique, chimie, biologie. Saint-Simon (Comte) et Hegel (l'expression, en allemand : « *Zusammenhang der Wissenschaften* ») [67]. » Il n'est pas difficile de trouver constamment le terme (ou le concept ?) dans les textes qui composent la *Dialectique de la nature* : par exemple, justement à propos de la nécessité de la philosophie :

« L'étude empirique de la nature a accumulé une masse si énorme de connaissances positives que la nécessité de les ordonner systématiquement et selon leur enchaînement interne dans chaque domaine de recherche séparé est devenue absolument impérieuse. On n'en est pas moins impérieusement tenu de ranger les divers domaines de la connaissance dans leur enchaînement correct l'un par rapport à l'autre *(Ebenso unahweisbar wird es, die einzelnen Erkenntnisgebiete unter sich in den richtigen Zusammenhang zu bringen)* [68]. »

Juste un peu après :

« Or c'est la dialectique qui est aujourd'hui la force de pensée la plus importante pour la science de la nature, puisqu'elle est seule à offrir l'élément d'analogie *(das Analogon)* et, par suite, la méthode d'explication pour les processus évolutifs qu'on rencontre dans la nature, pour les liaisons d'ensemble *(für die Zusammenhänge im ganzen und grossen),* pour les passages d'un domaine de recherche à l'autre *(für die Ubergänge von einem Untersuchungsgebiet zum andern)* [69]. »

On pourrait trouver cent autres passages, par exemple dans le *Ludwig Feuerbach* : dans le passage, souvent interprété de façon « positiviste », où Engels écrit qu'après l'hégélianisme :

« [O]n renonce dès lors à toute " vérité absolue ", impossible à obtenir par cette voie et pour chacun isolément, et, à la place, on se met en quête des vérités accessibles par la voie des sciences positives et de la synthèse de leurs résultats à l'aide de la pensée dialectique *(auf dem Weg der positiven Wissenschaften und der*

---

66. *Dialectique de la nature, op. cit.*, p. 26, M.E.W., t. 20, p. 307.
67. *Ibid.*
68. *Dialectique de la nature,* p. 49, M.E.W., t. 20, p. 330.
69. *Dialectique de la nature,* p. 50, M.E.W., *op. cit.*, p. 351.

Zusammenfasung ihrer Resultate vermittelst des dialektischen Denkens) [70]. »

Mais dans bien d'autres passages : indiquant que c'en est fini de toute *Naturphilosophie*, justement avec la conception dialectique de la nature *(die dialektische Auffassung der Natur)*, Engels ajoute : « Partout il ne s'agit plus d'imaginer des enchaînements dans sa tête, mais de les découvrir dans les faits [71]. » Et réapparaît : *Zusammenhänge*. Citer Lénine, sur ce point, ne ferait qu'aller dans le même sens.

b. L'universalité, la généralité (il faudra probablement distinguer), pour le moins la non-régionalité des lois et catégories de la dialectique matérialiste — il n'est que de lire Lénine : à propos de Hegel : « L'idée fondamentale est géniale : l'idée de la liaison universelle multilatérale *vivante* de tout avec tout et du reflet de cette liaison [72]. » Ou encore :

« La logique est la doctrine qui s'occupe de la connaissance. Elle est la théorie de la connaissance. La connaissance est le reflet de la nature par l'homme. Mais ce reflet n'est pas simple, immédiat, pas total ; c'est un processus fait d'une série d'abstractions, de la mise en forme, de la formation de concept de lois, etc., et ces concepts, lois, etc., (la pensée, la science = l'idée logique) *embrassent* relativement, approximativement les lois universelles de la nature en mouvement et développement perpétuel [73]. »

Or, il y a, globalement, deux représentations prémarxistes ou non marxistes aussi bien de la connexion que de l'universalité :

1. Pour la connexion : ou bien (représentation idéaliste) la synthèse, donc l'articulation, sont possibles parce que les différents moments ne sont que l'auto-développement du concept, de l'Idée, mais cela présuppose (cf. ci-dessus) que les moments et leur enchaînement soient prédéterminés de par la nature même de l'Idée. Le marxisme ne peut que rompre avec une telle représentation.

Ou bien il y a une diversité empirique des connaissances

70. *Ludwig Feuerbach...*, *op. cit.*, pp. 18-19, M.E.W., t. 21, p. 270.
71. *Ibid.*, p. 83.
72. *Œuvres*, t. 38, p. 138.
73. *Œuvres*, t. 38, p. 172.

et la fonction de la synthèse ne peut être, du moins en son principe, qu'une fonction empirique : une fonction de rassemblement de divers matériaux, simple résumé qui met bout à bout diverses connaissances pour en donner une vue synoptique. Mais alors, il n'y aurait aucune spécificité de la manière suivant laquelle les divers matériaux sont ainsi rassemblés (sinon qu'ils se trouvent réunis et non plus dispersés) et le lien entre les diverses connaissances est purement contingent, fortuit. Je ne dis pas que c'est ainsi que se présente le positivisme d'A. Comte, dans sa vérité historique, je dis seulement que cela peut ressembler à une certaine lecture du positivisme, du positiviste comme « spécialiste en généralités [74]. » Mais, alors, à quoi sert la philosophie ? Question classique que l'on se posera dans la descendance, même « infidèle », d'Auguste Comte.

Il est bien évident que je décris là deux positions et non pas des philosophies concrètes car, justement, on pourrait montrer que le contenu de l'Encyclopédie hégélienne est empirique, qu'il y a un empirisme des notes et des remarques aussi bien dans la *Science de la logique* [75] que dans les *Lignes directrices de la philosophie du droit*. Il y a une discordance, à élucider comme telle, entre le schème et les matériaux qui sont, en principe, subsumés. On pourrait, en sens inverse, montrer que chez Auguste Comte cette pluralité d'éléments (à propos de la multiplicité des « lois générales », il écrit : « nous regarderons comme téméraire d'aspirer jamais, même pour l'avenir le plus éloigné, à les réduire rigoureusement à une seule », *Cours de philo. pos.*, 1re leçon) est comme *a priori* ordonnée autour d'un schème dont le modèle est bien cette fameuse « lois de trois états » que l'on trouve dès avant le *Cours de philosophie positive* (« la marche de la société est nécessairement toujours la même au fond, avec plus ou moins de

---

74. A. Comte ne parle-t-il pas de « faire de l'étude des généralités scientifiques une grande spécialité de plus » ? (*Cours de philosophie positive*, 1re leçon.) A ce propos, ce n'est pas sans signification idéologique que de voir reparaître une édition du *Cours de philosophie positive* annotée et présentée, entre autres, par Michel Serres et François Dagognet, Paris, Hermann, 1975.

75. J.-T. Desanti le met bien en évidence à propos de mathématiques, même si les préoccupations théorico-idéologiques qui sont les siennes ne sont pas nécessairement — loin de là ! — les nôtres, cf. *in La philosophie silencieuse*, Paris, Ed. du Seuil, 1975, Rapport traditionnel des sciences et de la philosophie, pp. 22-62.

vitesse, parce qu'elle tient à la nature permanente de la constitution humaine », *Plan des travaux scientifiques nécessaires pour réorganiser la société,* Exposé général, mai 1822).

Or, il est décisif de comprendre la *Dialectique de la nature* en dehors de cette alternative : ce n'est pas un substitut « matérialiste » d'une *Encyclopédie des sciences philosophiques,* ce n'est pas plus une nouvelle version du *Cours de philosophie positive.* Même si, comme l'indique la citation du début de la *Dialectique de la nature,* ces deux types d'œuvres ne font pas qu'exprimer un besoin théorique purement illusoire.

2. Pour l'universel : ou bien, modèle hégélien, l'universel inclut, comme l'une de ses déterminations, le particulier ou le singulier : apparemment, il y a une dialectique de l'universel, du particulier et du singulier, en réalité, il n'est qu'une auto-explicitation de l'universel (en un sens, il n'y a pas de saut qualitatif entre l'universel, le particulier et le singulier) :

« La relation téléologique est le syllogisme dans lequel le but subjectif s'enchaîne avec l'objectivité extérieure à lui par un moyen-terme qui est l'unité des deux, en tant qu'il est l'*activité finalisée,* et, en tant qu'il est l'objectivité posée *immédiatement* sous le but, le *moyen* [76]. »

Ce qui nous vaut le commentaire de Hegel, lui-même :

« Le développement du but en direction de l'Idée s'opère par trois degrés : *premièrement* du but subjectif, *deuxièmement* du but en train de s'accomplir, et *troisièmement* du but accompli. En premier lieu nous avons le but subjectif et celui-ci, en tant qu'il est le concept qui est pour soi, est lui-même totalité des moments du concept [77]. »

Le deuxième moment est et n'est que « la particularisation de cet universel, par laquelle il reçoit un contenu déterminé [78]. »

Ou bien — et je reprends à dessein une expression d'Auguste Comte, puisque, même chez les marxistes, on s'est demandé s'il n'y avait pas un « côté positiviste » d'Engels, Engels qui ne se serait « jamais vraiment débarrassé d'un certain thème positiviste

---

76. *Encyclopédie des sciences philosophiques,* § 206 de l'édition de 1827-30, *op. cit.,* p. 443.
77. *Ibid.,* p. 613.
78. *Ibid.*

de l'*Idéologie allemande* [79] » — la généralité de ce que Comte nomme un « fait général » pourrait bien ne plus être qu'une sorte d'universel abstrait, à la limite sans contenu (ce qui n'est pas le cas, faut-il ajouter, chez A. Comte), qui s'obtient par élimination de la particularité. L'universel ne serait qu'un particulier appauvri. D'où son inanité et l'on se demande ce qu'il peut apporter par rapport à une connaissance scientifique concrète et effective.

En fait, c'est dans le même mouvement que l'on peut faire avancer la question de la dialectique matérialiste de l'universel, du particulier et du singulier et le problème de la « connexion universelle », car cette connexion, si elle existe, ne peut être que non-régionale, aussi bien dans ses processus fondamentaux (ce seraient les lois de la dialectique) que dans ses moments ou, encore, « nœuds », les catégories de la dialectique et, réciproquement, l'articulation entre universel, particulier et singulier se ferait, peut-être, suivant le modèle de la connexion dialectique. De telle sorte que, du matérialisme dialectique (et historique), il ne puisse y avoir, dans ses constituants fondamentaux, qu'une présentation elle-même dialectique.

Pour commencer d'élucider la connexion, je partirai d'une remarque sur le travail de Marx et d'Engels ou, plutôt, sur leur activité scientifique (matérialisme historique, quoique celui-ci soit en même temps, science et philosophie) dialectiquement liée à leur pratique politique et les liaisons qu'ils essaient, très tôt, d'établir entre leur activité et l'activité scientifique et technique dans d'autres domaines, à leur époque, en particulier dans les sciences de la nature.

Dans le fond, qu'est-ce que cherchent Marx et Engels ? Et ce qu'ils avancent dépasse-t-il, ou non, ce qu'ils connaissent, ce qu'ils ont trouvé ? Qu'est-ce qu'ils cherchent en s'intéressant, par exemple, à Darwin, en étudiant les résultats sinon le processus de recherche ou de découverte, dans diverses sciences de la nature [80]. Ils ne cherchent ni à appliquer de prétendues lois pro-

---

79. L. Althusser : *Lénine et la philosophie*, Paris, Maspéro, 1969, p. 46.

80. Nous devons cette distinction à Kurt Reiprich : « *Marx und Engels studierten die Resultate der Naturwissenschaften nicht als Naturwissenschaftler. Ihr Studium war rezeptiv, nicht im streng naturwissen-*

pres à une *Naturphilosophie,* ni à généraliser de façon empirique des exemples extraits des divers résultats des sciences de la nature de l'époque. Mais quoi, alors ? Une remarque de Lénine peut nous orienter, sinon fournir la réponse : « Habituellement (par exemple) chez Plékhanov on ne prête pas assez attention à cet aspect de la dialectique : l'identité des contraires est prise comme somme d'*exemples* (" par exemple, le grain ", " par exemple, le communisme primitif ". Chez Engels aussi. Mais c'est " pour la vulgarisation " et non comme *loi de la connaissance* (*et* loi du monde objectif)[81]. » Ils cherchent, donc, des lois de la pensée (qui reflètent, d'ailleurs, les processus naturels et sociaux), lois générales, voire universelles que l'on pourrait dégager à un certain moment de l'histoire. Non pas comme les conditions, même historiques, de possibilité de tout processus de pensée reflétant la réalité en mouvement, mais comme la « quintessence » du processus de la connaissance scientifique, quintessence que l'on ne pourrait dégager qu'à un certain moment de l'histoire du processus de la connaissance, au XIXe siècle, avec la naissance du matérialisme historique et le développement dans leur ensemble des sciences. En ce sens, les lois ne peuvent être élaborées que moyennant l'analyse de l'*ensemble* du processus de la connaissance scientifique et elles ne peuvent être vérifiées que par l'*ensemble* du mouvement de la connaissance scientifique[82]. Et, à ce sujet, Louis Althusser fait une remarque qui mérite une discussion approfondie :

---

schaftlichen Sinn produktiv. So haben sich zum Beispiel Marx und Engels nie mit der Naturforschung im Sinne der Entdeckung neuer Naturgesetze beschäftig », *Die philosophisch-naturwissenschaftlichen Arbeiten von Karl Marx und Friedrich Engels,* Berlin, Dietz Verlag, 1969, p. 24.

81. *Œuvres,* t. 38, p. 343.

82. En effet, lorsque l'on passe d'un processus concret à non pas l'abstraction d'un processus en général mais la quintessence du processus, on ne passe pas d'un exemple, de plusieurs exemples, à une essence abstraite de ces exemples, car il est un saut qualitatif et inversement : c'est comme cela que j'interprèterai les lignes écrites par Engels à propos de la loi du passage de la quantité à la qualité : « Loi du passage de la quantité à la qualité et inversement. Nous pouvons, pour notre dessein, exprimer cette loi en disant que dans la nature, d'une façon nettement déterminée pour chaque cas singulier, les changements qualitatifs ne peuvent avoir lieu que par addition ou retrait quantitatifs de matière et de mouvement », *Dialectique de la nature,* p. 70.

« Engels a eu le sentiment, que d'autres ont eu avant lui, et que certains peuvent avoir maintenant, que nous sommes arrivés au temps de la synthèse définitive [...] Engels pensait, lui, que [...] les sciences étaient en train de s'unir et de produire spontanément l'équivalent de l'ancienne philosophie de la nature [83]. »

Cette remarque ne se comprend, semble-t-il, que par rapport à deux interrogations : a) en fait, Engels, un « philosophe isolé » pouvait-il faire la synthèse (ce qui pose le problème de la division du travail intellectuel dans ses rapports avec les tâches de la théorie marxiste et de la façon dont Engels a pu effectivement dépasser cette division) ? b) en droit, qu'est-ce qui garantit, rend possible ou nécessaire une quelconque liaison ? On sait que Louis Althusser (cette thèse, on l'a souvent repérée dans son interprétation du matérialisme historique, mais beaucoup moins à propos du matérialisme dialectique), aussi bien sur un plan « historique » que « géographique » (cf. ce qui n'est pas, semble-t-il, pour lui qu'une métaphore, l'usage du terme de « continent »), rejette l'idée d'une articulation en tant qu'elle renverrait à un continuisme que l'on ne saurait établir dans l'état actuel du savoir, et il s'agit là d'une position théorique du fond : lorsque Paul Ricœur lui dit qu'il sera bien obligé de recourir « à une épistémologie de l'enchaînement des régions [84] », Louis Althusser répond :

« L'exigence générale d'enchaînement des régions est pour moi une question proprement idéologique, et je ne la pose absolument pas.

M.P. Ricœur : Si, c'est vous qui l'avez posé...

M.L. Althusser : Non, c'est Engels qui a parlé de l'enchaînement des régions, qui a dit que la science était en train d'enchaîner ses propres régions, mais moi, absolument pas : il existe des continents, je ne dis pas du tout qu'ils ont des frontières communes, absolument pas : je suis spinoziste, il existe une infinité d'attributs... » [84].

On peut s'interroger sur certaines formulations (en particulier

---

83. Discussion qui a suivi « *Lénine et la philosophie* », *Bulletin de la société française de philosophie* : séance du 24 février 1968, 62e année, n° 4, oct.-déc. 1968, p. 170.

84. *Op. cit.*, p. 164.

sur l'idée suivant laquelle Engels « reprendrait » peu ou prou le projet d'une *Naturphilosophie*, transformé de façon « matérialiste »), mais il y a bien là une question décisive : peut-on, en fait et en droit, procéder comme à un « enchaînement des régions » ?

Je ne pense pas qu'une réponse définitive puisse, à cet instant, être apportée à cette question, car cela exigerait toute une étude historico-théorique de la constitution, dans le marxisme, du problème de la dialectique de la nature [85]. On peut, néanmoins, proposer un certain nombre de remarques et rappeler certaines choses assez assurées.

Prenons deux exemples :
— la fonction des « trois découvertes » dans le *Ludwig Feuerbach* ;
— l'importance et la signification de la lecture de Darwin.

On se tromperait si l'on pensait, d'une façon non dialectique, le rapport entre les « trois découvertes » et les « lois de la dialectique » : ces trois découvertes sont l'indice d'une nouveauté qualitative, au plan de la connaissance des processus naturels ; ce qui importe,en elles, ce ne serait donc pas leur contenu particulier, ce qui ne veut pas dire, cependant, que ce contenu particulier soit en quelque sorte dissous dans une abstraction vague et, pour tout dire, spéculative. Au niveau de la « quintessence » (Lénine), au niveau de la « connaissance de l'enchaînement des processus naturels » [86], Engels pense que l'on peut avancer la proposition suivante (qui n'est pas qu'une généralisation spéculativo-empirique) : « tout le mouvement de la nature (mais aussi de la société et de la pensée) se réduit à ce processus ininterrompu de transformations d'une forme dans l'autre [87] ».

Prenons l'« exemple » de Darwin qui, à lui seul, mériterait une très longue étude : qu'est-ce qui intéresse Marx et Engels ? ni d'établir que l'œuvre scientifique de Darwin serait l'occasion de la manifestation d'on ne sait quelle loi spéculative, ni d'extraire

85. J.-P. Lefebvre, dans sa présentation de lettres de Marx et d'Engels, écrit que les documents qu'il apporte au dossier « ne sauraient tenir la place, pour l'essentiel toujours inoccupée, d'une analyse de la relation historique du marxisme à l'histoire des sciences de la nature », *op. cit.*, p. 8.

86. *Ludwig Feuerbach*, *op. cit.*, p. 63.

87. *Ibid.*, p. 64.

quelques éléments, quelques exemples à rapprocher d'analyses du matérialisme historique.

Mais, dans la mesure où l'œuvre de Darwin constitue un saut qualitatif dans l'histoire du processus de la connaissance (saut qualitatif dans un « secteur » de la connaissance, certes, mais aussi du savoir, donc de son articulation), elle validerait, par exemple, quoique de façon non isolée, la loi du saut qualitatif : « De même que Darwin a découvert la loi de l'évolution de la nature organique, Marx a découvert la loi d'évolution de l'histoire humaine [88]. »

Ceci expliquerait que l'une des préoccupations majeures d'Engels, dans la *Dialectique de la nature* — et c'est très visible dans son travail complexe, inégal, d'ailleurs, de documentation et d'information sur l'état des sciences, en particulier des sciences de la nature —, ce n'est pas de résumer, plus ou moins bien, divers traités d'électricité, de mécanique, de physique, de chimie, etc., ce n'est pas non plus de retrouver, comme une sorte de *Deus ex machina,* des lois tombées du ciel, mais, à partir de divers matériaux, en les faisant « jouer » les uns sur les autres [89], de faire apparaître une sorte de loi générale que, étant donné un certain état du savoir, historique, l'on peut dire applicable à tout processus : la connexion qui est en même temps un saut qualitatif. Si l'on suit les divers chapitres de la *Dialectique de la nature,* on verrait, alors, que ce qui intéresse Engels, c'est, par exemple, la mise en évidence du processus de transformation d'une forme en une autre, en un mot l'interconnexion.

Il n'est donc pas exclu que l'on puisse « isoler » pour elles-mêmes ces fameuses « lois de la dialectique » pour autant que, reprenant collectivement tout le travail d'interconnexion (qui semble avoir été mené partiellement à bien) auquel se livrèrent Marx et Engels et dont nous trouvons des manifestations, non exhaustives ni définitives, certes, dans les textes rassemblés dans la *Dialectique de la nature,* on puisse mettre en évidence leur type spécifique de généralité et leurs liens dialectiques avec le particulier et / ou le singulier. C'est dans cette optique que l'on pourra

88. *Lettres sur les sciences de la nature,* n° 117, *op. cit.,* p. 114.
89. Cf. quelques indications en ce sens *in Engels et la philosophie marxiste,* de Christine Glucksmann, Paris, Ed. de la Nouvelle Critique, 1971, pp. 20-22.

lire, en faisant attention aux mots, en leur donnant un sens dialectique, ce qu'écrit Lénine dans *Sur la question de la dialectique* :

« Marx, dans *le Capital,* analyse d'abord le *rapport* de la société bourgeoise (marchande) le plus simple [...]. L'exposé nous montre ensuite le développement (*et* la croissance *et* le mouvement) de ces contradictions et de cette société dans la somme de ses diverses parties, depuis son début jusqu'à la fin.

« Telle doit être la méthode d'exposition (respective d'étude) de la dialectique en général (car la dialectique de la société bourgeoise chez Marx n'est qu'un cas particulier de la dialectique) [90]. »

Le tout est de comprendre d'une façon non aristotélicienne ce rapport entre l'universalité de la loi et la particularité d'un « cas ».

La généralité de ces « lois de la dialectique » ne serait nullement une généralité abstraite, tant il est vrai qu'elles indiquent, entre autres choses, que dans l'histoire du processus de la connaissance il faut — et l'on peut — distinguer progression et saut qualitatif : les « conceptions théoriques générales » dont parle souvent Engels renvoient, en dernière instance, aux sauts qualitatifs dans le processus de la connaissance, il s'ensuivrait que les lois les plus générales sont, elles aussi, des lois historiques, mais relevant d'une historicité bien particulière : elles ne sont sensibles qu'aux grandes *révolutions* dans tel ou tel secteur de la connaissance, révolutions qui entraînent, quoique d'une façon non mécanique, une *réorganisation* globale des différents secteurs, de leur articulation, de leurs relations réciproques. Ainsi — mais cela demanderait une très longue analyse historique, que nous n'avons ni l'ambition ni la compétence pour ne serait-ce que l'entreprendre — les trois lois de la dialectique ne peuvent être dégagées, mais, alors, elle peuvent l'être, qu'à la condition que l'analyse d'Engels soit juste (et, également, qu'il ait eu les moyens théoriques et pratiques de la mener à terme) : à considérer le mouvement d'*ensemble* de la connaissance au XIXe siècle, mouvement de la connaissance spécifique, quoique dialectiquement lié au développement contradictoire de la société, on peut dégager une nouvelle « conception théorique » qui n'est pas un système mais qui est cohérente.

---

90. *Œuvres,* t. 38, pp. 344-345.

C'est ce que dit Lucien Sève :

« Le développement des sciences et des sociétés depuis le début du XIXe siècle a donné lieu à d'énormes transformations successives dans notre connaissance concrète du monde, mais philosophiquement ces transformations sont toutes pensables à la lumière de la révolution gnoséologique qui a marqué la crise finale de la philosophie spéculative et le surgissement du matérialisme dialectique [91]. »

Et il ajoute, parlant du noyau de vérité absolue des trois lois de la dialectique :

« Le gage de la vérité de ce « noyau » n'est pas dans une somme *historiquement* relative de connaissances arrêtée à telle ou telle époque mais, ce qui est profondément différent, dans les conclusions *gnoséologiquement nécessaires* qu'a imposées à un nodal de son histoire la totalité du savoir et de l'expérience sociale de l'humanité » (p. 33).

Cela étant, Engels dit — ce qui n'est pas sans poser divers problèmes — que « les lois les plus générales [...] se réduisent *pour l'essentiel* (c'est moi que souligne, J.-P. C.) aux trois lois suivantes, etc. [92] ». Il est donc évident, de toutes manières, qu'il ne saurait y avoir un système clos et définitif de lois. Il est évident que des lois nouvelles, des traits véritablement nouveaux, sont envisageables, mais cela exigerait non pas l'élaboration de telle ou telle connaissance, si originale soit-elle, l'effectivité de telle ou telle pratique politique, si importante soit-elle, mais une nouveauté qualitative au niveau du mouvement d'ensemble. Lucien Sève, pour sa part, avance une hypothèse : peut-être le phénomène de l'inégal développement ? mais sans conclure définitivement.

Ces quelques remarques fragmentaires — et quelque peu programmatiques — peuvent cependant servir de transition à une analyse de certains traits des catégories de la dialectique matérialiste et des conditions dans lesquelles on peut les dégager, voire mettre en évidence de nouveaux traits. En effet, la généralité, voire l'universalité, de ces catégories, on ne peut les comprendre sans la notion de connexion et de saut qualitatif. Sur ce point, les remarques du philosophe soviétique Théodore Oizerman sont

91. *In Lénine et la pratique scientifique*, p. 32.
92. *Dialectique de la nature*, p. 69.

des plus suggestives [93] lorsqu'il écrit, reprenant l'analyse d'un autre philosophe soviétique, Ivan Frolov :

« La philosophie a son rôle à jouer en se joignant au courant général de la connaissance, en faisant apparaître l'universel dans le spécifique [94]. »

Il s'agit, en effet, d'avoir une conception aussi claire que possible de la notion de catégorie :

« Trop souvent, écrit T. Oizerman, la notion de catégorie reçoit un usage des plus extensifs, celui de concept le plus large possible dans le cadre d'une manière donnée. On est ainsi amené à dire parfois que les catégories de la mécanique classique sont la masse, la densité, l'imperméabilité, la vitesse, la pression, le travail, etc. Mais n'efface-t-on pas toute différence entre ce qui est catégorie et ce qui est concept général [95] ? »

Et il nous propose, certes point comme Aristote, plusieurs listes des catégories proprement philosophiques : « substance, matière, mouvement, espace, temps, unité, essence, phénomène, loi, nécessité » (p. 293) ; « l'être, la genèse, l'identité, et l'opposition, l'unité des contraires, le particulier et le général, l'unique (l'un probablement ?) et le multiple, l'essence et le phénomène, la nécessité, le contenu et la forme, la matière, etc. » (p. 304).

La possibilité, la nécessité, même, d'isoler des catégories, elles proviendraient de leur nature : c'est ce que veulent dire des textes très connus d'Engels et de Lénine qui, s'ils n'épuisent pas le problème, permettent, néanmoins, de le baliser.

Mais que sont donc ces catégories ? Je propose, à mes risques et périls, quelques éléments pour une définition : des moments, des nœuds du processus de la connaissance, des moments d'une généralité spécifique, dialectiquement liés aux « abstractions scientifiques » (quoique elles ne s'y réduisent pas) ; des moments que l'on peut extraire de l'analyse des divers processus de la connaissance et, surtout, de leur interconnexion (donc des sauts qualitatifs) ; nœuds de la connaissance qui ne sont nullement des entités métaphysiques (invariables, éternelles), mais des essences historiques dont les traits principaux évoluent non pas

---

93. Cf. *Problèmes d'histoire de la philosophie*, Ed. du progrès en langues étrangères, 1973.

94. *Op. cit.*, p. 268.

95. *Op. cit.*, p. 440.

au rythme du processus de la connaissance conçu comme une chronique mais qui, si l'on me permet cette métaphore, ont une temporalité propre comme celle de l'inconscient, la temporalité même de l'histoire de la philosophie dans son développement historiquement progressif (malgré la répétition de l'antagonisme de l'idéalisme et du matérialisme). De plus, ces catégories ne peuvent être pensées isolément mais seulement d'une façon dialectique, dans leur interconnexion, dans leur relation, non mécanique, aux concepts, au concret de connaissance, à la pratique sociale dans son ensemble d'où elles sont extraites. Voilà une définition un peu longue. Si je l'éclaire quelque peu, j'en aurai fini avec cette conférence qui n'est, déjà, que trop longue.

Je prendrai ce qui ne constitue peut-être pas une catégorie au sens strict mais le cœur de la dialectique (à partir de quoi on peut, probablement, comprendre d'autres catégories, sinon toutes les catégories), la contradiction : on peut citer les célèbres passages de Lénine :

« Le dédoublement de l'un et la connaissance de ces parties contradictoires [...] est le *fond* (une des "essences", une des particularités ou marques fondamentales, sinon la fondamentale) de la dialectique [96]. »

Et Lénine ajoute, un peu plus loin :

« L'identité des contraires (leur " unité " dirait-on peut-être plus exactement, bien que la distinction des termes identité et unité ne soit pas ici particulièrement essentielle. En un certain sens, les deux sont justes) est la reconnaissance (la découverte) des tendances contradictoires, *s'excluant mutuellement*, opposées, dans *tous* les phénomènes et processus de la nature (dont *ceux* de l'esprit et de la société) [97]. »

Je crois que l'on peut, en partant de ces formules, commencer d'appréhender, dans le même mouvement, la « nature » d'une catégorie et la possibilité d'isoler un contenu théorique propre à la dialectique, s'il est vrai que la contradiction est comme la matrice de toutes les catégories de la dialectique (sinon une catégorie unifiant toutes les catégories).

En effet, la contradiction n'est pas un terme, une notion qui reflèterait, objectivement, des processus ou des moments d'un pro-

---

96. *Œuvres*, t. 38, p. 343, *Sur la question de la dialectique.*
97. *Ibid.*, pp. 343-344.

cessus à un seul niveau des formes de la matière en mouvement. Lénine écrit : « L'identité des contraires [...] est la reconnaissance [...] des tendances contradictoires [...] dans *tous* les phénomènes et processus de la nature [98]. » Et il souligne : tous. A partir de ce texte, valant pour la contradiction, il semblerait que l'on puisse dire qu'une catégorie, d'une façon générale, se distingue d'un concept non pas seulement de par sa plus grande généralité, au plan quantitatif, mais aussi — et même d'abord — au plan qualitatif : si l'on sait que les formes de la matière en mouvement sont qualitativement différentes, même — et surtout — s'il y a une unité de la matérialité, il s'ensuit que le propre de la généralité d'une catégorie c'est de dépasser, d'une façon spécifique, les limites d'un genre — les catégories du matérialisme dialectique ne sont pas aristotéliciennes. Si l'on se sert de la contradiction comme d'un paradigme, celle-ci renvoie à *tous* les phénomènes de la nature (elle n'occupe sa place dans le matérialisme dialectique qu'à la condition qu'elle renvoie, d'une façon qui reste, bien évidemment, à préciser, à la totalité des processus naturels). Et l'on notera que Lénine parle de la nature comme d'une unité, celle-ci serait-elle complexe (la société et la pensée sont des moments, spécifiques, certes, au plan qualitatif, mais des moments, finalement, de la nature, disons de l'unité de la matérialité).

Deuxième point : cette généralité transrégionale, interrégionale (suivant le modèle de la connexion, de la *Zusammenhang*), n'est nullement une généralité vide, par rapport à la richesse du particulier et du singulier. Lénine la caractérise, à un niveau des plus généraux, en distinguant deux conceptions — et deux seulement — du développement, du processus (ce serait, là, le niveau propre à ce que Engels nommait les « conceptions théoriques » générales) :

a — « le développement comme diminution ou augmentation, comme répétition »,

b — « *et* le développement comme unité des contraires (dédoublement de l'un en contraires s'excluant mutuellement et rapports réciproques entre eux) [99] ».

Ou bien une conception qui laisse en dehors l'auto-mouve-

98. *Ibid.*, pp. 343-344.
99. *Ibid.*, p. 344.

ment, ou bien une conception « qui dirige l'attention principale précisément sur la connaissance de la *source* de l' " *auto* "-mouvement [100] ».

Lénine voudrait donc dire qu'au niveau de la « pensée théorique », la « quintessence » de l'activité scientifique et de la pratique sociale, la dégager, c'est mettre en évidence l'émergence historique de deux — et de deux seulement — conceptions générales du développement, du mouvement. Grosso modo, la conception métaphysique et la conception proprement dialectique. Mais il nous invite à dire que l'on peut exposer pour elles-mêmes ces conceptions. Le contenu spécifique propre aux « généralités dialectiques », ce serait celui propre aux conceptions théoriques générales. Ce contenu, il ne se réduit donc pas aux fameux « exemples » que reprend Lénine, non sans avoir critiqué, justement, la conception non dialectique de l'exemple et de l'essence (et/ou de la loi) :

« En mathématiques + et —. Différentielle et intégrale ;
mécanique, action et réaction ;
physique, électricité positive et électricité négative ;
chimie, combinaison et dissociation des atomes ;
sciences sociales, la lutte des classes [101]. »

Que retiendrait donc une catégorie, qu'est-ce qu'un trait d'une catégorie ? quelque chose de général, ou plutôt d'universel, qui ne fait pas que répéter ce qui est déjà présent dans divers concepts, mais qui en extrait la « quintessence » : ici, opposer développement et dédoublement de l'un en contraires, ce n'est, à coup sûr, ni faire progresser *in concreto* l'analyse mathématique ni l'analyse dans le domaine du matérialisme historique, mais c'est faire paraître une conception théorique générale qui reflète le mouvement général de la pensée et qui, pour le moins, indique (sauf si cette généralité n'est qu'une extrapolation spéculative de résultats des plus partiels) le « socle épistémologique » en deçà duquel il n'est plus question de revenir (la relation entre « conceptions théoriques générales » et recherche effective est donc bien plus dialectique qu'il peut le sembler et on laisse, ici, de côté la relation entre ces deux premiers « éléments » et les idéologies). En un mot, une « conception générale » définit comme un champ, mais

100. *Ibid.*, p. 344.
101. *Ibid.*, p. 343.

ne se substitue nullement, tout au contraire, à l'activité d'élaboration de connaissances concrètes.

Je ne prendrai qu'un seul exemple, tout en ayant le sentiment de ce qu'a de partielle cette analyse : celui de la catégorie d'essence, ou de loi, catégorie reliée dialectiquement (comme toutes les autres catégories, d'ailleurs) à celle de phénomène et / ou d'apparence. Ici, il faudrait montrer comment, dans le détail du texte, aussi bien Engels que Lénine renouvellent les concepts hégéliens, par un retravail de multiples passages de la *Science de la logique* : certes, et Hegel le dit, par rapport à toute conception métaphysique, pour un dialecticien, l'essence est la loi de ses manifestations. Mais Lénine déplace l'articulation de l'essentiel et de l'inessentiel :

« C'est-à-dire que l'inessentiel, l'apparent, le superficiel disparaît le plus souvent, n'est pas aussi " solide ", aussi " fermement installé " que l' "essence ". Etwa : le mouvement d'un fleuve — l'écume au-dessus et les courants profonds en bas. *Mais l'écume aussi* est expression de l'essence [102]. »

Un peu plus loin : « L'apparence est l'essence dans *une* de ses déterminations, dans un de ses aspects, dans un de ses moments. L'*essence* paraît être cela. L'apparence est l'apparaître (*Scheinen*) de l'essence elle-même en soi-même [103]. »

Ainsi, le contenu, les traits des catégories de la dialectique comme « science philosophique », dans la mesure où elle ne porte pas directement sur l' « être [104] », mais sur la relation de l' « être » au connaître, n'évoluent pas au rythme de l'histoire des sciences conçue comme une chronique, ils n'évoluent pas non plus en enregistrant, au jour le jour, les nouveautés de la pratique sociale et politique.

En définitive — et c'est bien ce que Hegel avait vu, quoique de façon idéaliste, spéculatice et téléologique, si l'on s'en tient à ce qui dominait chez lui —, la relation entre catégorie et concept serait, elle-même, dialectique. Comment « bouge » une catégorie ? Songeons à la naissance de la science moderne de la nature :

---

102. *Ibid.*, p. 124.
103. *Ibid.*, p. 127.
104. Entendons : la réalité objective, l'être ne pouvant nullement jouer un quelconque rôle transcendantal dans la philosophie marxiste, cf. F. Engels : *Anti-Dühring*, Ed. sociales, p. 75.

« la science moderne de la nature a dû emprunter à la philosophie le principe de l'indestructibilité du mouvement [105]. » Cela est assez connu, encore qu'il ne faille pas l'interpréter en des termes de nouveauté absolue, « produite » par la « pratique théorique », la mutation de la catégorie philosophique de *cause* — mais aussi de temps et d'espace — avec la science post-galiléenne, est caractérisée, en philosophie, par le nom de Descartes. Or il y a toute une dialectique (par delà tous les faux problèmes, métaphysiques, sur le modèle de l'alternative : physique — ou mathématiques — et métaphysique chez Descartes ?) entre le concret de connaissance et la mutation du contenu des principes et des catégories ; à la simple lecture de la IIe partie des *Principes de la philosophie*, il apparaît vite que la relation n'est pas simple entre l'exposé des principes et le développement concret et effectif de la science. Trop isoler le niveau catégoriel serait aussi unilatéral que de le méconnaître : la différence de la « pensée théorique » et des sciences doit se concevoir dans le développement d'un processus où les deux termes constituent des moments que l'on ne peut penser qu'en interdépendance.

Ainsi, le statut de la généralité ne fait qu'un avec le repérage des véritables sauts qualitatifs : il semble bien que le véritable saut qualitatif dans l'analyse de la contradiction, ce soit celui qui nous conduit à examiner, pour elles-mêmes, ce que sont des contradictions secondaires ou non-antagonistes, sur la base de l'activité scientifique et de la pratique sociale dans leur ensemble. Cela dit, que l'universel soit identique au spécifique, thèse théorique que l'on peut dégager en tant que telle, non seulement ne dispense pas d'une analyse concrète d'une situation concrète, avec les erreurs et les rectifications prévisibles, mais l'exige.

J'ai été très, peut-être trop, abstrait. Je n'ai pas la prétention d'avoir répondu à la question sous le signe de laquelle était placée cette conférence. Mais l'objectif était, finalement, plus limité : si la dialectique doit bien être l'algèbre de la révolution, s'il est un primat de la pratique, est-ce que de tenter d'éclaircir un peu quelques problèmes parmi les plus abstraits que pose le statut de la dialectique matérialiste, ce n'est pas, entre autres, et d'une façon qui ne pourra passer pour intrumentale, lutter contre l'idéologie

---

105. *Dialectique de la nature*, p. 43.

de la « mort de la philosophie », montrer la vertu théorique du marxisme-léninisme, en un mot, de façon non pragmatiste et faussement politiste, faire œuvre militante dans le combat de classe actuel, tel qu'il se déroule, ici et maintenant ?

DIALECTIQUE DE LA NATURE : SUR QUELQUES CONCEPTS (QUALITE, QUANTITE...)

Le C.E.R.M. a tenu à ce que soit publiée la totalité du cycle de conférences traitant de la dialectique matérialiste.

Nous publions l'exposé présenté par Pierre Jaeglé bien que l'essentiel de l'argument développé ici ait été repris par l'auteur dans un chapitre de son livre Essai sur l'espace et le temps, *paru aux Editions sociales.*

Ce cycle constituant un tout, nous préservons ainsi son articulation et son équilibre.

Pierre JAEGLÉ

Il est apparemment simple d'entreprendre un exposé sur la dialectique de la nature et des concepts tels que qualité, quantité etc. en partant d'ouvrages aussi connus que *Dialectique de la nature* et *l'Anti-Dühring,* d'Engels ou *Matérialisme et empiriocriticisme,* de Lénine où fourmillent des indications plus que suffisantes pour un objectif aussi restreint qu'une simple conférence. Mais un tel exposé s'inscrira nécessairement dans le débat en cours sur les rapports entre philosophie et science, les problèmes d'une théorie de la connaissance, sur l'apport du marxisme à la solution de ces problèmes, sur un ensemble de questions, donc suscitant des controverses capables de prendre des formes extrêmes.

Nous considérons comme établi que l'intérêt des fondateurs du marxisme pour ce qui touche aux sciences de la nature n'est pas occasionnel mais, au contraire, essentiel. Il est difficile d'en douter lorsque l'on voit, par exemple, Engels s'assigner comme but explicite de « montrer que les lois dialectiques sont de *VERITABLES LOIS DE DEVELOPPEMENT DE LA NATURE,* c'est-à-dire valables aussi pour la science *THEORIQUE* de la nature [1]. » Ces affirmations ne tombent pas, dans ce texte, sous une plume négligente qui ne saurait dans quelle direction va l'entraîner la suite du travail. Dans l'*Anti-Dühring* aussi nous lisons : « En fait la dialectique n'est pas autre chose que la science des lois générales *DU MOUVEMENT ET DU DEVELOPPEMENT DE LA NATURE,* de la société humaine et de la

1. Texte sur la dialectique dans *Dialectique de la Nature,* Editions sociales, 1952, p. 70.

pensée[2]. » Hautement significative est ici la réunion des trois termes ; nature, société humaine et pensée.

Engels connaissait les pièges du déductivisme et pour ceux que la crainte de ce défaut fait renoncer par avance à toute recherche concrète il est utile de rappeler cet autre passage de l'*Anti-Dühring :*

« Il va de soi que je ne dis rien du tout du processus de développement *particulier* suivi, par exemple, par le grain d'orge depuis la germination jusqu'au dépérissement de la plante qui porte fruit, quand je dis qu'il est négation de la négation. En effet, comme le calcul différentiel est également négation de la négation, je ne ferai, en renversant la proposition, qu'affirmer ce non-sens que le processus biologie d'un brin d'orge est du calcul différentiel ou même, ma foi, du socialisme. Voilà pourtant, concluait Engels, ce que les métaphysiciens mettent continuellement sur le dos de la dialectique[3]. »

Un autre point mériterait un développement particulier avant d'entrer dans notre exposé proprement dit ; il s'agit des rapports entre Marx et Engels à propos du projet de ce dernier d'écrire ce que Marx, dans une lettre de 1876 à Liebknecht, qualifie de « travail incomparablement plus important » que l'*Anti-Dühring,* à savoir la *Dialectique de la nature*. Pour que l'on voit à quel point s'interpénètrent les pensées et les travaux de ces deux fondateurs du marxisme, rappelons ici un fait connu des spécialistes : quelques-uns des textes publiés dans le volume *Dialectique de la nature* ne sont rien d'autre que des fragments des travaux préparatoires de la thèse de Marx, travail universitaire rédigé alors que son auteur n'a pas plus de vingt ans, intitulée « Différence de la philosophie de la nature chez Démocrite et Epicure ». Marx avait donc mis à la disposition d'Engels ses propres recherches préliminaires.

Il n'est pas nécessaire de chercher ailleurs que dans les traces directes qu'a laissées cette collaboration une introduction à la présente étude sur les problèmes de la qualité et de la quantité. Dans une lettre de Marx à Engels écrite en 1867 nous lisons : « Tu verras dans la fin de mon chapitre III (du *Capital*), où est

---

2. *Anti-Dühring*, Editions sociales 1971, p. 170, les passages soulignés le sont par nous.
3. *Ibid.*, p. 169.

esquissée la transformation du maître-artisan en capitaliste — à la suite de changements purement *quantitatifs* — que je cite dans le texte la découverte de Hegel sur *la loi de la brusque commutation du changement purement quantitatif en changement qualitatif,* comme étant également vérifiée en histoire et dans les sciences de la nature. » Nous trouvons en effet dans la 3e section du tome I, livre I, du *Capital* le passage suivant, qu'Engels reproduira dans l'*Anti-Dühring* :

« Le possesseur d'argent ou de marchandises ne devient en réalité capitaliste que lorsque la somme minimale qu'il avance pour la production dépasse déjà de beaucoup le maximum du moyen âge. Ici, comme dans les sciences naturelles, se confirme la loi constatée par Hegel dans sa Logique, loi d'après laquelle de simples changements dans la quantité, parvenus à un certain degré, amènent des différentes dans la qualité [4]. »

Notre premier point consistera donc à préciser la place qu'occupent les catégories de qualité et de quantité dans le marxisme constitué. Nous verrons que cette place est tout à fait particulière et que son repérage précis, difficile à effectuer dans toute son étendue, s'impose pour qui veut comprendre l'articulation du marxisme aux sciences de la nature, mais aussi pour qui se pose la question des *LOIS DE LA DIALECTIQUE,* je veux dire de la *FORMULATION* de telles lois.

On voit d'autre part comment le texte ci-dessus de Marx renvoie à Hegel. Quiconque a fréquenté la *Science de la logique* de celui-ci sait qu'une partie très importante de cet ouvrage — 400 pages environ — sont consacrées aux catégories de qualité et de quantité. C'est à dégager la signification de ce fait remarquable, dont l'étude oblige à examiner certains aspects de l'histoire de la pensée théorique dans ses rapports avec le développement des sciences de la nature, que sera consacrée la partie suivante de notre exposé.

Nous aurons enfin à formuler les problèmes que nous semble poser à la recherche marxiste contemporaine l'état de ces questions et l'on devrait comprendre alors le pourquoi de l'attention préférentiellement accordée ici aux catégories de qualité et de quantité alors que le champ de réflexion ouvert par la *Dialectique de la nature* aurait pu suggérer d'autres choix.

---

4. *Le Capital,* livre I, tome I, Editions sociales, 1967, p. 302.

L'idée la plus répandue au sujet de la place des catégories de qualité et de quantité dans la théorie marxiste est justement celle que présente le passage du *Capital* cité précédemment. Cette idée est qu'il existe une loi dialectique selon laquelle « de simples changements dans la quantité, parvenus à un certain degré, amènent des différences dans la qualité ». Engels pour sa part, dans la *Dialectique de la nature* comme dans l'*Anti-Dühring*, illustre cette loi par des exemples variés, comme celui archi-célèbre de l'eau qui gèle ou s'évapore d'un coup lorsque la température varie.

Il faut dire cependant que, pour répandue qu'elle soit, cette idée est réductrice par rapport à la conception générale qu'Engels lui-même expose quant aux rapports entre qualité et quantité puisque, dans le texte déjà cité sur la dialectique, on trouve l'énoncé suivant qui englobe une bien plus grande variété de rapports possibles entre qualité et quantité : « Nous pouvons exprimer cette loi (du passage de la quantité à la qualité *et inversement*, P.J.) en disant que, dans la nature, d'une façon nettement déterminée pour chaque cas singulier, les changements qualitatifs ne peuvent avoir lieu que par addition ou retrait quantitatifs de matière ou de mouvement. » Telle est la forme la plus générale qu'à ma connaissance on ait donné, dans un texte marxiste, à la loi du rapport entre qualitatif et quantitatif. Elle exclut que l'on puisse réduire ce rapport à l'aspect qu'il prend dans les « sauts qualitatifs ».

A cela nous ajouterons trois remarques :

1°. Il est essentiel de noter que pour Engels il y a une *LOI DIALECTIQUE* du passage de la quantité à la qualité (ou l'inverse). Il s'agit, nous dit Engels [5], de l'une des lois dialectiques — il en énumère trois — qui sont « abstraites de l'histoire de la nature et de celle de la société humaine ». Des lois de la dialectique, qu'il pose comme telles, c'est même la seule qui fasse l'objet d'une exploration un tant soit peu détaillée. Le texte sur la dialectique, qui annonce un exposé sur trois lois, après les avoir énoncées, n'en développe en fait qu'une seule et il nous manque pour les deux autres (la loi de l'interpénétration des contraires et celle de la négation de la négation) des textes comparables à ceux qu'Engels nous laisse sur la transformation de la quantité en qualité ou l'inverse. Tout débat sur la possibilité, la nécessité de

5. *La Dialectique, loc. cit.*, p. 69.

formuler les lois de la dialectique se doit de prendre en compte la contribution qu'y a versé d'avance Engels avec son analyse de la qualité et de la quantité. Il est intéressant enfin de remarquer que cette contribution s'effectue dans un contexte ou la relation entre marxisme et sciences de la nature est immédiatement présente.

2e. Au moment même où Engels formule des lois de la dialectique et commence à développer celle de la relation entre quantité et qualité, il renvoie à plus tard la discussion des connections internes entre ces lois. Ceci marque, semble-t-il la limite atteinte par la recherche d'Engels en vue de l'établissement d'un traité de dialectique, projet auquel Marx songeait également [6]. Il y a là évidente matière à réflexion pour les chercheurs marxistes d'aujourd'hui.

3e. La discussion critique des catégories de quantité et de qualité ne nous semble exister qu'à l'état d'ébauche dans l'œuvre d'Engels. Elle vise principalement l'idéalisme hégélien. A l'encontre de l'introduction purement spéculative de la catégorie de quantité nous avons un passage célèbre de l'*Anti-Dühring* :

« Les dix doigts sur lesquels les hommes ont appris à compter, donc à effectuer la première opération arithmétique, sont tout ce qu'on voudra sauf une libre création de l'entendement. Pour compter, il ne suffit pas d'objets qui se comptent, mais il faut déjà la faculté de considérer ces objets, en faisant abstraction de toutes leurs autres qualités, sauf leur nombre — et cette faculté est le résultat d'un long développement historique, fondé sur l'expérience [7]. »

On peut noter que dans ce texte le nombre, signe évident de la quantité, apparaît comme une qualité, subsistant après qu'on ait fait abstraction de toutes les autres qualités. Mais la catégorie de qualité, pour sa part, n'a pas à notre connaissance fait l'objet d'affirmation positive ou de critique précise dans l'œuvre d'Engels. Celui-ci semble admettre la notion de qualité comme apte à représenter tout ce qui s'appelle communément propriété de la matière.

Cette position peut faire problème. Dans le texte déjà cité sur la dialectique, Engels écrit par exemple : « Dans la mécanique, on ne rencontre pas de qualités ; tout au plus des états comme l'équi-

---

6. Voir sa lettre de 1868 à Dietzgen, Marx/Engels, *Lettres sur les Sciences de la Nature*, Editions sociales, 1973, p. 64.

7. *Anti-Dühring, loc. cit.*, p. 68.

libre, le mouvement, l'énergie potentielle, qui tous reposent sur la transmission mesurable du mouvement et qui peuvent eux-mêmes s'exprimer quantitativement [8]. » La conception de la qualité que contient implicitement cette affirmation sur la mécanique, l'opposition établie entre le qualitatif et le mesurable marquent peut-être le point où se nouent certaines des difficultés qui empêcheront de développer complètement, après Engels, une véritable dialectique de la nature. Ceci apparaîtra mieux après la partie suivante de notre exposé.

Nous allons maintenant nous intéresser à quelques aspects de *l'histoire* des catégories de qualité et de quantité, histoire qui comporte un jalon de première grandeur avec la *Science de la logique,* de Hegel. On a vu sur un exemple comment cette *Science de la logique* a fourni à Marx et Engels des matériaux qu'il retravaillaient en les insérant dans le tissu d'une pensée matérialiste. Un lien direct existe notamment entre la présence des catégories de qualité et de quantité dans le marxisme et la place qu'elles occupent dans l'œuvre de Hegel.

Pour donner une idée de cette place il est nécessaire de rappeler comment est construite la *Science de la logique.* On voudra bien ne pas confondre ce rappel, qui s'apparente à un essai de photographie, avec un compte-rendu de lecture critique de l'œuvre.

On peut considérer que la *Science de la logique* comprend trois parties. De la première — dite Logique de l'Etre — Hegel nous dit qu'elle constitue la logique objective (ou, si l'on préfère, la partie objective de la Logique). La Logique de l'Etre est objective — non pas exactement au sens que nous donnerions aujourd'hui à ce terme — mais au sens où elle doit être posée face à une Logique du Concept, qui constitue pour Hegel la logique subjective et qui forme la troisième partie de son traité. Cette division en logique objective (Logique de l'Etre) et logique subjective (Logique du Concept) conduit naturellement à considérer ce que Hegel nomme une sphère de médiation, qui est sa Logique de l'Essence et qui prend place comme deuxième partie de la *Science de la logique.*

Il ne faudrait pas garder de cette présentation schématique

8. *La Dialectique, loc. cit.*, p. 71.

l'idée que la Logique de l'Essence serait un simple trait d'union entre deux éléments constitutifs de la Logique (l'Etre et le Concept). Plutôt que de trait d'union, c'est de clé de voûte qu'il faudrait parler. Hegel dit par exemple de l'Essence qu'elle est « la vérité de l'Etre », ce qui n'est pas peu, on en conviendra. C'est aussi dans cette partie de la Logique qu'il expose l'idée centrale selon laquelle la contradiction dialectique est « la racine de tout mouvement, et de toute manifestation vitale [9] ».

Le fait saillant, pour ce qui nous occupe ici, est que la première partie de la Logique, la Logique de l'Etre, fondement de la logique objective, est — pour l'essentiel — un traité sur la qualité, la quantité et leurs relations mutuelles. Pour être aussi précis que possible il faut même dire que qualité et quantité sont, pour Hegel, les *DETERMINATIONS PREMIERES* de l'Etre. Il y ajoute, dans ce qu'il appelle la « division générale de l'Etre », une troisième détermination — d'importance capitale, pensons nous, pour la compréhension de ce moment théorique dans l'histoire de la pensée — détermination qui est « la quantité qualitativement définie : la mesure ». Chaque mot compte dans cet énoncé qui n'est rien moins que spéculatif puisqu'il traduit en somme l'aboutissement auquel parvient l'élaboration théorique dans les sciences de la nature avec la notion de mesure.

Ce n'est pas le lieu d'entrer dans les très longs développements que Hegel consacre à ces trois déterminations de l'Etre. Disons simplement que ce qu'il entend en général par « qualité » peut se comprendre comme propriété immédiatement perceptible, manifestée, par exemple, par un objet, une chose, dans ses rapports avec les autres choses. Un trait du système hégélien est qu'il faut toujours que les concepts s'y engendrent les uns les autres, dans un mouvement de logique pure, en allant de préférence du général au particulier, ce qui hypothèque lourdement nombre de passages destinés à introduire la catégorie de quantité. Sur ce point nous avons déjà rappelé l'opinion d'Engels et quelques annotations de Lénine dans les *Cahiers philosophiques* incitent tout autant à la prudence vis-à-vis d'un jeu purement formel.

Mais la question qui vaut d'être posée est la suivante : *pourquoi Hegel, qui veut restaurer dans ses droits la pensée dialectique victime avant lui d'une longue éclipse, a-t-il besoin de*

9. *Science de la Logique*, tome III, p. 67, Aubier, 1971.

fonder une logique sur les catégories de qualité, de quantité et de qualité quantitativement définie, c'est-à-dire de mesurer ?

Nous esquisserons, pour cette question, une réponse en trois points se rapportant successivement au rapport de Hegel à Aristote, au leg de la pensée grecque en matière de dialectique et, enfin, à la dispersion de l'héritage antique au moment des rapides progrès scientifiques commencés au XVIe siècle, dispersion après laquelle une théorie dialectique ne peut être reconstituée qu'en assimilant ces progrès et les bouleversements produits dans la pensée théorique.

Quant au premier point, il nous suffit ici d'une brève indication puisée dans l'Introduction à la *Science de la logique,* où Hegel écrit que : « si, depuis Aristote, (la Logique) n'a pas fait un pas en arrière, elle n'a pas non plus fait un pas en avant... Or si, depuis Aristote, la Logique n'a subi aucun changement, il faut en conclure qu'elle a d'autant plus besoin d'être remaniée... » que deux mille ans de travail de l'esprit se sont accumulés [10]. C'est donc, en quelque sorte, à une reprise directe des choses, telles que laissées en l'état par Aristote, qu'entend se livrer Hegel.

Il y a, chez Aristote, un bilan critique de la conception dialectique élaborée avant lui par la philosophie grecque, bilan qu'accompagne un enrichissement par des idées nouvelles qui portent cette conception aux limites extrêmes qu'elle pouvait atteindre dans l'état des connaissances quatre siècles avant notre ère. Aristote a une théorie de la génération et de la disparition, c'est-à-dire du *DEVENIR* des choses et du monde, devenir qu'il discute en termes de *CONTRAIRES* (ordre-désordre ; grand-petit ; tout-partie, blanc-noir ; un-multiple ; savant-ignorant...) dans la tradition des deux siècles qui l'ont précédé. Avec l'idée qu'il développe à l'encontre d'Héraclite, que l'action des termes contraires se produit dans un troisième terme, Aristote est sans doute le premier à ébaucher une théorie de l'unité des contraires.

Mais l'on sait ce qu'il advint plus tard de l'enseignement fondé sur l'œuvre d'Aristote, lorsque, complètement sclérosé dans la scolastique médiévale, cet enseignement commença d'être confronté aux idées nouvelles qui pointent de tout côté dès la fin du XVe siècle. Pour son malheur, la pensée aristotélicienne fut

10. *Loc. cit.,* tome I, p. 37.

identifiée à une conception cosmogonique — celle du système de Ptolémée — qui avait contre elle, à la fois, les hommes que l'Inquisition pourchassait pour hérésie et les conquêtes successives des sciences de la nature s'accélérant depuis Copernic. Aristote se trouva alors abandonné aux mains des médecins des comédies de Molière. Notre propos ne consiste pas à discuter ici des aspects proprement idéologique d'une lutte qui se termine par l'envoi, pour longtemps, au musée de l'histoire de la dialectique grecque. Mais ceci se passe à l'époque où, sous l'influence de facteurs tant expérimentaux que théoriques, le *QUANTITATIF* (sous la forme de la mesure) commence à prendre une part croissante dans le procès de développement des connaissances scientifiques.

Il semble que ce soit l'astronome Kepler, à qui l'on doit la découverte de la forme élliptique de la trajectoire des planètes autour du soleil, qui ait exprimé le premier, en toute clarté, la contradiction qui apparaissait alors dans la pensée théorique. Kepler note, en effet, que chez Aristote, en dernière analyse, ce qui oppose les termes contraires c'est d'être le *MEME* et l'*AUTRE,* c'est-à-dire un rapport d'altérité, défini purement en termes de qualités. Ce n'est pas que Kepler nie l'existence de rapports d'altérité tels qu'Aristote les a posés et ce n'est pas non plus qu'Aristote n'ait rien su de l'aspect quantitatif des choses. Il eut le génie d'écrire, quatre siècles avant notre ère, : L'être est, comme substance, et qualité et quantité [11]. » Ce qui est en question, pour Kepler, c'est ce qui doit occuper la place centrale : rapports d'altérité, c'est-à-dire essentiellement qualitatifs, ou rapports de quantité ?

La réponse de Kepler est parfaitement claire et hautement significative pour le mouvement des idées qui s'amorce alors et se poursuit de nos jours. Kepler dit qu'à la notion du même et de l'autre il faut *SUBSTITUER* celle du *PLUS ET DU MOINS,* autrement dit, qu'au centre du procès de connaissance il faut mettre les rapports de quantité à la place de ceux de qualité.

Nous entrons donc, à ce moment, dans une phase durable du mouvement de la pensée théorique, caractérisée par une opposition affirmée de la quantité vis-à-vis de la qualité, on serait tenté de dire, par une lutte de prééminence d'une catégorie vis-à-vis de l'autre. On a à peine commencé à réfléchir, semble-t-il, aux consé-

11. *Physique I,* traduction H. Carteron, p. 31.

quences de cette tournure prise par l'histoire des sciences théoriques à l'aube de notre époque de très rapide développement scientifique.

Nous voulons souligner très fortement que *la démarche de Hegel se caractérise par la prise en compte de cette opposition et par la tentative de la surmonter* — grâce à un réexamen du contenu réel des connaissances scientifiques — au sein de sa théorie de l'Etre où quantité et qualité cessent leur fausse querelle parce qu'est enfin reconnue leur réunion dans ce qu'Hegel nomme la quantité qualitativement définie et qui est la mesure. C'est de façon progressive que le concept de mesure s'est dégagé au cours du développement scientifique et il n'est pas à « terme », si l'on peut dire, lorsque Hegel écrit la *Science de la logique*. Aussi, pour Hegel, l'existence d'une mesure des choses (qu'il ne faut pas confondre avec un dénombrement) reste-t-elle en partie énigmatique. C'est donc en tenant compte des développements ultérieurs, de l'approfondissement de la notion de conservation, de l'acquisition des notions de réversibilité et d'irréversibilité, qu'il faut apprécier l'importance des principes posés par Hegel sur la qualité, la quantité et leur réunion dans la mesure.

On voit ainsi par quel cheminement les catégories de qualité et de quantité se sont finalement trouvées devenir des matériaux de premier ordre pour la fondation de la dialectique moderne. Le point central est ici que *l'intégration au marxisme des catégories de qualité et de quantité a son origine dans la nécessité de réorganiser — au sein d'une dialectique matérialiste et en fonction des acquis de la science moderne — les principes dialectiques de la pensée antique.*

Pour présenter la problématique qui fait l'objet principal de cet exposé résumons ce que nous avons vu jusqu'ici :

a. Pour Marx et Engels il y a une loi du passage de la quantité à la qualité ; cette loi peut être formulée de diverses façons, mais c'est une des *LOIS GENERALES* qui — au titre même de leur généralité — sont au nombre des lois de la dialectique.

b. Qualité, quantité et mesure sont trois catégories de base dans la Logique de Hegel (dans sa logique objective) et c'est là le chemin qui précède, pour elles, l'intégration au marxisme.

c. L'introduction de la qualité et de la quantité comme catégories centrales dans la dialectique est imputable au développement moderne des sciences de la nature.

Partant de là, il est clair que la compréhension de la relation du marxisme aux sciences de la nature a beaucoup à gagner à l'éclaircissement complet du statut des catégories de qualité et de quantité dans la dialectique matérialiste. Or, si Engels a eu l'occasion d'effectuer une critique matérialiste de l'introduction spéculative de la quantité chez Hegel, dans le cas de l'origine des *NOMBRES*, il n'a laissé aucun texte de quelque importance sur cet autre aspect de la quantité, que Hegel appelait la quantité qualitativement définie, c'est-à-dire la *MESURE*. Celle-ci est cependant une notion centrale pour les sciences de la nature à partir d'un certain degré d'élaboration théorique.

Pour les physiciens, par exemple, le problème de la mesure est celui de la *DIMENSION* des grandeurs qu'ils utilisent et de l'homogénéité des équations dans lesquelles elles interviennent. Pour faire comprendre la différence entre nombre et mesure voici un exemple très simple : nous sommes dans une salle où se trouvent cent personnes ; bien que nous ayons en un certain sens une quantité qualitativement définie (cent personnes), cent est ici un nombre pur, le résultat du dénombrement que l'on peut faire des présents ; d'autre part notre salle couvre une surface de cent mètres carrés ; quoique cela puisse surprendre, la quantité à laquelle nous avons à faire maintenant est d'une autre nature ; c'est une mesure et non un simple nombre ; on peut s'en rendre compte par exemple en se rappelant que l'on obtient la surface de la salle en faisant le produit des longueurs de ces deux côtés, c'est-à-dire une opération qui porte sur des qualités autres que celle à laquelle se rapporte le nombre cent ; cette opération définit une qualité nouvelle, la surface, dont l'unité sera, par exemple, le mètre carré. C'est lorsque une association de plusieurs qualités forme, de façon bien définie, une qualité nouvelle qu'il y a *MESURE* (ici deux longueurs sont associées pour produire la qualité nouvelle : surface). Autrement il y a seulement dénombrement...

Cette distinction manque dans les analyses que la dialectique a faites, jusqu'à présent, des problèmes de la quantité, et il est vrai qu'à première vue les deux cas pris ici comme exemples pourraient évoquer tous deux l'idée de quantité qualitativement définie. Cette absence a pour cause un état de la science qui, vers le milieu du siècle dernier, ne permettait pas encore de faire aisément des distinctions essentielles de cette sorte, car l'aspect élémentaire des exemples ci-dessus ne doit pas faire oublier que le problèmes des dimensions des grandeurs physiques (c'est-à-dire du contenu qualitatif de leur mesure) est, en réalité, toujours complexe.

Parvenus à ce point, nous avançons l'idée que la carence montrée ici a faussé de façon sensible l'idée que le marxisme a donnée lui-même de ses rapports à la science théorique de la nature. Quelle est, en effet, la science qui a, plus que toute autre, développé la notion de mesure dont nous venons de montrer l'importance, sinon la *MECANIQUE* depuis ses origines galiléennes jusqu'à nos jours ? Et quel mot, plus que le mot *MECANIQUE,* s'est chargé d'une signification exactement contraire à celle du mot *DIALECTIQUE ?*

A ses origines, à la limite des XVe et XVIe siècles, la mécanique a isolé des concepts précis d'espace et de temps entre lesquels des relations *qualitatives* établissent la définition de nouveaux concepts, ceux de vitesse et d'accélération. Parvenir à une idée claire sur ces notions, qui paraissent élémentaires à la plupart d'entre nous, a nécessité un énorme effort de pensée pour les plus fortes têtes de l'époque. D'autres relations, faisant intervenir une autre grandeur, la masse, ont permis à leur tour, au cours d'un mouvement progressif s'étalant sur deux siècles, de définir l'énergie cinétique, l'impulsion (que Descartes avait confondu avec la précédente), puis le moment cinétique (caractéristique des mouvements de rotation). C'est seulement vers 1840, avec Helmolz, qu'on arrive au concept d'énergie potentielle.

C'est une floraison de *QUALITES* nouvelles qui jaillit de ces découvertes et l'on peut comprendre ici les réserves dont nous avons accompagné la citation d'Engels selon laquelle « en mécanique on ne rencontre pas de qualités... » Pour nous en tenir à la notion d'énergie, par exemple, on a d'abord à faire aux changements qualitatifs au sens ordinaire, à la transformation de l'énergie potentielle en énergie cinétique, de l'énergie cinétique en chaleur, de la chaleur en lumière etc., mais ce qu'a montré la science théorique qu'est la mécanique est que l'on est en présence, dans tous les cas, de la même association de qualités, masse, longueur, temps, dans les proportions déterminées : $M\ L^2\ T^{-2}$; la découverte qui résulte de plusieurs siècles d'étude de la mécanique est que la loi fondamentale du mouvement — la conservation de l'énergie dans les différentes formes qu'elle peut prendre — c'est, avant tout aspect qualitatif au sens ordinaire — une relation déterminée de *QUALITES* (M, L, T) qui forme une *QUALITE* nouvelle, l'énergie.

Si ceci nous est clair nous pouvons faire un pas de plus pour voir sous un angle nouveau le problème, soulevé au début, de la connection entre les lois dialectiques, plus précisément ici, de la connection entre la loi sur le passage de la quantité à la qualité avec les autres lois de la dialectique.

Nous venons d'apercevoir un lien étroit entre loi de conservation, d'une part, et définition d'une mesure, d'autre part : l'énergie peut être cinétique ou potentielle, mécanique ou sous forme de chaleur ; par la *DIMENSION* qui la mesure (Masse multipliée par le carré d'une Longueur, divisée par le carré d'un Temps, $M L^2 T^{-2}$), elle est toujours de l'énergie, la *QUALITE* énergie. Par conséquent, à la fois *LA QUALITE CHANGE ET SE CONSERVE.* Plus généralement, lorsqu'on pousse jusqu'au bout l'analyse de cette « quantité qualitativement définie » qu'est la mesure en physique, on est nécessairement conduit à constater que poser une telle définition qualitative de la quantité (la mesure) implique qu'il y ait conservation de la qualité lorsque s'opère une transformation qualitative. Qu'est-ce-que cela veut dire, sinon que, *au fond de la réunion de la qualité et de la quantité, on trouve l'autre loi dialectique de l'interpénétration des contraires ?*

On pourra réfléchir sur le fait que c'est la partie consacrée à la théorie de la qualité et de la quantité chez Hegel, dans les *Cahiers philosophiques,* qui nous livre la très importante définition de Lénine :

« La dialectique est la théorie qui montre comment les *CONTRAIRES* peuvent être et sont habituellement (et deviennent) *IDENTIQUES* — dans quelles conditions ils sont identiques en se convertissant l'un en l'autre — pourquoi l'entendement humain ne doit pas prendre ces contraires pour morts, pétrifiés, mais pour vivants, conditionnés, mobiles, se convertissant l'un en l'autre. En lisant Hegel [12]... »

Pour les sciences physiques, ceci ne se comprend que si l'on saisit que *toute transformation n'est complètement traduite que si l'on sait en quoi consiste la conservation qui lui correspond ;* de *cette réunion naît la théorie de la mesure.*

---

12. Lénine, *Cahiers Philosophiques,* Editions sociales, 1955, p. 90.

Faire en sorte que chaque chose forme une unité avec son contraire, donc reconnaître d'abord les aspects contraires au sein du processus, puis les réunir en termes d'une loi de conservation, telle est la condition fondamentale du développement de la mesure, c'est-à-dire de la définition de quantités affectées de qualités appelées dimensions. Par conséquent la compréhension de la mesure, comme concept, nous conduit à revenir à l'étude de la matière sous l'angle du processus, de la transformation, du changement, du mouvement.

Comment faire apparaître, dans le processus, la permanence de la qualité dans le changement de la qualité afin de disposer d'une mesure ? En d'autres termes sur quoi se fonde la découverte d'une loi de conservation qui est nécessairement aussi qualitative que quantitative ? A de telles questions il n'existe évidemment pas de réponse exhaustive puisque l'affaire appartient dans chaque cas concret à une science concrète. Mais il semble possible de mettre en valeur un trait caractéristique de la démarche impliquée par cette forme de l'appropriation du quantitatif.

En effet, pour autant que nous sachions, il n'existe pas de loi de conservation qui ne soit, en quelque manière, reliée à des processus comportant un caractère de *REVERSIBILITE*. On voit mal, au demeurant, quel sens cela aurait de parler de la conservation d'une grandeur si les transformations qu'elle subit écartaient toute possibilité d'un retour à l'état initial. En dernière analyse la conservation ressort de ce que, après un cycle de transformation, ce qui était au début est aussi à la fin et de ce que l'on peut le constater.

Toutefois la notion de réversibilité d'un processus est tout le contraire de simple. Elle revêt des formes aussi variées que les processus concrets auxquels elle s'applique. Il arrive que l'on puisse la traduire en langage courant mais à un certain niveau théorique elle se présente sous forme abstraite, fortement mathématisée parfois, comme dans le cas de la théorie des groupes de symétrie [13].

D'un point de vue très général il nous paraît possible de dire qu'une transformation réversible est une transformation qui porte en elle sa propre négation. Cette proposition n'est nullement des-

13. E. BITSAKIS : Colloque d'Orsay, 1971, *Lénine et la pratique scientifique.*

tinée à en finir — philosophiquement parlant — avec la question de la réversibilité, mais plutôt à préciser le contenu dialectique du mouvement de la pensée qui aboutit à la formulation d'une loi de conservation : transformation, puis transformation inverse, c'est-à-dire négation, puis négation de la négation et découverte de ce qui se conserve dans ce qui est supprimé à chaque extrémité du va-et-vient.

Parlant de réversibilité, il ne nous est pas permis d'oublier que la transformation considérée a lieu parmi beaucoup d'autres dont elle n'est isolée que par une opération mentale. Ces autres transformations, en nombre infini, ne sont évidemment pas toutes tenues de satisfaire à des critères de réversibilité. Elles peuvent être de telle nature que nous soyons incapables de décider à coup sûr de ce qu'il en est; mais nous savons, de science sûre, qu'il existe des transformations irréversibles. Par conséquent l'importance qu'il faut accorder à la notion de réversibilité dans ses rapports avec la « mesure de chaque chose » ne doit pas nous faire perdre de vue son caractère relatif. Celui-ci est manifeste en physique lors de la spécification des quantités considérées comme négligeables au cours d'une transformation réversible.

Jusqu'ici nous avons parlé de la réversibilité qu'en termes généraux. Pour être plus explicite il est nécessaire de dire maintenant quelques mots de la notion *d'état*. En effet, si une transformation fait passer quelque chose d'un état à un autre, il est clair que dans le cas d'une transformation réversible nous devons savoir avec précision, en quoi consiste l'état, sous peine d'être incapables de reconnaître à la fin d'un cycle, le retour à l'état initial. Or la notion d'état est sujette à variations et éliminer toute ambiguïté dans la description d'un état n'est pas l'un des moindres problèmes posés aux sciences. Un état est en effet toujours défini de façon concrète, par exemple par la valeur particulière de certaines grandeurs impliquées dans la loi du processus. Mais dans cette définition n'entrent pas *toutes* les grandeurs susceptibles de varier au cours du processus, fait qui est à l'origine de bien des discussions sur le « déterminisme » ou la « nécessité ». En fait nous trouvons ici une abstraction de nature identique à celle qui isole mentalement une transformation donnée de l'ensemble des transformations qui s'accomplissent en même temps. L'état, quoique défini concrètement, est une abstraction qui réduit le processus à l'un de ses aspects.

Il faut encore ajouter que le fait de permettre ou d'imposer le retour à l'état initial n'est pas une propriété suffisante pour caractériser une transformation réversible. Le passage d'un état initial à un état final identique à l'état initial définit simplement un cycle. Si les changements qui affectent les grandeurs non-explicites dans la description de l'état ne sont pas négligeables, la transformation n'est pas réversible car les conditions qui président à la réalisation d'un nouveau cycle sont modifiées. Par contre, pour autant que nous sachions, il n'existe pas de transformation réversible qui ne contienne comme possibilité ou comme nécessité la réalisation d'un cycle, c'est-à-dire du retour à l'état initial.

Avant d'aller plus loin nous allons soumettre à la réflexion un exemple pris en économie. Ainsi verra-t-on que les notions de mesure et de conservation, ainsi que leur relation avec celles de cycle et de réversibilité, sont beaucoup plus générales que ne le laisserait supposer le recensement des domaines de la connaissance qui y ont ordinairement recours. Nous espérons aussi que cet exemple augmentera l'intérêt de ceux que leurs activités habituelles ne mettent pas en contact avec le vocabulaire spécialisé des sciences de la nature pour le thème de cette étude.

Les premières pages du *Capital* de Marx exposent très précisément ce que nous appelons une loi de conservation.

« Une marchandise particulière, un quarteron de froment, par exemple, s'échange dans les proportions les plus diverses avec d'autres articles. Cependant *sa valeur d'échange reste immuable* de quelque façon qu'on l'exprime [14]... »

Dans ce chapitre Marx développe, non pas une théorie de la mesure, mais la théorie de la valeur. Mais la valeur constituant une mesure particulière se rapportant aux marchandises, l'analyse de Marx peut être utilement considérée sous l'angle de son apport à la solution du problème général de la mesure.

Il faut alors avoir présente à l'esprit la remarque suivante : « Nous connaissons... la substance de la valeur : c'est le travail. Nous connaissons la mesure de sa quantité : c'est la durée du

14. K. Marx : *Le Capital,* Livre I, tome I, Editions sociales, 1967, p. 53.

travail... », mais : « Une chose peut être utile et produit du travail humain, sans être marchandise. Quiconque, par son produit, satisfait ses propres besoins, ne crée qu'une valeur d'usage personnelle. Pour produire des marchandises, il doit non seulement produire des valeurs d'usage mais des valeurs d'usage pour d'autres, des valeurs d'usage sociales [15]. » Donc la durée du travail nécessaire à la production d'un objet n'est pas de façon immanente la mesure de la valeur de cet objet.

La durée du travail devient *mesure* seulement pour autant que l'objet devienne marchandise, c'est-à-dire qu'il commence à subir une série d'échanges, appellation spécifique de ce que nous avons nommé jusqu'ici, en termes généraux, processus ou transformation. Puisque nous avons affaire à une loi de conservation, celle de la valeur, en quoi consiste la réversibilité de la série des échanges et quel rôle joue-t-elle dans l'apparition d'une mesure des objets échangés ? Telles sont les questions qui ont un rapport direct avec la théorie de la mesure.

Rappelons que Marx exprime les rapports de valeur sous forme d'équations du type :

20 mètres de toile = 1 habit [16]

et recourt à plusieurs étapes de son analyse à leur réciprocité, en d'autres termes à la *réversibilité* des actes d'échange qu'elles traduisent. C'est ainsi que, dans l'équation précédente la valeur relative de la toile est exprimée en équivalent « habit » et que « si maintement on lit à rebours cette équation, la toile et l'habit changent tout simplement de rôle [17] » ... Mais cette réversibilité n'a pas grande signification si l'on considère un seul acte d'échange. Aussi bien Marx nous dit-il qu'il est « difficile de fixer ici l'opposition entre les deux termes ».

Il en va autrement si l'on prend en considération l'ensemble des échanges possibles pour les vingt mètres de toile. C'est ce que fait Marx pour définir la forme développée de la valeur relative, exprimée par la série d'équations [18] :

20 mètres de toile = 1 habit
20 mètres de toile = 10 livres de thé

15. K. Marx : *Le Capital,* Livre I, tome I, Editions sociales, 1967, p. 56.
16. *Ibid.*, p. 63.
17. *Ibid.*, p. 80.
18. *Ibid.*, p. 76.

20 mètres de toile = 40 livres de café
20 mètres de toile = 2 onces d'or
20 mètres de toile = 1/2 tonne de fer
.... = ...

A chaque équation correspond ici un échange possible faisant intervenir la toile. De cette série Marx nous dit qu'elle n'est jamais close car de nouvelles marchandises apparaissent sur le marché. Cependant, considérant le marché à un moment donné, il est clair que le nombre de marchandises avec lesquelles peuvent s'échanger vingt mètres de toile, si grand soit-il, n'est pas infini. Par conséquent, si nous faisons momentanément abstraction de l'apparition ou de la disparition de marchandises, la valeur relative s'exprime par un nombre *fini* d'équations du type ci-dessus. Lorsqu'est écrite la liste complète de ces équations, la totalité des possibilités d'échange des vingt mètres de toile se trouve du même coup épuisée. Un acte d'échange de plus et les vingt mètres de toile reviennent à leur point de départ, à leur premier propriétaire. Cet acte supplémentaire s'exprimera donc justement par l'une des équations précédentes « lue à rebours », par exemple :

40 livres de café = 20 mètres de toile.

Nous avons alors un *cycle fermé,* un retour à l'« état initial » qui annule tous les échanges antérieurs subis par les vingt mètres de toile. Cette fermeture du cycle, négation de la circulation des marchandises, exprime complètement la conservation de la valeur en ceci que le premier propriétaire récupère exactement ce qu'il avait au début.

Fermeture du cycle d'échange et réversibilité des actes d'échange sont donc en étroite relation. Saisissant le processus dans son ensemble, Marx inverse simultanément toutes les équations de sa série, c'est-à-dire écrit toutes les façons possibles de fermer le cycle, c'est-à-dire encore exprime dans sa totalité la réversibilité du processus d'échange [19] :

$$\left.\begin{array}{ll} 40 & \text{livres de café} = \\ 10 & \text{livres de thé} = \\ 1 & \text{habit} = \\ 2 & \text{onces d'or} = \\ 1/2 & \text{tonne de fer} = \end{array}\right\} \text{20 mètres de toile}$$

et parvient ainsi à la forme générale de la valeur, une marchandise

19. *Ibid.*, p. 78.

unique servant d'équivalent général à toutes les autres. Nous voyons ici comment un processus — la circulation des marchandises — qui se réalise de façon irréversible sous peine de se nier lui-même et, dans le cas présent, de perdre sa signification sociale contient cependant la propriété de réversibilité pour chacun de ses éléments (ici chaque acte d'échange) comme pour le processus tout entier qui tendrait à chaque instant à se refermer sur lui-même si de nouvelles marchandises ne faisaient leur apparition sur le marché. Nous constatons aussi que l'on se saurait se passer de cette propriété de réversibilité pour l'étude quantitative du processus.

Revenant maintenant à la physique qui est, par excellence, la science quantitative de la nature, nous n'avons pas lieu d'être surpris de la place qu'y tient le concept de réversibilité. Celui-ci y revêt tant de formes que nous ne tenterons même pas d'en dresser le catalogue. Nous ne nous intéresserons qu'à quelques aspects du problèmes ayant trait à la conservation de l'une des plus fondamentales des grandeurs physiques, l'énergie.

D'une part la loi de conservation de l'énergie est bien connue ; d'autre part *la plupart des lois de la physique sont réversibles par rapport au temps,* c'est-à-dire, si l'on nous permet l'expression, qu'elles ignorent l'existence d'un passé et d'un futur. Ce cas est celui des lois de la mécanique classique, des équations de propagations du champ électromagnétique, de l'équation de Schrödinguer etc. Qu'est-ce que cela signifie et quel lien existe-il entre les deux faits ?

La mécanique classique a pour objet l'étude des trajectoires, des vitesses et des accélérations des corps macroscopiques possédant une masse. Elle connaît deux formes d'énergie et deux seulement : l'énergie cinétique qui, comme son nom l'indique, exprime le mouvement et l'énergie *potentielle* dont les manifestations ne sont pas immédiates mais qui est toujours prête à se convertir en énergie cinétique. Par ailleurs, en mécanique classique la notion d'état d'un système est particulièrement simple. Si le système est formé de points matériels — et l'on peut toujours se ramener à ce cas —, son état est entièrement défini par les positions et les vitesses de ces points. Par conséquent il est également très simple de définir un cycle. Un cycle aura été accompli lorsque tous les points du système auront retrouvé leurs positions initiales et, simultanément, repris leurs vitesses initiales. De tels cycles sont réalisés de façon continue dans les mouvements à caractère périodique.

Lorsque la mécanique considère des systèmes qui décrivent un cycle de façon continue elle n'a nullement en vue des systèmes auxquels on fournit de l'énergie pour ce faire. En fait le mouvement perpétuel constitue un concept théorique essentiel de la mécanique. Il est fondé sur l'abstraction selon laquelle un système *en mouvement* peut être considéré comme énergétiquement isolé de tout autre système. La justification de cette abstraction est expérimentale ; elle est suggérée d'abord par le mouvement des corps célestes et notamment des planètes ; elle trouve une autre justification dans la possibilité de réaliser des mouvements, par exemple pendulaires, dont les oscillations sont entretenues au moyen d'une quantité d'énergie très faible, beaucoup plus faible que l'énergie des mouvements eux-mêmes.

Considérons donc un système ne recevant ni ne perdant d'énergie mais animé cependant d'un mouvement cyclique. Pour la simplicité supposons que ce système soit l'extrémité pesante d'un pendule décrivant alternativement un arc de cercle vers la droite, puis un arc de cercle vers la gauche, etc. Au point le plus bas de sa course l'extrémité du pendule possède sa vitesse maximale, à laquelle est attachée une certaine valeur de l'énergie cinétique. Mais en haut de la course, à droite ou à gauche, la vitesse est nulle et, par conséquent, l'énergie cinétique aussi. Or lorsque, au cours de l'oscillation suivante, le pendule repasse au point le plus bas il retrouve l'intégralité de son énergie cinétique comme peut le montrer n'importe quelle mesure de sa vitesse. Comme rien ne lui est fourni ni ôté durant son mouvement c'est que l'énergie cinétique, lorsqu'elle disparaît, se transforme en ce que l'on nomme énergie potentielle, susceptible à son tour de se reconvertir en énergie cinétique. D'où l'une des formes du principe de conservation de l'énergie : l'équivalence de l'énergie cinétique et de l'énergie potentielle.

Nous voyons avec cet exemple le rapport intime qui existe entre cycle et loi de conservation. Nous pouvons en tirer autre chose encore. Dans le cas particulier du mouvement pendulaire le cycle se décompose en deux parties identiques mais parcourues en sens inverses : la même courbe est décrite alternativement de gauche à droite puis de droite à gauche. Or que se passe-t-il lorsque l'on inverse le signe du temps dans les expressions mathématiques décrivant ce mouvement ? La trajectoire reste la même, mais la direction du mouvement s'inverse. Par conséquent changer le signe du temps — remplacer le futur par le passé — c'est échanger les deux demi-cycles du mouvement, mais ce n'est pas changer le mouvement lui-même. Autrement dit, dans un mouvement comme celui que nous venons de décrire, les notions de passé et de futur n'ont pas de sens. Le « sens d'écoulement » du temps peut être choisi arbitrairement. On dit que les équations du mouvement sont symétriques par rapport à une inversion du temps.

Nous approchons ici du fond de la notion de réversibilité. Lorsque nous considérons le cycle accompli dans un mouvement pendulaire nous obtenons la conservation de l'énergie de façon globale, pour un cycle complet. Mais la transformation de l'énergie cinétique en énergie potentielle s'effectue de façon continue au cours de ce cycle. La conservation de l'énergie doit donc apparaître, non seulement pour l'intervalle de temps, peut-être assez grand, correspondant à un cycle, mais pour tous les intervalles de temps infinitésimaux en lesquels le cycle peut être décomposé ! Pour cela il faut qu'à chaque déplacement infiniment petit dans un sens puisse correspondre un déplacement inverse afin que, théoriquement au moins, un cycle infiniment petit soit possible. Cela signifie que les équations du mouvement doivent être construites de façon telle que « si dans un système un mouvement quelconque est possible, le mouvement inverse sera toujours possible, c'est-à-dire un mouvement tel que le système passe à nouveau par les mêmes états dans l'ordre inverse [20]. » C'est ce qu'exprime l'invariance des lois de la mécanique par rapport à un changement de signe du temps, invariance dont la portée est, bien entendu, générale et non limitée à l'exemple traité ici.

De ce qui précède résulte que si les lois de la mécanique étaient les lois universelles du mouvement de la matière, le passé pourrait être indifféremment pris pour le futur et réciproquement. Les notions de passé et de futur s'impriment dans le concept de temps parce qu'existent des processus irréversibles d'autant plus

---

20. I. Landau et E. Lifchitz : *Mécanique,* Ed. langues étrangères, 1960, p. 18.

apparents à l'homme qu'ils concernent directement sa vie. Mais il convient, pensons-nous, de reconnaître que la base objective de la réversibilité du temps est aussi forte que la base objective de son irréversibilité. La réversibilité du temps est en effet l'un des fondements de la « relation précise » du quantitatif au qualitatif, c'est-à-dire de la mesure. Il n'y a donc pas à choisir entre temps réversible et temps irréversible. Le temps est un concept contradictoire en ce qu'il reflète certain aspect du mouvement, lui-même contradictoire.

N'oublions pas cependant que c'est seulement par abstraction qu'un système est considéré comme énergétiquement isolé du milieu ambiant. Tout gain ou toute perte d'énergie, si petite soit-elle, modifie le système qui cesse alors d'être parfaitement cyclique. Son évolution prend un caractère irréversible, mais cette irréversibilité peut ne se manifester que très lentement.

Nous allons voir maintenant que ces limitations à une réversibilité absolue des processus naturels ne constituent pas le seul apport de la physique à la notion d'irréversibilité. Il semble toutefois que, fortement préparée par son incomparable expérience du quantitatif à démêler les évolutions cycliques et réversibles, la physique n'avance pas sans trébucher lorsqu'elle quitte son terrain favori. En témoignent les avatars du concept d'entropie !

Contrairement à l'énergie, l'entropie n'est pas une grandeur dont les manifestations soient immédiates pour l'expérience la plus courante. Il est donc plus difficile d'en faire saisir la signification par des exemples simples. Mais l'entropie est la grandeur que la physique a découverte pour caractériser *l'évolution irréversible* des systèmes qu'elle étudie. Il s'avère que l'étude des variations de cette grandeur est d'une grande efficacité pour comprendre nombre de phénomènes physico-chimiques et que son champ d'application s'étend de plus en plus à la biochimie, voire à la biologie. Nous ne pouvons donc nous passer d'un bref examen de ce qu'est l'entropie, de ses rapports avec les sauts qualitatifs, afin de préciser ce que l'on entend actuellement par irréversibilité dans les sciences de la nature.

Il nous paraît important de commencer par noter que, quant au fond, l'entropie n'est pas une mesure, au sens donné à ce mot jusqu'ici, mais une grandeur relevant du *dénombrement*[21]. S'il s'agit de dénombrement c'est que l'on compte quelque chose. Mais quoi ? Nous avons déjà parlé de la notion d'état ; il nous faut y revenir car le dénombrement porte ici sur des états microscopiques différents, susceptibles de réaliser un même état macroscopique.

Par état macroscopique on entend par exemple ceci : un gaz occupant un volume donné, à une pression donnée, se trouve à une température donnée. Volume, pression, température sont des grandeurs dont la valeur détermine un *état macroscopique*. Mais ce gaz est composé d'un très grand nombre de molécules que nous supposons, à l'échelle macroscopique, être de minuscules points matériels possédant une masse et auxquelles s'appliquent les lois de la mécanique que nous avons évoquées précédemment. A tout instant chaque molécule a une position et une vitesse et se trouve donc dans un état tel que nous l'avons défini à propos de la mécanique. L'ensemble des états de toutes les molécules constitue *l'état microscopique* du gaz qui est donc défini par les positions et les vitesses de toutes ses molécules.

Il est facile de comprendre que l'état microscopique du gaz détermine son état macroscopique : la pression du gaz n'est qu'une manifestation de la vitesse de ses molécules et sa température, une expression de leur énergie moyenne. Mais l'inverse n'est pas vrai car *un très grand nombre d'états microscopiques différents produit le même état macroscopique*. Cela vient de ce que pression et température sont des grandeurs moyennes et qu'il existe un nombre énorme de combinaisons de vitesses ou d'énergies des molécules qui donnent les mêmes valeurs moyennes de pression et de température du gaz. Ce nombre — plus précisément son logarithme — est l'*entropie* du milieu considéré.

Ceci dit, il existe une relation entre le degré d'ordre d'un système et son entropie parce que plus un système est ordonné et moins est grand le nombre de combinaisons de positions et de vitesses qu'il est susceptible de réaliser à l'échelle microscopique.

---

21. En thermodynamique classique l'entropie a une dimension, ce qui lui donne l'apparence d'une mesure ; mais ceci résulte du fait contingent que les températures sont indiquées en degrés et non en unités d'énergie ; l'entropie a alors la dimension de la constante de Boltman ; avec le développement de la physique des très hautes températures, celles-ci sont de plus en plus souvent exprimées en unité d'énergie.

L'exemple extrême serait celui d'un corps au zéro absolu de température : toutes ses molécules seraient immobiles aux positions régulièrement espacées, fixées par l'état cristallin ; du point de vue des seules vitesses, le nombre d'états microscopiques possibles serait égal à un, puisqu'une seule vitesse serait permise et qu'elle serait nulle. Augmentons la température : les molécules commencent à osciller autour de leurs positions initiales et leurs vitesses peuvent se combiner de toutes les façons possibles au sein d'un même état macroscopique ; l'entropie croît alors comme le logarithme du nombre de ces combinaisons. Augmentons encore la température : le cristal se liquéfie car les oscillations ont pris trop d'amplitude pour que les molécules restent au voisinage de leurs anciens emplacements. De nouvelles possibilités apparaissent pour les états microscopiques et cela se traduit par une nouvelle augmentation de l'entropie. Celle-ci peut donc être comprise comme un indice du degré d'ordre du système.

D'autre part le degré d'ordre d'un système est étroitement relié à ses propriétés qualitatives. Dans l'exemple ci-dessus, l'ordre rigoureux des molécules dans le solide se transforme en un désordre relatif dans le liquide. Le saut qualitatif consiste dans une transformation des lois macroscopiques auxquelles obéit le système, par exemple lois de l'hydrodynamique pour l'écoulement du liquide, mais lois de l'élasticité pour les propriétés mécaniques du solide. L'entropie, disions-nous, est un indice du degré d'ordre qui lui-même conditionne l'état qualitatif du système. Il en résulte que *la variation d'entropie doit être considérée comme l'expression* — non l'expression en général mais l'expression « précise » — de *l'accumulation des changements quantitatifs microscopiques qui provoque les sauts qualitatifs au niveau macroscopique* [22].

Nous pouvons aborder maintenant la discussion des lois d'irréversibilité telles qu'elles se présentent dans les sciences de la nature. Ces lois sont énoncées d'une façon extrêmement concise,

22. Cette accumulation ne peut être exprimée que pour autant que les états microscopiques sont bien définis. Pour généraliser la loi de l'accumulation quantitative aux changements qualitatifs s'opérant au niveau microscopique il faut connaître un niveau submicroscopique. Actuellement il existe une limite au niveau des particules « élémentaires ». C'est en ce sens que j'ai écrit dans la préparation du colloque du C.E.R.M. sur « Lénine et la pratique scientifique » que la loi de l'accumulation quantitative est battue en brèche au niveau quantique.

sous la forme du Second Principe de la Thermodynamique qui dit que la variation d'entropie d'un système isolé ne peut jamais être négative. Autrement dit, pour un système qui n'échange ni matière, ni énergie avec son environnement, l'entropie est soit croissante, soit constante.

Dans ce dernier cas, on dit du système qu'il est l'équilibre. Dans un système à l'équilibre s'accomplissent d'innombrables processus microscopiques, mais le système global n'évolue pas. En particulier, il ne subit pas de transformations qualitatives. Mais l'état d'équilibre peut être réalisé par la présence simultanée et durable de deux formes qualitativement différentes, normalement appelées à se transformer l'une en l'autre. Cette remarque a son importance pour préciser la notion de saut qualitatif. Il est commun d'associer à la notion de saut l'idée de soudaineté, voire de violence. En fait la notion de saut traduit seulement une rupture qualitative, le passage d'un type de propriétés à un autre type de propriété. Que cette rupture s'effectue de façon lente et progressive dans le temps ou avec rapidité et brusquerie est une affaire de cas d'espèce. Dans l'état d'équilibre les deux phases coexistent indéfiniment.

Nous ne nous attarderons pas sur les applications du Second Principe qui dérivent directement de l'énoncé donné plus haut, en dépit de l'importance que semble retrouver périodiquement leur extrapolation philosophique prédisant la mort thermique de l'Univers. Des éléments de réflexion d'un intérêt très supérieur nous sont en effet fournit par une branche récente de la physico-chimie sur laquelle J. L. Martinand a déjà attiré l'attention [23]. Il s'agit de la Thermodynamique des processus irréversibles [24].

Considérons à nouveau la question des sauts qualitatifs. Pour tous les cas étudiés jusqu'à présent par la physique et la chimie, un saut qualitatif peut, en principe du moins, s'opérer dans les deux sens. Ainsi peut-on passer de l'état liquide à l'état solide et inversement autant de fois qu'on le veut. De même peut-on synthétiser ou dissocier une molécule. Mais qu'en est-il de l'entropie

---

23. J.-L. Martinand : Colloque d'Orsay, 1971, *Lénine et la pratique scientifique*.

24. I. Prigogine : *Introduction à la thermodynamique des processus irréversibles*, Dunod, 1968.

P. Glandsdorf et I. Prigogine : *Structure, stabilité et fluctuation*, Masson, 1971.

dans des transformations aller-retour de cette sorte ? On ne peut plus raisonner ici sur l'entropie d'un système isolé car ces transformations successives nécessitent un rapport extérieur d'énergie, voire de matière. Puisque le système est ouvert aux échanges, il échange aussi de l'entropie avec l'extérieur. L'irréversibilité se manifeste alors par le fait que les modifications internes d'un système en cours d'évolution sont *PRODUCTRICES D'ENTROPIE.* Leur contribution à l'entropie totale du système est toujours positive si elle n'est pas nulle.

Que cela signifie-t-il ? Que des sauts qualitatifs peuvent s'effectuer dans les deux sens et que l'état qualitatif primitif peut être reproduit mais aussi que *chaque saut qualitatif apporte une une modification définitive à l'ordre microscopique des choses.* L'augmentation d'entropie produite par l'évolution du système — entropie dont tout ou partie est évacuée vers le milieu extérieur — est *l'empreinte indélébile* de cette évolution sur le milieu. Non seulement l'accumulation quantitative représentée par l'accroissement d'entropie provoque des sauts qualitatifs, mais ceux-ci, en retour, contribuent à l'accumulation de nouveaux changements quantitatifs, accumulation que n'efface pas le saut qualitatif inverse s'il se produit. Tel est, pensons-nous, le sens profond de l'irréversibilité thermodynamique.

L'augmentation d'entropie consécutive à l'évolution des systèmes a été considérée longtemps comme un phénomène purement négatif parce qu'elle semblait conduire inéluctablement vers des états d'équilibre où l'entropie cessait de croître et le système d'évoluer. Cette difficulté vaut la peine qu'on s'interroge un instant sur les raisons qui l'ont rendue si malaisée à surmonter. Nous avons dit que la valeur de l'entropie est donnée par le dénombrement des états microscopiques susceptibles de donner un même état macroscopique. Le contenu de l'entropie c'est uniquement ce nombre. La connaissance de l'entropie ne dit rien sur la nature — la qualité — des états microscopiques dénombrés. Elle ne permet donc pas de prévoir ce qui résultera dans tel ou tel cas concret d'une addition extérieure d'entropie car, dans chaque cas, ce qui se passe dépend à la fois du système récepteur d'entropie et de la nature des états microscopiques en cause.

Mais on connaît et on étudie un nombre croissant de situations physico-chimiques qui témoignent de la réutilisation de l'accumulation quantitative exprimée sous forme d'un accroissement d'entropie. Ainsi étudie-t-on des réactions « couplées » se produisant au sein d'un système globalement producteur d'entropie mais au sein duquel un des processus chimiques « consomme » une partie de l'entropie produite par l'autre. Il peut même se faire que l'entropie totale du système reste constante, l'entropie produite s'évacuant complètement vers l'extérieur. Des structures stables *MACROSCOPIQUEMENT ORDONNEES* parviennent alors à se former dans des conditions complètement différentes de l'équilibre thermodynamique. Ce sont les « structures dissipatives », étudiées notamment par Prigogine, qui constituent un nouveau type d'états qualitatifs de la matière. Afin de marquer la limite actuelle des connaissances et les horizons qu'elles découvrent, citons Prigogine lui-même : « Même si jusqu'ici nous n'avons pas une véritable théorie systématique, l'existence très réelle d'instabilités conduisant à des structures dissipatives est, nous le croyons, d'une portée considérable... il est difficile d'éviter le sentiment que de telles instabilités reliées aux processus dissipatifs pourraient jouer un rôle essentiel dans les processus biologiques et spécialement dans les premières étapes de la biogénèse. »

Résumons-nous. L'analyse des rapports qualité-quantité à l'aide de matériaux postérieurs à l'œuvre de Hegel comme à celle d'Engels suggère d'établir une nette distinction entre dénombrement et mesure. La mesure fait apparaître une qualité nouvelle, la dimension d'une grandeur, dont on ne peut dire qu'elle soit une propriété aussi immédiate que la qualité en général, telle que la définit Hegel. La mesure se fonde, en dernière analyse, sur ce qu'il y a de réversible dans un processus. Dans le processus réel, réversibilité et irréversibilité sont étroitement unies. Ce double caractère a des conséquences pour le concept de temps. Ce que nous en avons dit vient en complément d'une étude antérieure [25].

Les processus que nous isolons par la pensée sont plus ou moins fortement marqués par l'un ou l'autre des caractères de réversibilité et d'irréversibilité. Il s'agit non seulement de décou-

25. P. Jaeglé : *Essai sur l'espace et le temps*, Editions sociales, 1976.

vrir, dans chaque cas, ce qui l'emporte — ce qui suppose une définition précise des états, des systèmes étudiés — mais plus encore, de découvrir ce qui est réversible dans le processus réel, même alors que la réversibilité ne serait que son caractère secondaire, afin de pouvoir développer l'étude quantitative du processus jusqu'à la forme achevée de la mesure.

De plus l'accumulation quantitative nous apparaît comme l'expression précise de l'irréversibilité puisque, comme le montre le comportement de l'entropie, elle n'est pas effacée par le retour, à son état primitif, d'un système qui a subi des ruptures qualitatives d'apparence réversible. On peut s'interroger sur les chances que l'entropie, ou une grandeur dérivée, possède de devenir une mesure au vrai sens du terme. Cette question est notamment posée par le développement de la biologie qui formule de façon encore imprécise une loi d'invariance génétique. Parmi les difficultés que l'on peut s'attendre à rencontrer s'en trouve une que nous avons mentionnée : une estimation de l'accumulation quantitative par l'augmentation d'entropie ne dit rien, ou presque, sur la qualité, la nature, des changements quantitatifs accumulés. Nous nous trouvons peut-être en présence d'un nouvel aspect des rapports qualité-quantité que des recherches à venir devront élucider. L'aspect mathématique de la question existe aussi dans la théorie de l'information pour laquelle l'évaluation d'une quantité d'information, en bits, ne dit rien par elle-même sur la nature de l'information transmise ou à transmettre.

MATERIALISME ET DIALECTIQUE

Georges LABICA

Avertissement

Il ne s'agira pas ici de proposer une réflexion de caractère général sur *matérialisme et dialectique,* mais de reconnaître chez Lénine la fonction du *critère matérialiste,* au fondement de ce que j'ai caractérisé ailleurs comme sa *pratique politique,* (cf. « Lénine et la pratique politique », dans *Lénine et la pratique scientifique,* Editions sociales, C.E.R.M., Paris 1974). Le lecteur voudra donc bien tenir compte de ce qu'il a affaire à un moment dans une recherche : présupposition du moment antérieur, absence (relative) du moment suivant ; d'un mot qui n'est ni une excuse, ni une dérobade : une hypothèse de travail... au travail.

Supposons connu le contexte politique et idéologique (le populisme notamment) du jeune Lénine et entrons dans le vif.

Ce que sont les Amis du Peuple, premier exposé léniniste systématique du marxisme, est un texte dont la rédaction elle-même ne se comprend que par rapport à la pratique politique qui le porte. Préparé, depuis 1892, par plusieurs travaux soumis à la discussion dans les cercles marxistes de diverses villes, il répond à une triple préoccupation, polémique, pédagogique et théorique qui se retrouvera dans les autres œuvres importantes et qui caractérisait déjà les entreprises de Marx et Engels. Conjonction de la réflexion et de la vie, liaison du cabinet et de la rue, relation de l'histoire immédiate, de ses accidents et des individus qui les incarnent à la conception d'ensemble par où elle devient intelligible, au niveau de la pensée comme au niveau de l'action, telle est sans doute la plus visible « originalité » des œuvres marxistes ; le moins que l'on puisse dire est qu'elle n'est pas le fait du discours ordinaire de la philosophie. Cette difficulté est propédeutique ; nulle lecture ne la pourra négliger.

L'ouvrage se compose de trois fascicules dont le premier est le plus important [1].

Lénine y répond à la critique du marxisme faite par M.N. Milkhaïlovski dans les revues *Rousskoïé Bogatstvo* (La Richesse russe) et *Otétchestvennyé Zapiski* (Annales de la patrie) dont il était rédacteur en chef. Milkhaïlovski était un intellectuel populiste en vue ; sociologue, ses analyses, consacrées au *Capital* notamment, rencontraient une assez large audience. Tout en faisant l'éloge de l'ouvrage de Marx, il assurait n'y avoir trouvé nulle part exposée la conception matérialiste de l'histoire [2] et en définissait la méthode comme marquée du « caractère absolu du processus dialectique ». Cela lui permettait, tout en admettant le bien-fondé de certains acquis du « matérialisme économique », de contester sa portée d'ensemble et sa nouveauté et, partant, de confirmer la validité des principes d'une sociologie subjective.

En face, l'argumentation de Lénine se développe en deux mouvements :

— le premier concerne « l'objet » de Marx (A).

— le second concerne « la méthode » (B).

A. L'idée du « matérialisme en sociologie »

Lénine se fait d'abord lecteur de Marx, au premier chef du *Capital,* en insistant avec force sur les deux traits qui lui paraissent essentiels, savoir que Marx ne parle que « d'une seule formation

1. Tome I pp. 147-220 ; le 2e fascicule qui visait un populiste libéral du nom de Ioujakov a été perdu ; le 3e, pp. 221-360, contre Krivenko, concerne le programme des populistes et l'analyse sociale de la Russie.

2. On rappellera qu'à l'époque même où Lénine écrit son ouvrage, Plékhanov compose son *Essai sur le développement de la conception marxiste de l'histoire,* qui paraîtra en 1895 et connaîtra un large succès. La finalité des deux textes, est, on le voit, en bonne partie la même.

Sur Mikhaïlovski, voir notre article de *La Pensée,* 1974, nº 177, « Marxisme et specificité ».

économique de la société, la formation capitaliste [3] » et que « le développement des formations économiques de la société est un processus d'histoire naturelle [4]. La « société moderne », tel est l'objet propre du *Capital*.

Nous disions, un peu plus haut, qu'à vingt trois ans Lénine avait « assimilé » le marxisme, est-il illégitime d'en trouver là confirmation, quand les termes mêmes qu'utilise Lénine recouvrent ceux des *Fondements* — texte que cependant il ignorait ? « La production bourgeoise moderne— écrivait Marx — qui représente, au fond, notre sujet [5]. »

Et Lénine s'attache à établir que Marx est parvenu à cet énoncé « en étudiant à part, parmi tous les rapports sociaux, les rapports de production considérés comme fondamentaux, primordiaux et déterminants tous les autres rapports [6] ». Il montre, en citant *in extenso* le texte de la préface à la *Contribution à la critique de l'économie politique* [7] que le « génie » de Marx c'est précisément « cette idée du matérialisme en sociologie [8] ». Il insiste sur le fait qu'avant Marx cette idée n'était encore qu'une hypothèse en contradiction avec ce que les hommes pensaient de leur propre devenir, tandis qu'avec Marx le matérialisme, en mettant à jour les rapports de production comme structure de la société,

---

3. Tome I p. 150 ; la même idée est constamment reprise : pp. 160, 161, 162, 194, 195, 199, 209, etc.

Précisons que nous préférons l'expression « formation économique de la société » à celles de « formation économico-sociale » ou « socio-économique » ou « économique et sociale » pour transcrire *ökonomische Gesellschafts-formation* (chez Lénine et après lui : *obscestvenno-ekonomiceskaja formacija*). Nous nous en sommes expliqué dans notre article. « Quatre observations sur les concepts de mode de production et de formation économique de la société », dans *La Pensée*, nº 159, oct. 1971, p. 89 ; nous nous permettons d'y renvoyer.

4. Tome I, p. 152, aussi 161, 178 ; l'usage de cette expression « processus d'histoire naturelle » mériterait examen ; on notera que Lénine lui demeure attaché puisqu'il la reprendra en 1917 encore, c'est-à-dire après sa lecture de Hegel, dans *l'Etat et la révolution* (cf. t. XXV pp. 495 et 509).

5. *Fondements de la critique de l'économie politique*, Ed. Anthropos, t. I, p. 13.

6. Tome I, p. 152.

7. C'est là l'aspect proprement *pédagogique* du travail de Lénine, faire connaître les textes, les citer, donner leurs références précises, les commenter. *L'Etat et la révolution* en sera un parfait exemple.

8. Tome I, p. 153.

produit le « critère scientifique général de la répétition [9] », demeuré jusqu'alors célé par l'intérêt exclusif accordé aux rapports sociaux idéologiques. Grâce à l'élaboration du concept de « formation sociale » dans lequel Lénine voit l'apport décisif, on passe de la simple description à la science. Mais *Le Capital* ne se réduit nullement à ce « squelette », il le revêt au contraire « de chair et de sang » en analysant les superstructures correspondant aux rapports de production [10]. Comment dès lors peut-on prétendre n'avoir pas trouvé le matérialisme dans *Le Capital* ou se donner tant de mal pour affirmer qu'il n'est question de matérialisme « économique » que dans un seul texte d'Engels — *L'Origine de la famille, de la propriété privée et de l'Etat* [11] ? « Mais où avez-vous été chercher, dans les œuvres de Marx et Engels qu'ils parlaient nécessairement d'un matérialisme économique ? Définissant leur conception du monde, ils l'appelaient simplement matérialisme [12]. » Défendant ensuite le déterminisme qui « n'abolit ni la raison, ni la conscience de l'homme » et « l'idée de nécessité historique (qui) n'infirme en rien le rôle de la personnalité dans l'histoire [13], Lénine peut qualifier les conceptions de Mikhaïlovski de « bourgeoises » en prenant ce mot comme synonyme de « métaphysique » ou « non-scientifique », par oppositon à celles de Marx qui prononcent précisément la rupture d'une science avec la métaphysique par laquelle, comme toute science, elle a commencé [14].

Pour répondre à Mikhaïlovski caractérisant le « matérialisme économique » par ce qu'il appelle ses « deux piliers », l'importance déterminante des forces de la production et de l'échange et le caractère absolu du processus dialectique [15], Lénine va main-

9. Tome I, p. 154.

10. *Ibid.*, p. 156.

11. Sur la connaissance qu'a Lénine, dès cette époque, des œuvres de Marx et Engels, on relève, dans le seul ouvrage, *Ce que sont les Amis du Peuple : Le Capital, La Contribution, Le Manifeste, Misère de la philosophie, L'Origine, L'Anti-Dühring, La Question du logement.*

12. Tome I, p. 157, souligné par nous. G.L.

13. *Ibid.*, p. 175.

14. *Ibid.*, p. 158.

15. *Ibid.*, p. 179.

tenant se faire lecteur d'Engels. Voici le sens de sa démonstration : un chapitre d'Engels a servi de « prétexte » à Mikhaïlovski, or « Engels dit que Marx n'a jamais songé à « prouver » quoi que ce soit par les triades hégéliennes ; qu'il n'a fait qu'étudier et analyser le processus réel ; que, pour Marx, le seul critère d'une théorie était sa conformité avec la réalité [16] ».

Nous allons nous efforcer de reconstituer la démonstration de Lénine à travers deux lectures parallèles, celle d'Engels, directe, et celle de Lénine lisant Engels.

On partira des rapports schématisés suivants :

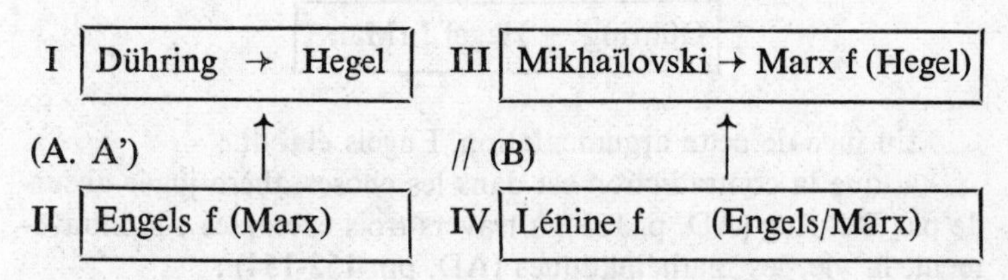

NB : → : « contre » ; f ( ) : « fonction de » ; // : « parallèle à ».

La problématique serait la suivante : la critique de Mikhaïlovski par Lénine répèterait la critique de Dühring par Engels sur un même objet, le rapport Marx/Hegel. Ce qui paraît bien être l'intention avouée des deux textes :

— F. Engels reproche à Dühring « la bévue d'identifier la dialectique de Marx avec celle de Hegel » [17].

— Lénine fait grief à Mikhaïlovski de « revenir sur l'accusation rebattue selon laquelle le marxisme accepterait la dialectique hégélienne » [18].

La question se posera cependant de savoir si les rapports I / III, II/IV et I/III sont identiques.

— —
II IV

---

16. *Ibid.*, p. 179 ; le chapitre d'Engels dont il est question ici est le ch. XIII de l'*Anti-Dühring*, intitulé *Dialectique : Négation de la Négation.*

17. *Anti-Dühring*, Editions sociales, Paris, 1950, p. 155.

18. Tome I, p. 179.

Nous allons suivre, en les ramenant à leurs énoncés essentiels, les deux démonstrations.

(*A*) Démonstration d'Engels ou ch. XII de AD [19]

Pour Dühring, la dialectique de Hegel révèle une absurdité générale (AD, p. 151) et particulièrement « l'idée nébuleuse et confuse de Hegel selon laquelle la quantité se change en qualité » (*ibid.*, p. 156). Or, pour le même Dühring, la dialectique à l'œuvre dans le *Capital* n'est pas autre chose que celle de Hegel ; notre I se lit donc

Dühring ⇸ Hegel f (Marx)

En face de cette argumentation, Engels établit :

a. que la contradiction est dans les choses, thèse jugée absurde par Dühring (AD, p. 151), à travers trois exemples : le mouvement, la vie, les mathématiques (AD, pp. 152-154) ;

b. que la loi du passage de la quantité à la qualité est vraie ; exemples : la production de la plus-value relative, dans le *Capital*, qui « prouve » la loi hégélienne et n'en est pas, contrairement à ce qu'avance Dühring, une conséquence (*ibid.*, p. 158) ; les corps chimiques (*ibid.*, pp. 158-159) ; Napoléon et la cavalerie (*ibid.*, p. 160).

Conclusion : le rétablissement de Hegel contre Dühring (*ibid.*, p. 159) est celui-là même de Marx. En conséquence, notons-le, la question de la différence entre la dialectique de Hegel et celle de Marx n'est pas posée.

(*A'*) Démonstration d'Engels au chapitre XIII de AD

Poursuivant sa dénonciation du recours de Marx à « la béquille dialectique », Dühring assure que la négation de la négation empruntée directement à Hegel joue, dans le *Capital*, le rôle d'une véritable accoucheuse (AD, p. 161).

Engels, procédant à l'examen d'un passage du *Capital* où

---

19. AD : *Anti-Dühring* ; le chapitre de cet ouvrage qui, selon Lénine, sert à « prétexte » à Mikhaïlovski, est le chapitre XIII, mais le chapitre XII, auquel Lénine fait d'ailleurs des allusions, ne peut en être dissocié ; ils sont tous deux consacrés à la dialectique.

Marx évoque lui-même « la négation de la négation »[20], établit que « Marx démontre simplement par l'histoire », « le processus, — écrit-il —, est un processus historique, et s'il est en même temps dialectique ce n'est pas la faute de Marx » qui se borne, lui, à désigner cet « en même temps » (AD, p. 165). Cette précision permet à Engels d'affirmer d'une part que Marx n'est que « soi-disant hégélien » (*ibid.*, p. 163) et d'autre part que la dialectique ne peut être tenue « pour un instrument de pure démonstration » (*ibid.*, p. 165). Il ajoute qu'un tel jugement, « instrument de pure démonstration », ne vaut même pas de la logique formelle en ce qu'elle « est avant tout une méthode pour trouver des résultats nouveaux », (*ibid.*)[21]. A partir de quoi il passe à une exposition plus générale de la négation de la négation sur les exemples suivants : le grain d'orge (*ibid.*, p. 166), les insectes (p. 167), les mathématiques (p. 168), l'histoire de la propriété (pp. 168-169), la philosophie (p. 169) et Rousseau (pp. 169-170).

En conclusion :

a. la généralité de la « loi » de la négation de la négation est affirmée (p. 171).

b. la dialectique est définie comme n'étant rien d'autre que « la science des lois générales du mouvement et du développement de la nature, de la société humaine et de la pensée » (p. 172). A Hegel enfin revient le mérite d'avoir été le premier à reconnaître et à formuler la « loi » contestée par Dühring (p. 173).

Pour notre part, constatons que cette démonstration (A') a fait progresser par rapport à la démonstration (A), car de la

---

20. *Capital* I, t. III, Editions sociales, p. 205 : « L'appropriation capitaliste, conforme au mode de production capitaliste, constitue la première négation de cette propriété privée qui n'est que le corollaire du travail indépendant et individuel. Mais la production capitaliste engendre elle-même sa propre négation avec la fatalité qui préside aux métamorphoses de la nature. C'est la négation de la négation. Elle rétablit non la propriété privée du travailleur, mais sa propriété individuelle, fondée sur les acquis de l'ère capitaliste, sur la coopération et la possession commune de tous les moyens de production, y compris le sol... »

21. On relèvera qu'au passage Engels présente le rapport logique formelle/dialectique comme analogue au rapport mathématiques élémentaires/mathématiques supérieures ; on sait que cette relation renvoie chez lui à une autre, entre métaphysique, comme « mode de pensée courant », et dialectique (AD, p. 152, 154 ; cf. aussi *Dialectique de la nature*, Editions sociales, *op. cit.*, pp. 214 et 217).

simple défense de Hegel, face aux incompréhensions de Dühring, on est venu à la considération de la dialectique elle-même ; mais cette dernière une fois définie en tant que telle se trouve à nouveau référée à Hegel. Qu'en est-il alors du rapport Marx/Hegel ? Et (A') n'a-t-elle pas fondé (A), autrement dit, contre Dühring, rétabli Hegel ?

(*B*) Démonstration de Lénine [22]

Le principe général en est le suivant : A Mikhaïlovski, qui affirme que Marx n'a pas fait autre chose que reprendre la logique hégélienne, Lénine va opposer la démonstration produite par Engels au chapitre XIII de l'*Anti-Dühring* (A').

Lénine développe trois thèses :

a. Que Marx ne « prouve » rien par les triades (pp. 179 et 195).

b. Que « les matérialistes doivent exposer avec exactitude et précision le véritable processus historique » (p. 180).

c. Que l'« insistance sur la dialectique » et les triades n'est que « vestiges de l'hégélianisme ».

Relevons, avant de considérer plus attentivement le mouvement de l'exposé, que Lénine :

— retient la distinction, déjà faite par Engels, entre histoire et dialectique ;

— qu'il voit, chez Marx, comme dans la lecture qu'en fait Engels, la dialectique sous la forme de « vestiges ». Or ce jugement, *qui n'est pas pris dans le texte d'Engels*, doit, en principe, induire la question de la différence entre Marx et Hegel. Et c'est bien à cette question que Lénine paraît devoir s'attacher quand il déclare encore que la dialectique n'est qu'allusion à l'origine de la doctrine » (le marxisme), ou « couvercle » dont elle peut se passer (p. 180) et qu'elle n'est nullement « un pilier » (p. 181).

Ce que Marx et Engels appelaient la méthode dialectique n'est, selon Lénine, que « la méthode scientifique en sociologie », par opposition à la démarche « métaphysique » de pensée (p. 181) ; méthode que Lénine définit, à travers l'image de l'organisme vivant, par référence aux rapports de production et à leurs lois de développement. A l'interprétation par les triades, il objecte

22. Il s'agit toujours de *Ce que sont les Amis du peuple*, t. I, pp. 179 et suivantes.

des textes extraits de *Socialisme utopique et socialisme scientifique*, de la Postface à la IIe édition du *Capital* et de *Misère de la philosophie*. Il accorde un intérêt tout particulier à une note de I. Kaufmann sur *Le Capital*, qu'il reproduit, et dont Marx considérait qu'elle était un des meilleurs exposés de la méthode dialectique [23]. Lénine commente le texte de Marx sur sa différence avec Hegel qui suit, dans la Postface, la citation de Kaufmann : chez Hegel, dit-il, « le mouvement de l'Idée, conformément aux lois dialectiques, est le démiurge de la réalité » (p. 183), d'où le rôle joué par les triades et le « caractère absolu de la dialectique » (p. 184) ; chez Marx « le mouvement de la pensée n'est que la réflexion du mouvement réel » et « il ne reste aux triades que le rôle d'exposition formelle » [24]. Il rappelle, en outre, le *coquettieren* de Marx.

Ainsi, ce sur quoi Lénine met fortement l'accent, c'est le matérialisme, le processus « d'histoire naturelle ». Et, par là, non seulement il reprend à son compte la riposte d'Engels qu'il qualifie « d'admirable » (p. 190), mais, en la spécifiant, il en accomplit le projet. Il n'y a donc pas de « béquille dialectique » [25] et Marx est lavé du reproche d'hégélianisme, du moins entendu comme « triadisme ».

On notera toutefois que si Lénine, dans une note (p. 190), rappelle, assurément pour mieux marquer la distinction avec Mikhaïlovski/Dühring, les exemples donnés par Engels (grain d'orge, etc.), lui-même n'y recourt pas ; il semble même qu'il oppose les deux parties du chapitre d'Engels (cf. A'), l'une rétablissant le passage du *Capital* attaqué par Dühring, l'autre où Engels illustre la dialectique hégélienne. Et quand il reprend sa propre réfutation de Mikhaïlovski (p. 192), il n'évoque jamais les procédés hégéliens (triade, négation de la négation) ; faisant référence à l'analyse de la succession des trois morales (AD, pp. 137 et suivantes), raillée par Mikhaïlovski comme triade passé-présent-

---

23. Cf. *Capital* I, t. I, pp. 27-29 ; Lénine, pp. 182-183, cite le texte de Kaufmann tel que Marx l'avait lui-même reproduit.

24. Cette phrase (t. I, p. 184) est le commentaire par Lénine de la citation de Marx qui précède ; c'est nous qui soulignons.

25. Mikhaïlovski reprenant textuellement, sans le dire, Dühring, Lénine reprend Engels (p. 184 et suivantes ; cf. AD, p. 161 et suivantes y compris la page de Dühring citée par Engels sur la « béquille ») qu'il cite intégralement (cf. AD pp. 161-165 données par Lénine pp. 185-190).

avenir, il se borne à affirmer qu'Engels s'en tient à la position matérialiste — alors que l'exposé est incontestablement d'inspiration hégélienne.

Une telle démonstration conduit enfin Lénine à proposer une définition du marxisme dont l'intérêt est désormais évident. Il s'agit, dit-il, d'une doctrine qui « s'appuie d'abord sur une conception matérialiste de l'histoire, et, en second lieu, sur la méthode dialectique », et il précise, concernant cette dernière, « la méthode dialectique ne consiste pas du tout dans les triades, mais dans la négation des méthodes de l'idéalisme et du subjectivisme en sociologie » (p. 200).

Quant à nous, nous sommes en mesure, au terme de l'analyse de ces « lectures », de revenir à la problématique que nous posions à leur départ.

Une leçon semble pouvoir être dégagée, savoir que *la critique de Mikhaïlovski par Lénine ne répète pas celle de Dühring par Engels.* En effet il n'y a pas identité entre les rapports $\frac{\mathrm{I}}{\mathrm{II}} / \frac{\mathrm{III}}{\mathrm{IV}}$
car les objectifs n'en sont pas semblables :

— Engels contre Dühring établit la validité de la dialectique hégélienne ;

— Lénine contre Mikhaïlovski établit la scientificité du matérialisme marxiste.

Sans doute pourrait-on faire valoir qu'on a affaire à un parallèle entre les deux démarches plutôt qu'à une différence, en avançant qu'en ce qui concerne Dühring, lequel se réclame du matérialisme, c'est la dialectique qu'il convient de défendre, tandis que s'agissant de Mikhaïlovski, qui est idéaliste, c'est sur le matérialisme qu'il faut insister. Il s'agirait en conséquence de démonstrations complémentaires dont le résultat consisterait à définir le marxisme sous ses deux aspects inséparables — mais séparés le temps d'une polémique —, l'aspect dialectique et l'aspect matérialiste.

Il n'en demeurerait pas moins que Lénine, éliminant toute référence à Hegel, se trouve amené à écarter l'objet même d'Engels, la dialectique, réduite par lui au « matérialisme en sociologie », comme « théorie des lois générales (...) de la nature, de la société humaine et de la pensée ». Or, écarter la dialectique n'est-ce pas, du même coup, suspendre la philosophie et, en quelque façon la mettre entre parenthèses ?

Nous nous trouvons donc en présence d'une nouvelle problématique concernant le statut du philosophique : quelle est la nature, chez Lénine, de l'articulation matérialisme/dialectique ? Quelle est la nature de l'articulation matérialisme dialectique/matérialisme historique ? Cette problématique nous renvoie aux textes et, encore une fois, nous le verrons, à cette relation obligée, chaque fois qu'il est question de philosophie, *Lénine lecteur d'Engels.* Afin de la préciser et d'en dégager les enjeux théoriques, nous nous proposons un triple examen :

A - la poursuite de l'interrogation portant sur les premières œuvres qui (ne) sont peut-être (pas) des « œuvres de jeunesse » ;

B - le moment de *Matérialisme et empiriocriticisme* comme intervention philosophique spécifiée ;

C - la considération enfin des *Cahiers sur la Logique de Hegel,* en ce qu'ils sont peut-être une invite à la reprise des thèses précédemment établies et certainement une occasion de proposer un bilan de nos analyses.

N.B. : Ne sont, partiellement, abordés ici que les deux premiers points.

A. La dialectique matérialiste

La IIIe partie de *Ce que sont les Amis du Peuple* accomplit sur le plan politique la critique du populisme. La structure de toute l'argumentation se confond avec la mise en œuvre de « la seule méthode scientifique des sciences sociales, à savoir la méthode matérialiste » [26].

Cette mise en œuvre se développe selon trois axes, parfaitement révélateurs de la manière dont travaille Lénine.

Le premier relève de l'enquête économique. Les conclusions auxquelles parviendra *Le Développement du capitalisme en Russie* y sont déjà évoquées. Il s'agit de faire voir que seule « l'analyse matérialiste » permet de rendre un compte exact des transformations économico-sociales qui se produisent en Russie. Le fait que le pays soit engagé, de façon irréversible, dans la voie capi-

26. Tome I, p. 232.

taliste met en évidence des phénomènes précis, tels ceux des liens entre industrie artisanale et industrie capitaliste, la décomposition de la petite production, la conversion en capital des moyens de production dont les paysans expropriés ont été séparés, ou la « dépaysannisation » des paysans et des artisans [27]. La supériorité de « la théorie du *socialisme ouvrier* » [28] se manifeste de la sorte dans deux directions :

— à l'encontre de l'économie bourgeoise qui considère les catégories du régime bourgeois comme éternelles et naturelles [29] ;

— à l'encontre du « socialisme paysan » auquel en sont restés les Amis du peuple [30].

Ajoutons que notre texte consacre la rupture avec les « marxistes légaux » et les partisans de l'économisme en ce qu'il prépare la théorie de l'alliance de classe, en Russie, entre prolétariat urbain et paysannerie [31].

Le second axe est idéologique. La caractérisation économique permet d'expliquer, dans leur fondement, les idées des populistes. « Je me serais écarté de la méthode matérialiste si, en critiquant les conceptions des « Amis du Peuple », je m'étais borné à confronter leurs idées avec les idées marxistes. Il faut encore expliquer les idées « populistes », en montrer la base *matérielle* dans nos rapports économiques et sociaux d'aujourd'hui. Les tableaux et les exemples empruntés à l'économie de nos paysans et de nos artisans montrent ce qu'est ce « paysan » dont les Amis du peuple se prétendent les idéologues. Ils prouvent la nature bourgeoise de l'économie de nos campagnes, confirmant par là qu'il est juste de ranger les amis du peuple parmi les idéologues de la petite-bourgeoisie [32]. »

Dans l'analyse qu'il fait du populisme, Lénine prend bien

---

27. *Ibid.*, pp. 228 à 252.
28. *Ibid.*, p. 253 ; c'est Lénine qui souligne.
29. *Ibid.*, p. 236.
30. *Ibid.*, p. 253.
31. *Ibid.*, p. 316.
32. Ibid., p. 253. A Mikhaïlovski encore, Lénine oppose cette règle : « La théorie de Marx consiste à étudier et à expliquer l'évolution du régime économique de certains pays, et « l'application » de cette théorie à la Russie ne peut consister qu'à *utiliser* les procédés déjà élaborés de la méthode *MATERIALISTE* et de l'économie politique *THEORIQUE* pour *ETUDIER* les rapports de production russes et leur évolution. » (*Ibid.*, p. 289 ; souligné par Lénine...)

soin de distinguer les deux formes prises par cette idéologie en correspondance avec deux moments du développement économique de la Russie ; à « l'ancien populisme russe, si précieux pour le marxisme »[33], en ce qu'il représentait la conscience politique adéquate à une situation pré-capitaliste, il oppose, comme réactionnaire, dans tous les sens du terme, le néo-populisme incapable d'apprécier les nouvelles données[34]. Or, la critique de la petite bourgeoisie et de son idéologie, le populisme, met au premier plan le matérialisme, car la petite bourgeoisie ne peut véhiculer qu'un socialisme utopique et, en l'occurrence, nostalgique[35]. Entre le prolétariat et la petite bourgeoisie, la position matérialiste traduit le clivage de classe.

Le troisième axe est politique. Il est tout entier orienté vers la nécessité découlant des analyses précédentes de « l'organisation d'un parti ouvrier socialiste »[35a]. Cette nécessité impose l'intime liaison entre activité théorique et activité pratique, la dernière occupant la place privilégiée[35b]. Elle assigne aux intellectuels notamment des tâches précises : « *studieren, propagandieren, organisieren* », selon la formule que Lénine emprunte à Liebknecht et qu'il justifie ainsi :

« On ne saurait être un dirigeant idéologique sans se livrer au travail théorique (...) de même qu'on ne saurait l'être sans diriger ce travail selon les nécessités de la cause, sans propager les résultats de cette théorie parmi les ouvriers et sans aider à leur organisation. Par cette façon de concevoir sa tâche, la social-démocratie se prémunit contre les défauts dont souffrent si sou-

---

33. Tome II, p. 410 ; Lénine ajoute : « Il aurait fallu dire « paysan » et non « national » en ce qui concerne l'ancien populisme russe,et « petit-bourgeois » en ce qui concerne le populisme d'aujourd'hui. La « Source » du populisme est dans la prédominance de la classe des petits producteurs dans la Russie capitaliste d'après l'abolition du servage » (*ibid.*, p. 428). Cf. dans *Ce que sont les Amis du Peuple*, p. 294 et suivantes sur Tchernichevski et Herzen notamment comme représentants du premier populisme.

34. La distinction de deux générations dans le populisme est tout particulièrement traitée dans *Quel héritage renions-nous ?* (Fin 1897), t. II, où l'on trouve la meilleure définition, à notre sens, de l'idéologie populiste (p. 529).

35. Tome I, p. 312 et suivantes.

35a. *Ibid.*, p. 319.

35b. *Ibid.*, p. 322.

vent les groupes socialistes : le dogmatisme et le sectarisme. Il ne saurait y avoir de dogmatisme là où le critère suprême et unique de la doctrine est dans sa correspondance avec le processus réel du développement économique et social : il ne saurait y avoir de sectarisme quand il s'agit de contribuer à l'organisation du prolétariat, et que, par suite, le rôle des « intellectuels » consiste à rendre inutile l'existence de dirigeants spécialisés, intellectuels [35c]. »

En fait ces trois axes ne se distinguent que par l'absence de frontières fixes entre eux et ils renvoient à une même réalité celle de la pratique politique qui n'est pas autre chose que la méthode matérialiste. Citant le passage de la Postface à la seconde édition allemande du Capital, dans lequel Marx caractérise sa méthode comme « essentiellement critique et révolutionnaire », Lénine donne ce commentaire :

« Notez que Marx parle ici de la critique matérialiste, la seule qu'il tienne pour scientifique, c'est-à-dire celle qui rapproche les faits politico-juridiques, sociaux, moraux, etc. de l'économique, du système des rapports de production, des intérêts des classes qui se constituent forcément sur le terrain de tous les rapports sociaux antagoniques [36]. »

Une telle lecture nous paraît significative, car où Lénine voit « critique matérialiste », Marx, lui a écrit « dialectique » [37]. Simple substitution de terme, matérialisme et dialectique étant synonymes aux yeux d'un marxiste ? Toujours est-il qu'une fois encore est supprimée la référence à Hegel. Qu'une fois encore l'accent est résolument mis sur ce qui fait l'irréductibilité du marxisme à toute doctrine antérieure et son point de non-retour, une pratique politique de type nouveau qui n'est peut-être nulle part mieux définie qu'en cette conclusion de *Ce que sont les Amis du Peuple :*

« L'objet de la théorie, le but de la science, est ici nettement formulé : aider la classe des opprimés dans la lutte économique qu'elle mène effectivement, pour Marx, *la tâche expresse de la science est de donner la vraie parole de la lutte* [38]... »

35c. *Ibid.*, p. 323.

36. *Ibid.*, p. 355.

37. *Capital* I, I, éd. cit., p. 29 ; on chercherait en vain le mot « matérialiste » dans toute cette page où il n'est question que du double aspect de la dialectique, « mystique » (Hegel) et « rationnel » (Marx).

38. Tome I, p. 356 (souligné par nous, G.L.) ; Lénine vient de citer

Soit : matérialisme/science/lutte de classe/esprit de parti : pratique politique.

Notre question du statut du philosophique demeure posée. Comme demeure constante chez Lénine, et toujours en rapport avec Engels, la référence au matérialisme, seule méthode scientifique.

Le Contenu économique du populisme, écrit en 1895, ne se borne pas à le confirmer [39]. En réponse à P. Strouvé affirmant que « la justification purement philosophique de cette doctrine (le marxisme, G.L.) n'a pas encore été donnée », Lénine va jusqu'à écrire : « Pour Marx et Engels, la philosophie n'a aucun droit à une existence séparée, indépendante, et sa matière se répartit entre les diverses branches de la science positive [40]. » Une telle évacuation de la philosophie, combien plus *radicale* que la réduction de son champ opérée par Engels [41], relève-t-elle du scientisme ? N'est-elle pas plutôt l'indice d'une autre pratique, auquel nous avons déjà fait de nombreuses allusions ? Autrement dit, comme l'avait montré JT Desanti, se référant précisément aux textes de notre période : « Il n'est plus question de constituer sous le nom de philosophie un système du monde, achevé une fois pour toutes, création unique d'un penseur unique. Il s'agit, dans

---

un passage de la célèbre lettre de Marx à Arnold Ruge, de septembre 1843. On sait que deux idées, chères à Lénine, sont déjà formulées dans cette lettre :

— « La conscience philosophique elle-même est impliquée maintenant dans les déchirements de la lutte non pas seulement de l'extérieur, mais aussi en son intérieur. »

— « prendre pour point d'application de notre critique, la critique de la politique, la prise de position en politique, c'est-à-dire les luttes réelles, de l'identifier à ces luttes. »

(Cf. Marx-Engels : *Correspondance*, t. I. Editions sociales, Paris, 1971, pp. 297-300.)

39. La formule « le matérialisme comme seule méthode exacte de la science « sociale » ou « seule méthode scientifique en sociologie » revient sans cesse sous la plume de Lénine (cf.t. I, pp. 450, 452 et *passim*) ; de même pour la référence à F. Engels (à l'*Anti-Dühring*, *ibid.*, p. 450, 454 ; à l'*Origine...*, p. 453).

40. Tome I, p. 452.

41. Cf. *Anti-Dühring*, éd. cit., p. 57 : « De toute l'ancienne philosophie, il ne reste plus alors à l'état indépendant que la doctrine de la pensée et de ses lois, la logique formelle et la dialectique. Tout le reste se résout dans la science positive de la nature et de l'histoire », voir notre deuxième partie.

la lutte, et pour l'éclairer, de participer à l'enrichissement d'une méthode scientifique dont l'usage permet la transformation révolutionnaire du monde, conformément à ses lois objectives [42] »

Les notes que prend Lénine sur *La Sainte Famille*, à la même époque (1895) vont dans le même sens. La critique de Hegel (*Le Mystère de la construction spéculative*) lui paraît « du plus haut intérêt », et il juge l'exposé concernant le matérialisme français comme « un des plus précieux du livre » [43]. Sa notice nécrologique sur *Friedrich Engels* est tout entière dominée par l'affirmation du primat du politique ; le matérialisme et son extension à l'histoire y sont seuls mentionnés comme marque fondamentale de la différence avec Hegel, et non la dialectique [44].

Comment interpréter chez le Lénine d'alors l'absence d'une définition de la dialectique et même de toute réflexion philosophique ?

S'agirait-il d'une sorte de « péché » assignable à la jeunesse et, par la suite, abjuré ?

Cette thèse a été défendue par R. Garaudy, dans un petit ouvrage consacré à Lénine [45]. L'argument en est le suivant : il y a *un jeune Lénine* dont la pensée n'est pas encore en conformité avec celle de Marx ; le manque de cette pensée c'est la réflexion philosophique et la dialectique ; la responsabilité de ce manque incombe à Kautsky.

A propos de *Ce que sont les Amis du Peuple*, R. Garaudy écrit : « Lénine, qui a alors vingt-quatre ans, combat ces thèses (il s'agit du populisme, G.L.) au nom d'un marxisme encore sommairement assimilé et vu surtout à travers l'interprétation

---

42. Dans *Cahiers du Communisme*, janv.-févr. 1954, p. 107.

43. Cf. *Cahiers philosophiques*, Editions sociales, p. 21 et p. 30 ; pour *La Sainte Famille*, cf. Editions sociales, pp. 73 et suivantes et pp. 151 et suivantes.

44. *Cf.* t. II, *Friedrich Engels* (1895), pp. 13-22 ; sur la connaissance que Lénine avait de l'œuvre d'Engels, on relève la mention des textes suivants : *La Situation des classes laborieuses en Angleterre, La Sainte Famille, Les Annales franco-allemandes, le Manifeste, la Nouvelle Gazette Rhénane*, l'*Anti-Dühring* (qualifié de livre remarquablement riche de contenu et hautement instructif », note p. 19), *L'Origine..., Ludwig Feuerbach, La Question du logement*, les articles sur la Russie, le *Capital*, livre II et III.

45. *Lénine*, coll. « Philosophes », P.U.F., Paris, 1968.

scientiste de Kautsky et de Plékhanov [46]. » L'ouvrage lui-même est caractérisé comme un « pamphlet » [47] ne représentant aucun « apport philosophique de Lénine non seulement par rapport à Marx et Engels, mais même par rapport à Kautsky et Plékhanov » [48].

Le marxisme de Kautsky, d'autre part, est défini avec une grande sévérité : application mécanique du darwinisme à la sociologie, transformation de la dialectique révolutionnaire de Marx en une métaphysique de l'évolution, vulgarisation dogmatique du marxisme excluant « toute réflexion sur le fondement philosophique », réduction positiviste de la pensée de Marx à des lois économiques, automatisme, opportunisme [49].

Or, Lénine, selon R. Garaudy, non seulement, aurait été prisonnier de cette attitude jusqu'en 1907 [50], mais ce n'est qu'en 1914 qu'il se serait débarrassé des conceptions de Kautsky pour définir la dialectique, alors, il est vrai, ainsi que l'auteur le précise, « que sa pratique révolutionnaire dépassait de très loin ces conceptions et cette théorie de la dialectique » [51].

Nonobstant son aspect superficiel, une telle interprétation appelle quelques remarques, non pas tant pour le plaisir d'une polémique frivole que dans le dessein de cerner mieux encore le sérieux de la problématique qui nous occupe.

1. Concernant l'immaturité théorique de Lénine

Nous croyons avoir suffisamment fait justice, preuves à l'appui, d'un semblable jugement pour qu'il soit nécessaire d'y revenir, même au sujet de *Ce que sont les Amis du Peuple* et de ce Lénine de 24 ans, auquel R. Garaudy lui-même doit concéder au moins l'élaboration du « concept de formation économique et sociale » [52]. A plus forte raison serait-il dérisoire de prendre en considération une période de « jeunesse » dont l'intéressé ne se déferait que passée la quarantaine, malgré le précédent de Kant,

46. *Ibid.*, p. 17.
47. *Ibid.*, p. 16.
48. *Ibid.*, p. 19.
49. *Ibid.*, p. 16.
50. *Ibid.*, p. 32 : « Là se situe le point de rupture avec le dogmatisme de Kautsky et de Plékhanov. »
51. *Ibid.*, p. 39.
52. *Ibid.*, p. 18.

malgré, surtout, la règle bien connue de Lénine du retard de la théorie sur la pratique.

2. Concernant les influences de Kautsky et de Plékhanov

Il ne fait pas de doute que le rapport Lénine/Kautsky comme le rapport Lénine/Plékhanov présentent un grand intérêt et mériteraient, l'un et l'autre, étude approfondie. Nous n'avons pas l'ambition d'en traiter ici, aussi bien n'est-ce pas indispensable à notre dessein ; nous nous bornerons à souligner quelques points dont aucun examen, nous semble-t-il, ne pourrait faire bon marché.

D'abord il y a quelque arbitraire à vouloir enfermer Karl Kautsky dans un jugement à l'emporte-pièce. Son rôle a été considérable ; il avait connu Marx, fondé en 1883 la *Neue Zeit*, à Zürich, qu'il dirigea pendant trente-quatre ans, succédé à Engels pour l'édition du *Capital* et hérité de son autorité dans le mouvement international ; son prestige était considérable. Lénine accordera une attention passionnée à tout ce que fera Kautsky, y compris après avoir rompu avec lui sur les plans théorique et politique. A cet égard, du simple point de vue de la chronologie, ce n'est pas de 1907 que date la rupture, mais de 1909, date à laquelle, selon Lénine, Kautsky, dans son ouvrage intitulé *Der Weg zur Macht* [53], avait présenté « pour la dernière fois des conclusions entièrement marxistes » [54]. Sans doute peut-on faire observer que l'éloignement de Kautsky par rapport au marxisme est antérieur à cette date, puisqu'il avait, pour l'essentiel, rédigé le *Programme d'Erfurt* de la social-démocratie allemande et s'était, de ce fait, exposé aux critiques d'Engels sur la formulation de type mécaniste qu'il donnait des lois économiques et de la faillite automatique du capitalisme par le jeu des crises [55]. Sans doute aussi

53. Paru à Berlin en 1909 ; publié en traduction française sous le titre *Le Chemin du pouvoir,* Anthropos, Paris, 1970.

54. *L'Opportunisme et la faillite de la IIe Internationale,* t. XXII, p. 112 (cf. aussi p. 118 et t. XXV, p. 520).

55. Cf. Marx-Engels : *Critique des programmes de Gotha et d'Erfurt*, éd. citée. Par la suite c'est essentiellement la question de la dictature du prolétariat qui marquera la rupture complète de Kautsky avec le marxisme ; ce dernier, dans *Die proletarische Revolution und ihr Programm* (1922), fera disparaître l'expression « dictature du prolétariat » du § IV, sur l'Etat, de la *Critique du programme de Gotha de Marx* (cf. aussi le

est-il notable que Rosa Luxemburg ait été la première à déceler le « révisionnisme » de Kautsky et à le critiquer, son expérience directe du milieu allemand la rendant plus perspicace que Lénine, accaparé, lui, par les problèmes russes [56]. Il n'en demeurerait pas moins que le rôle de Kautsky a été décisif aussi bien pour la critique de Bernstein, que pour le développement des analyses du Livre III du Capital ; Lénine apprécie d'autre part son interprétation de la révolution de 1905 [57]. Il ne reviendra pas sur les appréciations qu'il porte à cette époque, pas même, précisons-le sur celles qu'il expose dans *Que faire* ? et que R. Garaudy trouve des plus contestables [58], puisqu'il les reprendra par la suite.

Quant au « naturalisme fataliste » que Lénine partagerait avec Kautsky dans l'usage de formules telles que « le développement de la formation économique de la société est assimilable à la marche de la nature et à son histoire » [59], il ne peut être invoqué qu'abusivement et en faisant abstraction de tout le contexte où l'accent est constamment mis sur la lutte des classes, autrement dit sur le contraire du fatalisme [60].

---

cahier de notes, *Le marxisme au sujet de l'Etat*, rédigé par Lénine en janv.-fév. 1917, et son commentaire de la lettre d'Engels à Bebel du 18-28-03-1875, in *Critique des programmes...*, éd. cit., pp. 110 et suivantes ; aussi l'*Etat et la Révolution*, t. XXX, pp. 475 et suivantes).

56. Rosa Luxemburg par exemple, reviendra en termes très durs, dans *L'Accumulation du capital* (Maspero, Paris, 1967, t. II, pp. 167-170) sur la manière dont Kautsky a cru « réfuter d'un point de vue marxiste », en 1902 (in *Neue Zeit*, n° 5, 31, pp. 140 et suivantes) les thèses de Tougan-Baranowski sur les crises.

Plus généralement, pour une approche des rapports Kautsky-Lénine : R. Luxemburg, cf. *in Les Théories de l'impérialisme au début du XX*^e^ *siècle* (C.E.R.M., Paris, n° 86, 1970, la discussion entre Y. Bourdet, G. Labica, I. Petit, R. Gallisot et G. Badia, pp. 97 à 110).

57. Pour la critique de Bernstein, cf. t. IV, pp. 199 et suivantes ; sur *Die Agrarfrage*, t. III, pp. 7 à 9 et t. IV, pp. 95 et suivantes ; sur la révolution de 1905, t. XI, pp. 380 et suivantes.

58. Cf. *Lénine, op. cit.*, n, pp. 20 et suivantes.

59. *Ibid.*, l'usage de cette formule a été, à diverses reprises, relevé par nous, G.L., cf. *Supra, passim.*

60. Ajoutons qu'il s'agit là de formules usuelles dans le vocabulaire de l'époque ; comme le dit G. Badia : « Il y a une autre raison peut-être qui explique aussi l'accusation de fatalisme, c'est une question de vocabulaire ; dans la social-démocratie allemande à cette époque existe une tendance générale à reprendre des formules que l'on trouve chez Marx, à savoir l'assimilation des événements de l'histoire à des phénomènes

S'étonnera-t-on, par ailleurs, que, face à l'idéalisme subjectiviste et au spontanéisme dont font preuve les populistes, Lénine puisse trouver un sûr appui chez Kautsky pour insister sur la détermination économique et le matérialisme comme spécifiques de Marx ?

En ce qui concerne Plékhanov pour lequel des remarques analogues pourraient être faites, nous rappellerons seulement que, malgré toutes les divergences, nombreuses et profondes, qui l'opposèrent à Lénine, ce dernier écrira encore, en 1921 (donc après la « rupture » philosophique consécutive à la mesure de Hegel) : « On ne peut manquer de souhaiter, premièrement, que dans l'édition des œuvres en cours de Plékhanov, tous les articles philosophiques soient groupés en un ou plusieurs volumes spéciaux munis d'un index très détaillé, etc. Car ces œuvres doivent faire partie de la série des manuels obligatoires du communisme [61]. »

3. Concernant la question de la philosophie.

Nous aurions affaire à deux Lénine, le pré-hégélien et le post-hégélien, le clivage se situant dans la période de rédaction des *Cahiers philosophiques*. Tout se serait passé comme si la lecture de *La Science de la logique* avait agi comme un véritable révélateur et permis à Lénine de parvenir enfin à la théorie de sa propre pratique en dotant le marxisme de la philosophie qui, du moins sous forme explicite, lui manquait. Ainsi, à l'occasion lui aussi, de sa première leçon de philosophie, le Monsieur Jourdain de Molière découvrait-il qu'il faisait de la prose.

---

naturels qui se produisent avec la nécessité d'un phénomène naturel. On trouve l'expression *mit Naturnotwendigkeit* à propos des lois de l'histoire chez beaucoup d'auteurs de l'époque et pas seulement chez Kautsky. Je crois que ce sont à la limite des formulations toutes faites qui viennent sous la plume et que contredisent, dans la même page parfois, des formulations où Rosa Luxemburg au contraire met l'accent sur la nécessité de la lutte du prolétariat pour transformer cette société qui ne se transformera pas *mit Naturnotwendigkeit* en une société socialiste. Si on ne retient que la première formule, on peut accuser Rosa Luxemburg de fatalisme. On peut lui faire grief que la venue du socialisme est inéluctable, quasi fatale ». (*Les théories de l'impérialisme au début du XX*e *siècle,* déjà citée, p. 109.) La remarque est entièrement valable pour Lénine.

61. *A nouveau les syndicats,* t. XXXII, p. 95, note. Nous aurons l'occasion par la suite, de revenir sur Plékhanov.

Nous savons qu'il s'agit là de l'indication d'une question réelle, mais non de sa formulation adéquate. Il est en effet bien difficile, sinon impossible, de faire la preuve d'un tel clivage, car non seulement des solutions de continuité aussi nettes n'apparaissent pas dans l'œuvre de Lénine, mais il reprend au contraire sans cesse ses analyses antérieures. L'attestent les embarras de R. Garaudy quand, même à propos de *Ce que sont les Amis du Peuple,* il écrit : « Ce matérialisme, *même non dialectique,* joue un rôle positif, et Lénine donne une définition remarquable de ce *matérialisme opératoire* : la seule méthode scientifique exigeant que tout programme exprime exactement le processus réel [62] ; et pas seulement les embarras, aussi les omissions, les erreurs chronologiques et les distorsions qu'il faut faire subir aux textes [63] afin de retrouver précisément ce que le jeune Lénine cherchait à écarter... un type d'interprétation de la réalité privilégiant les facteurs de la subjectivité, de la spontanéité, de la spiritualité et de l'humanisme idéaliste [64]. Il y a plus grave :

a. Dans la méthode qui relève d'une lecture idéologique, foncièrement à posteriori puisqu'elle cherche dans le léninisme, non pas les questions qui lui sont inhérentes (« *comment* travaille Lénine ? »), mais les raisons susceptibles de rendre compte d'une certaine évolution postérieure du marxisme et de fonder une politique [65].

b. Dans les implications surtout de la thèse : ne présuppose-t-on pas que le rapport Hegel/Marx possède une fonction *essentielle* ? Que le matérialisme historique n'est pas lui-même *dialectique ?* Et que serait ce « matérialisme opératoire » si l'on ne peut,

---

62. *Lénine, op. cit.,* p. 18 ; souligné par nous, G.L. ; pour la citation de Lénine cf. t. I, p. 332. Nous avons vu l'importance de cette idée, à laquelle Lénine revient souvent.

63. Relevons encore : la dialectisation du concept de chose en soi (p. 42, *op. cit.*), les intéressantes coupures dans des citations (p. 53), les singulières interprétations de textes (p. 60)...

64. *Lénine, op. cit.* ; « subjectivité » : pp. 21 et 25 ; « initiative historique » : pp. 21 et 55 et « activité autonome des masses », p. 59 ; « humanisme » : pp. 50, 63 ; le « spirituel » : p. 64.

65. Même s'il ne nous échappe pas que l'interprétation relève de la meilleure intention, extirper les racines du stalinisme, force nous est bien de constater qu'elle manque son objet et fait régresser à un stade préléniniste, celui d'un néo-populisme.

comme il y paraît, l'assimiler ni au matérialisme mécaniste, ni au matérialisme dialectique ?

Or, sauf erreur de notre part, Lénine n'est-il pas d'emblée établi sur le terrain reconnu par Marx et Engels, *hors* du philosophique ? Que signifierait, dans cette perspective, un « retour » à Hegel ?

Nous sommes donc bien, après ce détour et par lui, ramené à nos questions initiales, autrement dit à l'itinéraire de Lénine lui-même.

Et puisqu'il s'agit de la dialectique, arrêtons-nous à un texte où elle paraît, en personne, pour la première fois. Il s'agit de *Un pas en avant, deux pas en arrière,* publié en 1904 [66], à propos de la division, dans le parti social-démocrate de Russie, entre « majorité » (bolcheviks) et « minorité » (mencheviks).

L'enjeu du débat porte sur la question de savoir s'il faut ou non procéder à une scission entre l'aile révolutionnaire et l'aile réformiste du parti. Plékhanov tient pour la négative et se fait l'avocat de la conciliation. A cause du prestige dont il jouit, c'est à lui que Lénine va tout particulièrement s'en prendre, pour lui infliger une véritable leçon de *théorie.*

« Le camarade Plékhanov était tombé dans ce malheur pour avoir enfreint la thèse fondamentale de la dialectique, dont il avait si maladroitement fait mention : pas de vérité abstraite, la vérité est toujours concrète [67]. »

Grave reproche, sinon le plus grave, quand on sait que l'oubli de la dialectique a toujours été, chez les marxistes, depuis Marx envers Proudhon jusqu'au vieil Engels des lettres à Bloch, Schmidt et Starkenburg, le signe par excellence où se reconnaissait l'abandon de la démarche scientifique.

De quoi s'agit-il en l'occurrence ? En définissant l'*essence*

66. Ce texte figure au t. VII, pp. 211-444, il porte en sous-titre « la crise dans notre parti » ; Lénine en a expliqué lui-même le contexte dans la Préface qu'il rédigea pour le recueil *En douze ans*, où l'ouvrage devait être réédité (cf. t. XIII, pp. 111 et suiv.). A noter que R. Garaudy n'en fait pas mention dans son *Lénine.*

67. T. VII, p. 387. Lénine fera le même grief à Rosa Luxemburg, qui avait critiqué son ouvrage dans un numéro de la *Neue Zeit* : « l'article de l'estimée camarade contient uniquement des poncifs imaginaires, justement son article contredit l'abc de la dialectique. Cet abc enseigne qu'il n'y a aucune vérité abstraite, la vérité est toujours concrète » (T. VII, p. 498).

de la dialectique (« la thèse fondamentale ») par la proposition « pas de vérité abstraite, la vérité est toujours concrète », Lénine ne fait rien d'autre que nommer sa propre règle de travail. Il s'y tiendra d'un bout à l'autre de son œuvre et nous savons désormais que cette règle connote strictement la pratique politique, qu'elle fonde l'analyse matérialiste. « La dialectique qui exige un examen concret et intégral », comme Lénine le rappelle encore au même Plékhanov [68], se peut-elle en l'absence de sa propre conscience de soi conceptuelle ? Et la reconnaissance de ce support théorique peut-elle être accomplie hors de toute référence à Hegel ?

Notre texte ne le donne pas à penser.

Et d'abord au niveau du vocabulaire qui nous fait surprendre Lénine, à son tour en « coquetterie » avec Hegel : « la quantité se changea en qualité. Négation de la négation [69] ». Une page de la section intitulée « Quelques mots sur la dialectique. Deux révolutions » vaut, à cet égard, d'être intégralement citée :

« On ne peut rien comprendre à notre lutte avant d'avoir étudié les conditions concrètes de chacune de ces batailles. Cela fait, nous verrons très bien que le développement suit en vérité la voie dialectique, celle des contradictions : la minorité devient majorité, et la majorité minorité ; chaque camp passe de la défensive à l'offensive et de l'offensive à la défensive ; le point de départ de la lutte idéologique « est nié » et cède la place aux envahissantes querelles ; mais ensuite commence la « négation de la négation » et, après avoir trouvé un moyen de « faire bon ménage », tant bien que mal, dans les organismes centraux du Parti, nous revenons au point de départ de la lutte purement idéologique ; dès lors cette « thèse » enrichie de tous les résultats de l' « antithèse », devient une plus haute synthèse où une erreur isolée, fortuite, sur le paragraphe premier, s'amplifie jusqu'aux proportions d'un quasi-système de conceptions opportunistes en matière d'organisation, où la liaison entre ce phénomène et la division fondamentale de notre Parti en aile révolutionnaire et aile opportuniste apparaît pour tout le monde avec toujours plus de clarté. En un mot, ce n'est pas seulement l'avoine qui pousse d'après Hegel ; les social-démocrates russes eux aussi se battent entre eux d'après Hegel.

68. *Ibid.*, p. 391.
69. *Ibid.*, p. 426.

« Mais la grande dialectique de Hegel, que le marxisme a faite sienne après l'avoir remise sur ses pieds, ne doit jamais être confondue avec le procédé vulgaire consistant à justifier les zigzags des hommes politiques qui, dans le Parti, passent de l'aile révolutionnaire à l'aile opportuniste, ou avec la manière vulgaire de mettre dans le même sac telles déclarations, telles étapes du développement des divers stades d'un même processus.

« La véritable dialectique ne justifie pas les erreurs personnelles ; elle étudie les tournants inéluctables, en prouvant leur inéluctabilité par une étude détaillée et concrète de ce développement. Le principe fondamental de la dialectique est qu'il n'existe pas de vérité abstraite, la vérité est toujours concrète... Et il ne faut pas confondre non plus la grande dialectique hégélienne avec cette vulgaire sagesse, si bien exprimée dans le dicton italien : *mettere la coda dove non il capo* (mettre la queue où la tête ne passe pas)[70]. »

De cette page significative, on peut dégager les éléments suivants :

— l'analyse concrète d'une situation concrète y est transcrite, non sans complaisance et ironie, dans le langage hégélien, allusion à la fameuse triade comprise ; mais il n'est pas surprenant, s'agissant d'une *crise* surtout, que ce vocabulaire, expression d'une lutte philosophique, recoupe la terminologie d'origine militaire.

— le rapport du marxisme à Hegel y est présenté d'une façon tout à fait classique, « orthodoxe » pourrait-on dire ; c'est la problématique du « renversement », directement issue de la Postface du *Capital.*

— « la voie dialectique, celle des contradictions » n'est pas dans ce texte traitée pour elle-même, elle est montrée comme investie dans le processus historique et se confondant entièrement avec lui.

Peut-on dès lors parler d'évolutionnisme ou de mécanisme ? La distinction marquée avec les « zigzags des hommes politiques » ou avec « la sagesse vulgaire » ne suffit-elle pas à écarter toute interprétation de la dialectique qui la réduirait à un procédé d'exposition du discours ou à une pratique empirique ? A affirmer en conséquence qu'elle est la véritable loi de lecture du procès réel, parce qu'elle lui est seule adéquate ?

---

70. T. VII, pp. 430-431.

Disons plus clairement encore que Lénine prend comme acquis une fois pour toutes le terrain de Marx et Engels, la *dialectique matérialiste,* la dialectique ne faisant qu'un avec le matérialisme historique. Dès ses premières œuvres, Lénine a pratiqué cette méthode, l'analyse des *contradictions réelles* et c'est elle qui lui a permis, dès *Ce que sont les Amis du Peuple,* de dégager pour la Russie les chemins de la révolution.

C'est pourquoi l'attention de Lénine est confisquée par l'irréductible nouveauté de Marx et Engels, le matérialisme, sa défense et son illustration.

Telle est la thèse à laquelle nous voudrions nous attacher dans le second moment de notre examen.

B. Le matérialisme achevé

Nous avons déjà eu l'occasion, ailleurs, de présenter, dans ses grandes lignes, le contexte historique, sous ses aspects politique, idéologique et théorique, de la première intervention spécifiée de Lénine en philosophie, *Matérialisme et empiriocriticisme* (1908). Nous n'y reviendrons pas. L'étude systématique de cet ouvrage n'est pas non plus notre objet direct, mais bien la prise en considération de ce fait que, ne craignons pas de le répéter, pour la première fois, en 1908, Lénine s'occupe de philosophie et s'établit expressément dans ce champ tout d'abord circonscrit par Engels et, par lui, nommé « matérialisme dialectique ». Le matérialisme dialectique c'est-à-dire *la philosophie du marxisme.*

Cela paraît d'emblée désigner deux questions :
— celle de la spécificité du matérialisme dialectique pensé dans sa différence avec le matérialisme historique ;
— celle de la spécificité du matérialisme dialectique pensé dans sa différence avec les autres formes de matérialisme et tout particulièrement le matérialisme mécaniste.

Questions qui, à leur tour, en découvrent d'autres :
— qu'en est-il, dans le marxisme, de ce qui serait le rapport entre une science (le matérialisme historique) et une philosophie (le matérialisme dialectique) ?
— de quelle philosophie s'agirait-il ?
— et la traduction, chez Lénine, de ces questions :

* y a-t-il retour au philosophique, après (malgré ?) la « sortie » du philosophique opérée par Marx ?

* de quelle nature seraient les rapports science/philosophie/idéologie ?

* cela enfin, ne revient-il pas à interroger à nouveau le rapport qui paraît fondamental, celui du matérialisme et de la dialectique ?

Telle va être notre problématique.

Le cadre de départ de *Matérialisme et empiriocriticisme* [71] est donné par la première des « Dix questions au conférencier » que Lénine a fait figurer en tête de son livre :

« 1 - Le conférencier admet-il que le *matérialisme dialectique* est la philosophie du marxisme ?

« Dans la négative, pourquoi n'examina-t-il pas les innombrables déclarations d'Engels à ce sujet ?

« Dans l'affirmative, pourquoi les disciples de Mach appellent-ils « philosophie du marxisme » leur « révision » du matérialisme dialectique [72] ? »

Il s'agit donc bien, on le voit, de traiter de la philosophie du marxisme, afin de démontrer à ceux qui considèrent soit qu'elle est à élaborer, soit que les marxistes ont toute liberté concernant leurs options philosophiques, que ladite philosophie existe *déjà*. « Existe déjà », au premier chef chez Engels que nous retrouvons comme le passage obligé de Lénine. Lénine, lecteur d'Engels, s'offre à nouveau comme notre propre règle de lecture. Non seulement les « Dix questions au conférencier », dont six réfèrent explicitement à Engels, suffisent à l'attester, mais elles indiquent l'axe précis de la démonstration, le matérialisme [73], que nous allons suivre maintenant, avant d'en exposer les conséquences.

I - *Les thèses*

La défense et illustration du matérialisme, en tant que fondement de l'attitude scientifique dans tous les domaines, est

---

71. Nous prenons comme référence le texte du tome XIV des *Œuvres* ; la traduction française publiée aux Editions sociales en 1948 pèche par trop d'incorrections, notamment le contre-sens, qui fit couler beaucoup d'encre, sur le mot russe *possylka*, rendu par « postulat » (éd. citée, p. 105) et non par « principe » ou « prémisse ».

72. T. XIV, p. 11.

73. *Ibid.*, pp. 11-12.

l'objet essentiel, sinon l'unique objet, de *Matérialisme et empiriocriticisme.* Cette thèse centrale impose d'une part une définition critique/positive de matérialisme, induit d'autre part un certain nombre de propositions qui déterminent une nouvelle pratique de la philosophie.

1. Caractérisation critique

La vérité du matérialisme ou « matérialisme accompli »[74] s'expose d'abord selon la mesure de sa distance aux formes « inachevées » du matérialisme.

Lénine a dressé la typologie de ces formes dans leur opposition/relation au matérialisme achevé dont il convenait précisément que fût rétablie l'irréductibilité face à des théoriciens qui la méconnaissaient tout en s'en réclamant ; leçon donc de matérialisme conséquent à l'intention de matérialistes inconséquents.

Voici les éléments de cette typologie que nous présentons dans l'ordre de la plus grande à la moindre *distance*[75] :

a. Le matérialisme « spontané » ou « instinctif » : celui du sens commun. « Le réalisme naïf » de tout homme sain d'esprit, qui ne sort pas d'une maison d'aliénés ou de l'école des philosophes idéalistes, consiste à admettre l'existence des choses, du milieu, du monde, *indépendamment* de notre sensation, de notre conscience, de notre *Moi* et de l'homme en général[76]. »

Celui aussi des sciences de la nature : le physicien, par exemple, dans sa pratique, ne doute pas de l'existence, hors de sa représentation, des phénomènes sur lesquels il travaille ; il ne met — et c'est son paradoxe — cette existence en doute que lorsqu'il se détourne de sa pratique pour la penser, en période de « crise » de la science tout particulièrement[77].

b. Le matérialisme « timide » : cette forme serait le degré au-

---

74. L'expression est de Lénine, *ibid.*, p. 252, qui la réfère directement à F. Engels affirmant qu'avec Marx « c'était la première fois qu'on prenait vraiment au sérieux la conception matérialiste du monde » (cf. *Ludwig Feuerbach...*, éd. cit., p. 43).

75. Cet ordre précisons-le n'est pas forcément celui qu'expose *Matérialisme et empiriocriticisme* dans le tracé de son écriture, mais l'ordre que s'autorise à révéler notre lecture pour autant qu'elle est fondée dans son principe, la question du matérialisme comme foyer de l'ouvrage.

76. T. XIV, p. 69.

77. *Ibid.*, p. 75 ; aussi pp. 262 et suivantes, « les physiciens... ont jeté l'enfant avec l'eau sale » (p. 272).

dessus de la précédente et comme le commencement de théorisation d'une pratique ; « penche » vers elle « l'immense majorité des savants »[78].

c. Le matérialisme « honteux » : celui que cachent les proclamations d'agnosticisme de certains scientifiques, tels T. Huxley[79].

d. Le « demi-matérialisme » : autre forme de l'agnosticisme des savants dont l'exemple est « le matérialisme hiéroglyphique ou symbolique » de Helmholtz[80].

e. Le « mauvais » matérialisme : il convient de ranger sous cette rubrique les deux formes successivement prises par un matérialisme se réclamant de la science, soit, pour le XVIIIe siècle, les matérialistes français, et, pour le XIXe, Büchner, Vogt et Moleschott. Pourquoi ce matérialisme est-il « mauvais » ? Lénine reprend les griefs formulés par Engels : mécanisme, « façon anti-dialectique de philosopher », idéalisme « en haut » et matérialisme « en bas »[81].

f. Le matérialisme « métaphysique » : il s'agit de ce que l'on pourrait appeler la « variante » de Dühring du précédent[82]. « Engels avait parfaitement raison de s'attaquer à Dühring qui, en dépit de son athéisme catégorique, *laissait* illogiquement dans sa philosophie, *la porte ouverte* au fidéisme[83]. »

g. Le matérialisme de Feuerbach : ici nous atteignons la moindre distance, celle du seuil qui ne se laisse guère apprécier en termes de graduation : « Ludwig Feuerbach, qui... fut un matérialiste grâce à qui Marx et Engels, abandonnant l'idéalisme de Hegel, sont parvenus à leur philosophie matérialiste »[84] ; Feuerbach ou l'indice de rupture.

h. Le matérialisme de Dietzgen : la rupture une fois accomplie, et cet accomplissement reconnu, que peut-on penser de l'affectation d'un certain coefficient de distance à Dietzgen, dont on sait qu'il

78. *Ibid.*, p. 171.

79. *Ibid.*, p. 215 ; Lénine reprend ici un jugement d'Engels.

80. *Ibid.*, p. 245. « L'agnosticisme de Helmholtz ressemble également au « matérialisme honteux » avec des manifestations kantiennes à la différence des manifestations de Huxley inspirées de Berkeley » (*ibid.*, p. 244).

81. *Ibid.*, pp. 248-250 ; pour Engels il s'agit de l'*Anti-Dühring* et de *Ludwig Feuerbach*...

82. *Ibid.*, p. 136.

83. *Ibid.*, p. 76 ; c'est Lénine qui souligne.

84. *Ibid.*, p. 84.

rejoignit seul, en autodidacte, les positions de Marx ? Il faut pourtant tenir compte du fait que Dietzgen a pu « plaire aux philosophes réactionnaires »[85] et que cela est dû, en partie du moins, « à ce qu'il y a chez lui d'inexact et de confus », à une pensée parfois « mal exprimée »[86].

i. Le matérialisme de Plékhanov : distance encore, *dans* le matérialisme marxiste, et dont l'appréciation est malaisée. Plékhanov prête-t-il réellement le flanc à ceux qui, comme Bazarov, croient trouver chez lui la faille du marxisme au niveau de sa philosophie[87] ? Toujours est-il que Lénine reconnaît « l'erreur » commise par Plékhanov et la concession qu'il fait à l'agnosticisme dans sa Préface à l'édition russe du *Ludwig Feuerbach*, d'Engels[88].

Faut-il enfin accorder l'ultime place à un « matérialisme d'Engels » lui-même, autrement dit accepter une distance, si mince soit-elle, entre Marx et son ami ? S'il est vrai que certains ont avancé que « Marx se séparerait d'Engels »[89] et que d'autres l'ont directement pris à parti[90], Lénine n'en refuse pas moins avec véhémence tout clivage entre les deux théoriciens : « Marx a maintes fois appelé sa conception philosophique matérialisme dialectique et l'*Anti-Dühring* d'Engels *que Marx avait lu d'un bout à l'autre en manuscrit*, expose précisément cette conception[91] ». Il admet seulement, et en précisant que son jugement est en rigoureuse conformité avec les affirmations d'Engels, que « la révision de la « forme » du matérialisme d'Engels, la révision de ses principes de philosophie naturelle, n'a rien de « révisionniste » au sens

---

85. *Ibid.*, cf. point 8 du ch. IV, p. 253 et suivantes.
86. *Ibid.*, pp. 253 et 254.
87. *Ibid.*, pp. 83 et suivantes.
88. *Ibid.*, pp. 241 et suivantes. « L'erreur » de Plékhanov concerne la théorie de la connaissance (ou théorie du reflet) ; il écrit : « Nos sensations sont des sortes de hiéroglyphes ; qui portent à notre connaissance ce qui se passe dans la réalité. Ces hiéroglyphes ne ressemblent pas aux faits dont ils nous informent. Mais ils nous informent avec une fidélité parfaite aussi bien des faits que — et c'est le principal — des rapports qui existent entre eux » (*Œuvres philosophiques*, t. I, éd. de Moscou, 1961, p. 492). Dans la deuxième édition de l'ouvrage d'Engels, en 1905, Plékhanov reconnaîtra s'être « exprimé avec quelque imprécision » (*ibid.*, p. 482).
89. T. XIV, p. 105.
90. *Ibid.*, p. 234.
91. *Ibid.*, p. 256 ; souligné par Lénine.

consacré du terme ; le marxisme l'exige au contraire [92] ». Ainsi, avec Engels — et Marx, qui n'est, lui, jamais mis en question sous quelque forme que ce soit —, toute distance s'abolit, la solution de continuité s'instaure, le matérialisme est « achevé ».

La typologie que nous venons de présenter appelle quelques remarques.

Une première remarque, d'ordre encore descriptif, concerne les grandes catégories du matérialisme. On peut distinguer :
— un matérialisme pré-philosophique ou ressortissant à la philosophie implicite, comme dira Gramsci ; soit *a* et *b ;*
— un matérialisme qui est principalement le fait de savants, en réalité pseudo-matérialisme dont le positivisme est la destination [93] ; soit *c* et *d ;*
— un matérialisme conséquent dans les limites que lui impose l'état de la connaissance scientifique à un moment donné ou, cas de Dühring, de la méconnaissance de l'idéalisme, en l'occurrence Hegel (la dialectique) ; soit *e* et *f* ;
— le cas tout à fait particulier de Feuerbach qui reconnaît/méconnaît l'accomplissement de l'idéalisme, qui a encore honte du matérialisme, dans la mesure où il persiste à le confondre avec la forme précédente [94], qui, surtout s'arrête devant le matérialisme historique [95] ; soit *g ;*
— le matérialisme « achevé », en tant qu'il n'est pas pensé dans la radicalité de son achèvement par quelques-uns de ceux qui s'emploient à l'exposer et qui s'exposent ce faisant, fût-ce de façon terminologique, à des rechutes dans des formes antérieures, feuerbachiennes, mécanistes ou positivistes ; soit, au moins tendanciellement, *h* et *i.* Idée d'importance : de telles rechutes ne signifient-elles pas un retour au philosophique et, *volens nolens,* à l'idéalisme, dont, notons-le, toutes les formes de matérialisme, y compris celle de Feuerbach, demeurent hantées ? Mais où se situe le point de non-retour ?

Une seconde remarque, déjà compréhensive, porte sur ce

92. *Ibid.*, pp. 261-262.

93. Sur le positivisme, cf. *ibid.*, p. 213 où Lénine range côte à côte « Auguste Comte et Herbert Spencer, Mikhaïlovski et divers néokantiens, Mach et Avenarius ».

94. Cf. F. Engels, *Ludwig Feuerbach, op. cit.*, p. 29.

95. Cf. *infra* où nous retrouverons, avec Herzen, un cas *analogue* à celui de Feuerbach.

que, plus haut, nous avons appelé « l'opposition/relation au matérialisme achevé ». S'il est exact, en effet, que le marxisme seul, aux yeux de Lénine, représente le point *(saltus)* à partir duquel une connaissance de type scientifique devient possible, il n'en est pas moins vrai que Lénine affirme son entière solidarité avec *toutes* les formes antérieures de matérialisme. Et cette solidarité, notons-le, ne relève pas seulement de la préoccupation tactique-stratégique imposée par la lutte contre l'idéalisme et ses manifestations, elles aussi « honteuses » du genre de l'empiriocriticisme, elle est de la nature même du matérialisme indépendamment de la forme qu'il prend ; elle est de son « essence » [96].

2. Caractérisation positive

Qu'est-ce à dire ? Sinon que ces distances dont nous avons pris la mesure n'ont de sens que par la norme du champ qu'elles permettent de définir ; qu'elles s'estompent donc dans le rapport qui les constitue comme telles, rapport au matérialisme « achevé » s'entend, qui est à la fois le lieu où elles s'achèvent et la raison de leur inachèvement, ce point de leur fuite où elles seront désormais ancrées.

Notre typologie, ou plutôt celle de Lénine, va se lire dès lors à l'envers, puisque, dans la lice où il s'agit de défaire l'ennemi commun, l'idéalisme, les matérialistes ne seront pas trop de tous, purs comme impurs, conséquents ou inconséquents, philosophes ou non.

Regardons de plus près.

Engels est le maître d'œuvre et l'âme de ce combat. « Le matérialiste Engels [97] », présent presqu'à chaque page, se tient derrière chacun, du mieux armé au plus démuni. Se tient : comme l'ombre que, par devers soi, chacun porte et qui lui est liée ; tout l'effort de Lénine est tendu vers la désignation de ce double inaccessible aux coups, parce que l'adversaire, de son côté, n'a d'autre chance de vaincre que dans la dénégation de cette présence et « l'appréhension d'en avoir à découdre ouvertement et franchement » avec lui [98].

96. T. XIV, p. 224.

97. Cette expression revient constamment dans *Matérialisme et empiriocriticisme* : pp. 19, 30, 39, 111, 115, 119, 164, 191, 192, 213, etc. Les deux œuvres les plus souvent citées sont l'*Anti-Dühring* et *Ludwig Feuerbach.*

98. T. XIV, p. 248.

Plékhanov est en première ligne, car c'est lui qui sert de cible aux marxistes révisionnistes ; les attaques dont son matérialisme est l'objet visent en fait le matérialisme en général et tout particulièrement celui de Marx. Lénine va donc se consacrer à la défense de Plékhanov, non pas tant en faisant voir à ses adversaires qu'ils ne l'ont pas compris, qu'en établissant le bien fondé de la conception qu'il défend. « Mais admettons un instant (si incroyable que cela puisse paraître) que Bazarov « n'ait vraiment pas compris » Plékhanov ; admettons que le langage de Plékhanov ne lui ait pas paru assez clair. Soit. Nous demandons : Bazarov s'exerce-t-il à des jongleries aux dépens de Plékhanov (que les disciples de Mach élèvent au rang de représentant unique du matérialisme) ou veut-il éclaircir la question *du matérialisme* ? Si Plékhanov vous a paru peu clair ou contradictoire, etc., que ne prenez-vous d'autres matérialistes ? [99] » Et Lénine acceptant de traiter la question « *indépendamment* du moindre mot prononcé par Plékhanov [100] », va littéralement faire comparaître le « matérialiste Feuerbach », le « matérialiste Dietzgen » et le « matérialiste Engels [101] ». La « défense » de Plékhanov, dont l'argument consiste à mettre ce dernier entre parenthèses, découvre une double liaison, avec Engels et avec les autres matérialistes.

Précisons : avec *tous* les matérialistes.

Pas seulement Dietzgen et Feuerbach dont l'évocation va de soi s'agissant du matérialisme « achevé » [102], mais aussi Dühring en vertu de la règle que la lutte contre le mauvais matérialisme ne dessert pas plus le matérialisme, que la lutte contre le mauvais socialisme ne sert la bourgeoisie [103]. Au contraire :

« Prenez Dühring. On imaginerait difficilement appréciation plus méprisante que celle d'Engels à son sujet. Mais voyez *comme Leclair critiquait le même Dühring simultanément avec Engels,* tout en louant la « philosophie d'esprit révolutionnaire » de Mach.

99. T. XIV, p. 83 ; souligné par Lénine.

100. *Ibid.*, p. 84 ; souligné par Lénine.

101. *Ibid.*, p. 19, dès l'introduction de l'ouvrage ; sur Plékhanov, encore p. 113.

102. Sur Feuerbach, cf. essentiellement pp. 84-85, 145, 159, 180 et suivantes, 214 ; sur Dietzgen, pp. 123-124, 162, 254 et suiv., 355.

103. Cf. t. XIV, pp. 248 et suivantes, tout le point intitulé *De la double critique de Dühring*.

Pour Leclair, Dühring représente « l'extrême gauche » du matérialisme, « qui déclare tout net que la sensation est, comme en général toute manifestation de la conscience et de la raison, une sécrétion, une fonction, une fleur sublime, un effet d'ensemble, etc., de l'organisme animal » (*Der realismus der modernen Naturwissenschaft im lichte der von Berkeley und Kant angebahnten Erkenntniskritik,* 1879, pp. 23-24).

« Est-ce pour cette raison que Dühring fut critiqué par Engels ? Non. L'*accord* d'Engels avec Dühring, comme avec tout matérialiste, était sur ce point *absolu.* Il critiqua Dühring d'un point de vue diamétralement opposé pour les inconséquences de son matérialisme, pour ses fantaisies idéalistes qui laissaient la porte ouverte au fidéisme [104]. »

Pas seulement Dühring, aussi le « mauvais » matérialisme de Büchner, Vogt ou Moleschott. La démarche de Lénine ne consiste nullement, comme une lecture trop rapide le pourrait faire croire, à réhabiliter ces matérialistes critiqués par Engels et à donner par conséquent dans les erreurs qui leur sont imputables, elle veut établir que le clivage entre le matérialisme conséquent et ses formes antérieures ou vulgaires, loin de la mettre en doute, confirme la justesse et la cohérence de l'attitude matérialiste. « L'accord d'Engels avec Dühring, comme avec tout matérialiste, était sur ce point absolu [105] » ; et aux critiques de Dietzgen, Lénine objecte encore « on en peut déduire l'insuffisance du matérialisme métaphysique, anti-dialectique, et non l'insuffisance du matérialisme tout court [106] ».

« Matérialisme tout court », « matérialisme en général », voilà ce que la conjoncture théorique impose de défendre. Et cette défense s'étend jusqu'aux formes les moins conséquentes et les moins théorisées du matérialisme. C'est ainsi que les énoncés des scientifiques, si peu qu'ils « penchent » vers le matérialisme, doivent être pris en considération et leurs implications développées, les philosophes se jugeant moins sur les étiquettes qu'ils arborent que « sur la manière dont ils résolvent en fait les questions théoriques fondamentales, sur les gens avec qui ils marchent

---

104. *Ibid.*, p. 249 ; souligné par Lénine.

105. *Ibid.*

106. *Ibid.*, p. 254 ; cela suffirait à confirmer l'intérêt que Lénine a toujours accordé au travail de Plékhanov sur les matérialistes français.

la main dans la main, sur ce qu'ils enseignent et ont appris à leurs élèves et disciples »[107]. Distinguant deux écoles dans la physique contemporaine, induisant deux tendances philosophiques, Lénine applique cette méthode à Poincaré qui d'une part se réclame de Mach, ou se rattache à son courant, et d'autre part en appelle contre Le Roy « au critérium de la pratique »[108].

C'est ainsi à plus forte raison que le matérialisme philosophique, au lieu de railler le « réalisme naïf, doit s'employer à le rendre conscient en lui conférant la légitimité scientifique à laquelle il aspire de façon « spontanée » ou « instinctive ».

3. Les propositions matérialistes

En fonction de ce que nous venons de voir et qui tend bien à faire de *Matérialisme et empiriocriticisme* un véritable *traité de matérialisme,* deux groupes de propositions spécifiant le matérialisme peuvent être distingués, un premier groupe comprenant les thèses communes à toutes les formes de matérialisme, un second ne concernant que celles qui donnent sa spécificité au matérialisme « accompli ».

Nous nous bornons à les rappeler.

a. Pour le matérialisme *tout court :*

La matière est antérieure à la pensée. Elle existe avant la pensée et indépendamment d'elle. La pensée, comme la vie, est une forme de développement de la matière. La matière, ou la réalité objective, est la condition de possibilité même de la connaissance, de ses formes les plus élémentaires (sensation) à ses formes les plus élaborées (science).

Ces thèses sont en opposition directe avec celles de l'idéalisme et déterminent la lutte, à travers toute l'histoire des idées, entre les deux « camps » ; soit : pas de pensée, d'idée, ou de connaissance, antérieure ou indépendante de la matière, pas d'indistinction pensée/réalité, pas de création, etc.

A des degrés divers et selon des tentatives de synthèse différentes, tous les matérialismes, donc tout matérialisme, se sont fondés sur de telles propositions ; l'efficace, on pourrait dire la démonstrativité, de chacun se mesurant à sa capacité d'inter-

107. *Ibid.*, p. 226.

108. *Ibid.*, p. 304 où Lénine relève : « Le matérialisme a été déclaré anéanti par une « théorie », qui, à la première attaque lancée par le fidéisme, *se réfugie sous l'aile du matérialisme* » (souligné par l'auteur).

prêter et d'intégrer les résultats de la connaissance scientifique prise à un moment donné de son développement et chaque forme rencontrant sa limite, objective et souvent subjective, précisément dans ce moment donné de la science (exemple : le matérialisme du XVIIIe siècle qui définit correctement la matière par le mouvement, mais limite, avec la physique de l'époque, ce dernier au seul mouvement mécanique).

b. Pour le matérialisme *achevé*

« Marx comme Engels et J. Dietzgen entrèrent dans la carrière philosophique à une époque où le matérialisme régnait parmi les intellectuels avancés en général et dans les milieux ouvriers en particulier. Marx et Engels portèrent donc, tout naturellement, une attention suivie non pas à la répétition de ce qui avait déjà été dit, mais au *développement* théorique sérieux du matérialisme, à son application à l'histoire, c'est-à-dire à *l'achèvement jusqu'au faîte* de l'édifice de la philosophie matérialiste. Ils *se bornèrent* tout naturellement, dans le domaine de la gnoséologie, à corriger les erreurs de Feuerbach, à railler les banalités du matérialiste Dühring, à critiquer les erreurs de Büchner (cf. aussi J. Dietzgen), à souligner ce qui manquait *surtout* à ces écrivains les plus populaires et les plus écoutés dans les milieux ouvriers, à savoir : la dialectique [109]. »

De ce texte important trois idées se dégagent concernant :
— « l'achèvement » du matérialisme ;
— la gnoséologie ;
— la dialectique.

Différant — jusqu'à notre point II — l'examen de la problématique à laquelle ces idées renvoient, nous ne retiendrons ici que ce qui, aux yeux mêmes de Lénine, marque son propre apport, la gnoséologie. Car, s'il existe une spécificité particulière de *Matérialisme et empiriocriticisme,* c'est dans ce domaine qu'il faudra la chercher, non pas que Lénine tienne un autre discours que celui de Marx et Engels, puisqu'il n'avance aucune catégorie qu'il ne la leur emprunte, son discours accomplit plutôt, sous forme positive, des indications critiques et polémiques. Aussi bien ne peut-on, à ce stade, faire le départ entre ce qui revient à Lénine et ce qu'il reprend de Marx ou d'Engels.

Les thèses principales sont les suivantes : *Les deux camps*

109. Ibid., p. 252 ; souligné par Lénine.

en philosophie : matérialisme ou idéalisme, pas de troisième voie. Toute la démonstration de l'ouvrage est axée sur ce principe, directement issu du *Ludwing Feuerbach* d'Engels et de son refus des « soupes éclectiques »[110]. « L'empirio. etc. » n'occupe aucun lieu assigné, sinon le terrain qui, déjà et une fois pour toutes, est celui de l'idéalisme *ou* du matérialisme ; s'il rejette le second, il se confond nécessairement, qu'il le veuillle ou non, avec le premier.

La théorie du reflet ou théorie matérialiste de la connaissance (gnoséologie) dans l'élaboration de laquelle Lénine voit et la répudiation des limites où se trouvent enfermées toutes les formes inachevées du matérialisme, qu'elles soient antérieures (« mécanistes », « métaphysiques ») ou postérieures (« naïves », « vulgaires ») au marxisme, et la réfutation enfin scientifique, *i.e.* rendue possible par le procès lui-même de la connaissance scientifique, des doctrines spéculatives/idéalistes. La théorie du reflet représente ainsi le manque des matérialismes non-dialectiques et la véritable solution de continuité qui permet de les penser comme devenir vers cet « achèvement » qui les nie et les révèle à la fois, pour parler hégélien. En découlent une théorie de l'histoire de la connaissance[111], une théorie du rapport vérité absolue/vérité relative, entre lesquelles ne passe aucune « ligne de démarcation infranchissable »[112], spécifiée notamment dans la relation catégories philosophiques/concepts scientifiques[113].

Le critère de la pratique, autre ligne de démarcation avec le matérialisme antérieur, déjà perçue par Feuerbach[114] et théorisée par Engels[115]. « Chez Engels toute la pratique vivante de

---

110. Cité *ibid.*, p. 63 ; sur les « deux camps » cf. p. 44 et suivantes, 57, 63, 155.

111. « Dans la théorie de la connaissance, comme dans tous les autres domaines de la science, il importe de raisonner dialectiquement, c'est-à-dire de ne pas supposer notre conscience immuable et toute faite, mais d'analyser comment la connaissance naît de l'ignorance, comment la connaissance incomplète, imprécise devient plus complète, plus précise. » *Ibid.*, p. 104.

112. *Ibid.*, p. 139.

113. *Ibid.*, exemple de la matière p. 132-33 et p. 272.

114. *Ibid.*, p. 145.

115. *Ibid.*, p. 141 ; aussi p. 146, p. 178.

l'homme fait irruption dans la théorie même de la connaissance, fournissant un critère *objectif* de la vérité [116]... »

L'esprit de parti, en philosophie comme en science, n'est que la conséquence des thèses précédentes. Lénine donne un relief particulier à cette thèse, lorsqu'à la fin de son ouvrage il traite des rapports entre l'empiriocriticisme et le matérialisme historique. Renvoyant à leur œuvre [117] dont, pendant « près d'un demi-siècle », le foyer a été « l'affirmation insistante du matérialisme » [118], il écrit : « Marx et Engels furent en philosophie, du commencement à la fin des hommes de parti [119]. » Comme la philosophie ou l'économie politique, la gnoséologie est « une science de parti » [120] ; le retentissement connu par la publication des *Enigmes de l'univers* de E. Haeckel, qui popularisa un « matérialisme omnipotent », et malgré les limites de ce matérialisme, atteste de ce fait. « La guerre » faite à Haeckel a *prouvé* que ce point de vue qui est le nôtre correspond à la réalité objective, c'est-à-dire, à la nature de classe de la société contemporaine et à ses tendances idéologiques de classe [121]. » La vérité de la philosophie ainsi produite découvre la vérité de l'empiriocriticisme et son « rôle objectif », son « rôle de classe » qui « se réduit entièrement à servir les fidéistes dans leur lutte contre le matérialisme en général et contre le matérialisme en particulier » [122].

Une définition enfin, que nous empruntons à Lénine ramasse l'ensemble des traits du matérialisme « tout court » comme du matérialisme « achevé » :

« Le matérialisme admet d'une façon générale que l'être réel objectif (la matière) est indépendant de la conscience, des sensations, de l'expérience humaine en général. Le matérialisme historique admet que l'existence sociale est indépendante de la conscience sociale de l'humanité. La conscience n'est, ici et là,

116. *Ibid.*, p. 196.

117. *Les partis en philosophie et les philosophes acéphales, ibid.*, p. 349 et suivantes. Lénine se réfère, pour Marx, à une lettre à Feuerbach du 20-10-1843 (*in Correspondance,* t. I, éd. cit., p. 300 ; la lettre est du 03-10), au *Capital* et à une lettre à Kugelmann du 27-06-1870 ; pour Engels, à l'*Anti-Dühring* et à *Ludwig Feuerbach.*

118. Ibid., p. 351.

119. *Ibid.*, p. 353.

120. *Ibid.*, p. 357.

121. *Ibid.*, p. 367.

122. *Ibid.*, p. 372 (phrase de conclusion de l'ouvrage).

que le reflet de l'être, dans le meilleur des cas un reflet approximativement exact (adéquat, d'une précision idéale). On ne peut retrancher aucun principe fondamental, aucune partie essentielle de cette philosophie du marxisme coulée dans un seul bloc d'acier, sans s'écarter de la vérité objective, sans verser dans le mensonge bourgeois réactionnaire [123]. »

II - *La problématique*

Nous avons déjà fait mention, à propos de la caractérisation du marxisme, des trois points nodaux qui, dans *Matérialisme et empiriocriticisme* paraissaient articuler la problématique léniniste ; il s'agissait de l'achèvement du matérialisme, de la gnoséologie et de la dialectique.

Ce sont ces points que nous allons reprendre.

1. L'achèvement du matérialisme

Deux questions se posent ici, concernant le processus et concernant la nature de l'achèvement ; deux questions en fait liées, qui se ramènent à celle-ci : de quel type est le rapport qu'entretiennent le matérialisme traditionnel et le matérialisme contemporain [124] ?

Disons tout de suite en quoi nous semble consister la réponse de Lénine. Le matérialisme contemporain ne serait pas seulement la forme supérieure qu'aurait atteinte le matérialisme traditionnel, dans le cours de son développement, il marquerait plutôt la rupture avec ce dernier.

Sans revenir sur les exposés dans lesquels Marx et surtout Engels se sont essayés à une histoire du matérialisme [125], et, moins encore, sans reconstituer une telle histoire, on peut, avec Lénine, dégager les éléments, qui furent au principe de la rupture que nous avons à comprendre, d'une part le développement scientifique, d'autre part l'intégration de la pratique.

a. Le développement scientifique

---

123. *Ibid.*, p. 339.

124. Pour une raison de commodité nous entendons par « matérialisme traditionnel », les formes non marxistes du matérialisme, et par « matérialisme contemporain », le marxisme ; cette dernière expression est courante chez Lénine.

125. Marx dans *La Sainte famille*. Engels dans l'*Anti-Dühring* (ch. I) et dans *Ludwig Feuerbach*.

Les formes traditionnelles du matérialisme souffrent, on le sait, du même défaut, l'incapacité, plus ou moins affirmée, où elles se trouvent de tenir le discours cohérent qu'elles promettent. Entendons par là que tout se passe comme si le matérialisme traditionnel ne parvenait jamais à intégrer certains phénomènes, comme s'il échouait à assurer la complète extension, et donc, la validité, de son propre principe, la détermination matérielle en tant que détermination de dernière instance. Le matérialisme serait, en quelque sorte, condamné à n'énoncer que des vérités sectorielles, par exemple, pour la chimie, mais non pour la biologie, pour les sciences de la nature, mais non pour les sciences sociales ; il vivrait de la singulière contradiction de ne pouvoir faire reconnaître la relation directe à la science, qui lui est constitutive, qu'en rendant suspecte, sinon en annulant, cette relation, par l'usage spéculatif qu'il est contraint d'en faire et que l'idéalisme ne manque pas de présenter à son avantage ; ainsi du cerveau qui secréterait la pensée comme le foie la bile. Matérialistes « par en bas », idéalistes « par en haut », le furent les Encyclopédistes, comme le fut Feuerbach [126]. Ce défaut, on le sait aussi, est, pour l'essentiel, à chercher dans les limites mêmes atteintes par la science (une science ou tel ou tel secteur de la connaissance scientifiques), en ce sens que le matérialisme tente d'outrepasser ces limites et se livre, ce faisant, à des extrapolations philosophiques sans fondement. Mais cela veut dire aussi que l'inconséquence du matérialisme traditionnel n'est pas de son fait, elle est un reflet de son objet. Elle est en ce sens objective, comme ont été historiquement, et pour des raisons semblables, objectives, la suprématie de la religion et celle de l'idéalisme. Ce qui explique en outre la succession des formes de matérialisme, chacune correspondant à un certain état de développement de la connaissance scientifique, y comprises les tendances matérialistes dont sont, çà et là, lestées des philosophies à dominante idéaliste. Et si l'on admet que dans la lutte qui oppose le matérialisme à l'idéalisme, le premier, en droit, sinon toujours en fait, représente la science, il faut alors convenir que tout pas fait en avant par la science est un pas du matérialisme, que celui-là, en conséquence, est nécessairement promis à l'hégémonie.

---

126. Cf. F. Engels, *Ludwig Feuerbach*, éd. cit., p. 43 ; repris par Lénine, t. XIV, p. 250.

Aussitôt dès lors que le champ scientifique a atteint une extension assez vaste pour que puissent être assurés, du point de vue méthodologique, les fondements d'une démarche apte à rendre raison de l'ensemble des phénomènes, le matérialisme *s'achève* et il devient possible de le prendre *vraiment au sérieux.*

C'est à cette idée que Lénine, après Engels, s'attache.

Déjà, dans les notes qu'il avait prises sur *la Sainte Famille,* il avait relevé : « ... le matérialisme mécanique se transforme pour devenir la science française de la nature » et « à la pratique matérialiste ont correspondu des théories matérialistes »[127]. Dans *Matérialisme et empiriocriticisme,* une part importante de la démonstration est consacrée à l'inadéquation existant entre les résultats et le tracé général de la physique contemporaine et les interprétations qu'en donnent notamment ceux qui se réclament de Mach : l'idéalisme et ses variantes ont définitivement perdu ce terrain. Le machisme occupe ou tente d'investir la place assignée au matérialisme contemporain, au marxisme, par la science contemporaine elle-même : « la physique est en couche. Elle enfante le matérialisme dialectique »[128].

« Le savant qui exprime assurément les opinions, les dispositions d'esprit et les tendances les plus durables, quoiqu'insuf fisamment cristallisées, de la plupart des savants de la fin du XIXe siècle, et du commencement du XXe, montre d'emblée, avec aisance et simplicité, ce que la philosophie professorale tentait de se cacher à elle-même, à savoir : qu'il existe une base de plus en plus large et puissante, contre laquelle viennent se briser les vains efforts des mille et une écoles de l'idéalisme philosophique, du positivisme, du réalisme, de l'empiriocriticisme et de tout autre confusionnisme. Cette base c'est le *matérialisme des sciences de la nature*[129]. »

Ainsi le matérialisme contemporain tient seul le discours de la science, toute autre philosophie, se prétendît-elle matérialiste, *retarde* et sert objectivement, en philosophie, aussi bien que dans la vie sociale, des fins de réaction, *stricto sensu ;* l'idéalisme et la

---

127. Cf. *Cahiers philosophiques,* éd. cit., pp. 30 et 31 ; *La Sainte Famille,* éd. cit., pp. 152 et 153.

128. T. XIV, p. 326 ; pour la démonstration, cf. entre autres passages, p. 315 et suivantes.

129. *Ibid.,* p. 365 ; souligné par Lénine.

bourgeoisie, qui est sa base de classe, mènent un combat défensif parce qu'il est dépassé. Science et prolétariat, comme l'avait bien vu J. Dietzgen, sont *ensemble à l'initiative.*

b. L'intégration de la pratique

La « rencontre » science prolétariat vient précisément d'introduire ce second élément de la rupture ; il nous est assez familier pour que nous n'y insistions pas. Nous pourrions même nous borner à dire avec Lénine : « nous avons vu Marx en 1845 et Engels en 1888 et 1892 fonder la théorie matérialiste de la connaissance sur le critère de la pratique » [130], à condition toutefois de prendre la mesure exacte de la théorie qu'induit chez Lénine la considération de la pratique, puisqu'elle est, pour ne parler que d'eux, le manqué de ces marxistes qui suivent Mach [131].

Auparavant toutefois, il convient de dégager, fût-ce sous forme de questions, la conséquence qu'impose la thèse de l'achèvement du matérialisme. Le matérialisme « accompli » s'accomplit-il *dans* la philosophie ? La rupture qu'il prononce avec le matérialisme passé (traditionnel) ne doit-elle pas être entendue comme la rupture avec toute philosophie ? Le matérialisme contemporain ne se résout-il pas entièrement dans la science ? Et quelle science ? La connaissance scientifique proprement dite qui se passerait de tout redoublement au niveau d'un discours philosophique — par où le matérialisme contemporain risquerait fort de n'être plus distinct du positivisme ? Ou quelque science philosophique qui donnerait enfin corps au vieux rêve d'un Kant encore repris par Husserl ?

Que notre interrogation soit elle-même fondée, *Matérialisme et empiriocriticisme* nous en donne de nouvelles preuves. Lorsque Lénine écrit :

« ...Marx, c'est-à-dire le fondateur du socialisme en tant que science, le fondateur du matérialisme contemporain, *infiniment plus riche de contenu et plus conséquent* que toutes les formes antérieures au matérialisme [132]. »

Il est clair qu'il spécifie l'idée d'achèvement : le matérialisme

---

130. *Ibid.*, p. 141 ; et « Feuerbach met à la base de la théorie de la connaissance l'ensemble de la pratique humaine », p. 145.

131. « La pratique peut être matérialiste, dit Mach ; quant à la théorie c'est tout autre chose », *ibid.*, p. 143.

132. *Ibid.*, p. 350 ; souligné par nous, G.L.

contemporain est irréductible aux formes antérieurement prises par le matérialisme ; mais pas seulement, il nomme aussi la *scientia nova,* par cette torsion instaurée, *le socialisme.* Ce dont nous devrons nous souvenir. Par ailleurs il est tout aussi clair que le « chercheur en philosophie » ne cherche pas, dans la philosophie, la philosophie même, mais bien ce qui la produit ou ce à l'occasion de quoi elle est produite, en tant que philosophie. Lénine conclut ainsi le long exposé qu'il consacre aux tendances de la physique dans les principaux pays d'Europe : « Il est hors de doute que nous sommes en présence d'une tendance idéologique internationale, ne dépendant pas d'un système philosophique donné, mais déterminée par des causes générales, placées *en dehors du domaine de la philosophie* [133]. » Il s'agit bien, ainsi que nous l'avons précédemment avancé, d'une *intervention.* Et elle suppose un extérieur à partir duquel intervenir devient possible.

« Matérialisme » s'entendrait-il en deux acceptions dont la seconde fonderait la première, savoir un matérialisme philosophique à l'œuvre dans la lutte opposant matérialisme et idéalisme, et un matérialisme scientifique rendant lisible et le précédent et la lutte [134] ? Mais quel serait le rapport entre ces deux instances ? Nos questions, on le voit, reviennent avec insistance. Nous les retrouverons, quand le détour obligé des analyses qu'il nous faut encore conduire, nous aura permis de les préciser et peut-être de leur proposer réponse.

2. La gnoséologie

Elle est donc fondée sur la pratique. Elle fait la théorie de l'irruption, dans la théorie même de la connaissance, de toute la pratique vivante de l'homme. L'intégration de la pratique au matérialisme l'a achevé ; le matérialisme philosophiquement est mort, la pratique le ressuscite scientifiquement, en lui apportant le « critère objectif de la vérité » qui lui faisait défaut. Et dont il faut faire la théorie.

Sans doute une objection peut-elle se présenter d'emblée, avant même que ladite théorie ait reçu un commencement d'élaboration : quelle garantie possède-t-on que cette théorie ne sera

---

133. *Ibid.*, p. 315 ; souligné par nous, G.L.

134. Une interprétation de cet ordre a été suggérée par Ph. Sollers dans une étude consacrée à *Lénine et le matérialisme philosophique* (dans *Tel quel*, automne 1970, n° 43, pp. 3-16).

pas, comme c'était le cas des formes traditionnelles du matérialisme, strictement limitée à un certain état du développement de la science et donc passible de caducité ? La réponse à une telle objection ne tient pas seulement à la nécessaire distinction à faire entre « forme » et « essence » du matérialisme, la première dépendant étroitement du devenir historique et des légitimes « révisions » qu'il impose, la seconde s'inscrivant dans une lutte théorique sans concessions [135], elle tient à l'intégration même de la pratique dans le matérialisme, en ce sens qu'elle le réfère une fois pour toutes à la vie réelle et à la science comme procès indéfiniment continué, à l'opposé de toute spéculation à caractère éternitaire.

C'est pourquoi Lénine place sa démonstration « gnoséologique » sous le signe de la réfutation de la chose en soi inconnaissable, selon le procédé déjà rencontré qui consiste à invoquer, par-delà Plékhanov, objet des attaques, Engels, Feuerbach et Dietzgen [136]. Nous ne reprendrons pas cette démonstration, pour l'essentiel dérivée d'Engels [137], nous nous attacherons à ses résultats. Est tout d'abord produit le cadre général d'une théorie de la vérité. On peut, avec J.T. Desanti, le présenter ainsi :

« La connaissance est la transformation graduelle, au moyen de la pratique, de la « chose en soi » en « chose pour nous ». La vérité est, chaque fois, la connaissance approximativement exacte, vérifiée par la pratique, des lois de la réalité objective et absolue. La relativité de notre connaissance ne signifie pas ainsi qu'il existe une borne infranchissable imposée à notre pensée par sa nature ou celle des choses. Bien au contraire : cette relativité exprime simplement le fait que le développement de la connaissance est un processus au cours duquel la vérité absolue est sans

---

135. « Ce n'est pas cette révision que nous reprochons aux disciples de Mach, c'est leur procédé *purement révisionniste* qui consiste à trahir *l'essence du matérialisme* en feignant de n'en critiquer que la *forme*, à emprunter à la philosophie bourgeoise réactionnaire ses propositions fondamentales sans tenter ouvertement, en toute franchise et avec résolution, de s'attaquer par exemple à cette affirmation d'Engels, qui est indéniablement dans cette question d'une extrême importance : « ... le mouvement est inconcevable sans matière » *(Anti-Dühring)* (T. XIV, p. 262).

136. T. XIV, pp. 99 et suivantes.

137. Cf. *Ludwig Feuerbach*, éd. cit., p. 27 (l'exemple de l'alizarine).

cesse davantage approchée, sans qu'on épuise cependant la richesse infinie de la nature [138]. »

Il paraît, d'autre part, légitime de faire la distinction entre deux types de catégories :

a. Les catégories gnoséologiques, *i.e* relevant de la théorie de la connaissance proprement dite, parmi lesquelles il faut compter :

— la *pratique* sociale, en tant qu'elle exprime « le point de vue de la vie » qui « doit être le point de vue premier, fondamental de la théorie de la connaissance » [139] ;

— la *matière,* en tant que ce terme n'est rien d'autre que le concept de la réalité objective [140] ;

— le *reflet,* qui désigne le rapport de la pensée à son objet, ou plus exactement dit qui connote la dynamique de la connaissance, de la sensation à la science [141] ; reflet qui peut prendre diverses formes, de la rigoureuse adéquation à l'objet à sa vision aberrante (reflet « fantastique »).

Ces catégories sont intimement liées entre elles : le reflet a son lieu dans la pratique qui est matérielle. Lénine écrit : « La théorie matérialiste, la théorie du reflet des objets par la pensée, est exposée ici (il s'agit de *Socialisme utopique et socialisme scientifique,* d'Engels, G.L.) en toute clarté : les choses existent hors de nous. Nos perceptions et nos représentations en sont les images. Le contrôle de ces images, la distinction entre les images exactes et les images erronées nous sont fournis par la pratique [142]. » C'est pourquoi ces catégories suffisent à établir une infranchissable démarcation avec l'idéalisme [143].

b. Les catégories épistémologiques, *i.e.* relevant plutôt de la théorie de la science. Elles sont assurément beaucoup plus nom-

---

138. *Lénine et la philosophie,* éd. cit., p. 111.

139. T. XIV, p. 146.

140. *Ibid.,* p. 132.

141. Précisons que nous ne disputerons pas ici de la nature du reflet dans *Matérialisme et empiriocriticisme,* soit de la question de savoir si la conception qu'en expose Lénine est ou non encore mécanique, cette question étant, pour le moment, indifférente à notre objet.

142. T. XXV, p. 111. Voir aussi, *infra,* p. 143 : « Pour le matérialiste le « succès » de la pratique humaine démontre la concordance de nos représentations avec la nature objective des choses perçues » ; aussi p. 188.

143. *Ibid.,* p. 165.

breuses que les précédentes. Lénine se consacre tout particulièrement, en relation à la fois avec les critiques empiriocriticistes/idéalistes et les analyses d'Engels, à la causalité [144], à l'espace et au temps, au couple liberté-nécessité, mais on en trouverait bien davantage, telles que loi, expérience, mouvement, déterminisme, nature, conscience, hasard, etc.

Une typologie de ces catégories est-elle possible ? Il semble qu'on puisse être assuré qu'elle attribuerait aux unes une place fondamentale et à d'autres une fonction dérivée ; les catégories de l'objectivité seraient privilégiées, dans la première rubrique, en tant qu'expressives (reflet) des lois du mouvement de la matière, présupposées par toute science.

La distinction que nous venons de proposer entre catégories gnoséologiques et épistémologiques appelle plusieurs remarques. La première porte sur cette distinction elle-même, en ce qu'elle est de commodité plus que de nature, car la théorie de la connaissance et la théorie de la science assument, ensemble, une même finalité, produire la théorie générale de l'objectivité de la connaissance [145]. A cet égard les catégories gnoséologiques ont pour fonction d'affirmer l'existence de la réalité objective dont les catégories épistémologiques ne sont que les effets et la condition initiale de son déchiffrement ; ensemble, elles sont les fondements du matérialisme. C'est pourquoi, malgré la relativité, pour le matérialisme (contemporain) du clivage entre vérité absolue et vérité relative, toutes ces catégories peuvent être considérées comme des vérités « absolues ». Lénine répète, pour la pratique, ce qu'il a dit précisément de la distinction vérité absolue/vérité relative [146], savoir que ce critère est à la fois « assez vague » et « assez précis » : « Il ne faut certes pas oublier que le critère de la

---

144. Relevant qu'Engels n'a pas donné d'exposé en forme sur la causalité, Lénine ajoute qu'il n'est cependant pas douteux qu'Engels admettait parfaitement « l'existence des lois de la causalité et de la nécessité objectives de la nature » (*ibid.*, p. 160).

145. « Détacher la doctrine d'Engels sur la réalité objective du temps et de l'espace de sa théorie de la transformation des « choses en soi » en « choses pour nous », de sa reconnaissance de la vérité objective et absolue, plus précisément de la réalité objective qui nous est donnée dans la sensation, la détacher de sa reconnaissance des lois naturelles, de la causalité et de la nécessité objectives, c'est faire un hachis d'une philosophie qui est toute d'une seule pièce » (*ibid.*, p. 191).

146. T. XIV, p. 139.

pratique ne peut, au fond, jamais confirmer ou réfuter *complètement* une représentation humaine, quelle qu'elle soit. Ce critère est de même assez « vague » pour ne pas permettre aux connaissances de l'homme de se changer en un « absolu » ; d'autre part, il est assez déterminé pour permettre une lutte implacable contre toutes les variétés de l'idéalisme et de l'agnosticisme [147]. »

« Vérités absolues », qu'est-ce à dire ? Sinon très exactement que ces catégories ne sont susceptibles d'aucune remise en question, dans le devenir historique, par le procès de la connaissance scientifique ; que « pratique », « matière » ou « reflet » constituent, au contraire, le référentiel indépassable et comme l'ancrage obligé de ce procès. Aussi bien ces catégories sont-elles vides de tout discours, mais le vide qu'elles circonscrivent, comme une clôture fait d'un champ, se désigne lui-même en tant que le plein du discours qui les élira domiciles, parce que toute leur fonction est d'être domicile, lieu d'où nulle parole ne peut partir sans laisser d'adresse, sans laisser leur adresse au moyen de laquelle toute parole n'a de sens que de les parler. « La variabilité des idées humaines sur l'espace et le temps ne réfute pas plus la réalité objective de l'un et de l'autre que la variabilité des connaissances scientifiques sur la structure de la matière et les formes de son mouvement ne réfute la réalité objective du monde extérieur [148]. » C'est pourquoi nous avons suggéré d'appeler ces catégories, catégories-*indices* ; elles sont en effet « assez précises » pour maintenir en permanence, à l'orée aussi bien qu'à l'horizon de la connaissance (de toute connaissance), la détermination matérielle ; elles sont « assez vagues » pour réserver en permanence au seul procès scientifique le droit de constituer leur discours. La différence marquée par Engels entre le « concept de temps » et « le temps réel » n'a pas d'autre signification ; à les confondre, Dühring ne peut que rechuter dans les inconséquences du matérialisme traditionnel, sa critique du concept de temps, si pertinente soit-elle, ne peut pas aboutir à l'évacuation du temps réel [149].

Du même coup se trouve induit le statut de ces catégories : elles relèvent du philosophique et, à l'instar des cairns qui jalonnent les itinéraires de haute montagne, elles assignent à la philo-

---

147. *Ibid.*, p. 146 ; c'est Lénine qui souligne.
148. *Ibid.*, p. 181.
149. *Anti-Dühring*, éd. cit., p. 84 ; repris par Lénine, t. XIV, p. 181.

sophie sa fonction, qui est de fonder la science. Quant au caractère de vérités absolues de ces catégories, il représenterait, pour reprendre le vocable utilisé par Marx en 1857 à propos des « robinsonnades » du XVIIIe siècle [150], l'*anticipation* de la finalité du procès scientifique .

« Ainsi — écrit Lénine — la pensée humaine est, par nature, capable de nous donner et nous donne effectivement la vérité absolue, qui n'est qu'une somme de vérités relatives. Chaque étape du développement des sciences intègre de nouveaux grains à cette somme de vérité absolue, mais les limites de la vérité de toute proposition scientifique sont relatives, tantôt élargies, tantôt rétrécies, au fur et à mesure que les sciences progressent [151]. »

La science seule peut réaliser ce procès de totalisation, la philosophie ne peut, en aucun cas, se prévaloir de le faire à sa place. C'est ainsi que la définition de la matière ne saurait venir de la philosophie, cette dernière se bornant à désigner la réalité objective comme référentiel permanent ; une telle définition ne peut être produite que par la science, à chaque étape de son développement ; « produite » c'est-à-dire enrichie, modifiée, restructurée, parfois abolie. Par où se comprend qu'il ne puisse y avoir de « crise » de la science, en tant que connaissance de l'univers objectif, mais seulement des crises dans les concepts ; la matière « réelle » n'est pas susceptible de « se volatiliser », tandis que sa définition, son concept, peut bien, à un moment donné, se trouver frappé d'invalidité. Le sens commun a de la sorte toujours raison contre le physicien pris de panique : la réalité objective, qui les appelle l'un et l'autre à penser, sera indéfiniment déjà là. Le même raisonnement vaut pour les « formes » du matérialisme, leur succession et leur ruine laissent intacte son « essence » et le matérialisme « achevé » se réduit à l'affirmation de cette vérité.

La philosophie a donc un objet propre, les *catégories* qui, si elles ne peuvent être pensées indépendamment de leur rapport aux concepts engendrés par la connaissance scientifique, ne leur sont cependant nullement réductibles.

La philosophie enfin, avons-nous dit, balise la route de la

---

150. Cf. *Fondements de la critique de l'économie politique*, éd. cit., p. 11.

151. T. XIV, p. 138.

science. D'où tient-elle ce privilège, qui semble bien infirmer sa définition comme « la fausse route des fausses routes »[152] ? La difficulté n'est qu'apparente et la réponse est claire : la philosophie tient ce privilège de la science elle-même qui a permis qu'à un moment déterminé de son développement la pratique humaine tout entière fasse irruption dans la théorie de la connaissance. Quelle philosophie ? Non pas celle des « professeurs réactionnaires », si durement pris à parti par Dietzgen et par Lénine, après lui[153], mais celle-là même dont l'achèvement du matérialisme autorise l'instauration, une philosophie enfin débarrassée des apories de la spéculation, une philosophie *scientifique*.

3. La dialectique

Il semble bien qu'elle soit l'absente de notre propos, ou plutôt du propos de Lénine. Mais cette absence est absence de quoi ? Du bien-fondé peut-être de la question qui la formule ?

Lénine ne nous est-il pas apparu jusqu'ici, au prononcé du mot près, comme un parfait dialecticien, notamment dans tous ces énoncés qui modulaient le relatif/absolu du vrai, le continu/discontinu du procès scientifique, le bon/mauvais du matérialisme ou le positif/négatif des philosophies, et qui en manœuvraient les contradictions décisives ?

Mince est pourtant la part de dialectique, dans *Matérialisme et empiriocriticisme*. Marx, Engels, Feuerbach, Dietzgen et Plékhanov sont plus souvent invoqués comme « matérialistes » que comme « dialecticiens », pour ne rien dire de Démocrite, de Diderot, de Dühring, de Büchner, de Vogt ou de Haeckel. Et, dans un ouvrage entièrement placé sous l'autorité et la caution du maître Engels, que penser du peu de place accordé à Hegel dont la présence était majeure dans l'*Anti-Dühring* aussi bien que dans le *Ludwig Feuerbach* ? Qu'on en juge : le nom même de Hegel, si notre arithmétique est bonne, revient moins souvent que celui de Poincaré et sa fréquence est plus de trois fois inférieure à celle de Kant[154]. Encore ne s'agit-il que d'allusions de caractère

152. « ... der Holzweg des Holzweges », l'expression est de J. Dietzgen (*in Kleine philosophische Schriften*) ; Lénine la reprend, *ibid.*, p. 355.

153. T. XIV, p. 167, pp. 213-214, p. 357 ; t. XV, p. 29 ; t. XVIII, p. 22 ; t. XXXIII, p. 231.

154. Poincaré est cité environ vingt-cinq fois, Hegel, dix-huit, Kant près de soixante-dix fois.

conventionnel concernant l'abandon de son idéalisme par Marx et Engels, la valeur de sa critique de la chose en soi kantienne, le rejet de l'Idée absolue, la paternité des thèses reprises par Engels sur la liberté et la nécessité ou la distinction de la dialectique et du relativisme. Quant au seul mérite que Lénine reconnaît à Hegel, d'avoir donné « l'idéalisme le plus développé et le plus conséquent »[155], il ne lui accorde guère que la valeur d'une arme pouvant rendre quelques services contre... les formes dépassées de l'idéalisme. Il note : « Il est tout à fait évident que, observant la répétition par la philosophie allemande et anglaise *en vogue* des vieilles erreurs de Kant et de Hume, antérieures à Hegel, il (F. Engels) était enclin à attendre quelque bien même d'un retour à Hegel (en Angleterre et en Scandinavie), espérant que ce grand idéaliste et dialecticien contribuerait à tirer au clair les erreurs idéalistes et métaphysiques de peu d'importance[156] ; » services, on le voit, au demeurant fort limités.

Lénine a été tout à fait conscient de cette lacune, ou, du moins, de l'apparence de cette lacune. Il s'en est même expliqué : « Partis de Feuerbach et mûris dans la lutte contre les rapetasseurs, il est naturel que Marx et Engels se soient attachés surtout, à parachever la philosophie matérialiste de l'histoire et non la gnoséologie matérialiste. Par suite, dans leurs œuvres traitant du matérialisme dialectique, ils insistèrent bien plus sur le côté *dialectique* que sur le côté *matérialiste* ; traitant du matérialisme historique, ils insistèrent bien plus sur le côté *historique* que sur le côté matérialiste[157]. »

En outre, ajoute-t-il, actuellement, « la philosophie bourgeoise s'est surtout spécialisée dans la gnoséologie » pour reconstituer l'idéalisme, même « en bas », et mener une lutte résolue contre le matérialisme[158]. Ce jugement est au centre de notre problématique. Il convient donc que nous nous y arrêtions ; tout d'abord pour quelques observations :

---

155. T. XIV, p. 351.
156. *Ibid.*, p. 353 ; souligné par Lénine.
157. *Ibid.*, p. 343.
158. *Ibid.*, cf. en outre : « Une falsification de plus en plus subtile du marxisme, des contrefaçons de plus en plus subtiles du marxisme par des doctrines anti-matérialistes, voilà ce qui caractérise le révisionnisme contemporain en économie politique comme dans les problèmes de tactique et en philosophie en général tant en gnoséologie qu'en sociologie »

— la référence Marx/Engels à Hegel est passée sous silence ; un bon « matérialiste en bas, idéaliste en haut » [159], Feuerbach, mérite plus de considération qu'un idéaliste, fût-il « conséquent » ;
— l'idée de l'achèvement du matérialisme ;
— l'existence de deux disciplines : le matérialisme historique et le matérialisme dialectique ;
— le privilège accordé par Marx et Engels aux « côtés » *dialectique* et *historique*, ainsi apparemment mis en parallèle ;
— la nécessité de développer le « côté » *matérialiste* et la gnoséologie.

Pour simplifier, on aurait les deux équations suivantes :
Côté dialectique/historique f (matérialisme) = Marx/Engels
Coté matérialiste f (dialectique/histoire) = Lénine
Soit : dialectique > matérialisme = Marx/Engels
matérialisme > dialectique = Lénine
Qu'en penser ?

Il ne se présente guère que deux hypothèses.

a. Selon la première, le léninisme, à tout le moins au niveau de *Matérialisme et empiriocriticisme*, ou plutôt, comme nous l'avons vu, pour toute la période jusqu'à cet ouvrage compris, représenterait le complément du travail accompli par Marx et Engels. Précisons : le *complément*, car l'invocation de quelque régression vers des formes de pensée pré- ou pseudo-marxistes (mécanisme) nous paraît exclue, non pas tant sur la foi du dire de Lénine lui-même que sur le témoignage, peu contestable celui-là, produit par l'examen des œuvres. Lénine, et ce serait son apport propre, fournirait, moins la part manquante de l'édifice marxiste que sa part achevée, moins l'objet lui-même que l'éclairage qui en révèle tout le relief. Il reprendrait ainsi, pour le compléter, le discours que Marx et Engels s'étaient vus contraints, pour des motifs purement conjoncturels et en fonction d'une stratégie des urgences, de laisser dans un état de relatif inachèvement. La métaphore des « côtés » semble n'avoir pas d'autre signification. Nous croyons en trouver la vérification dans ce que l'on

(p. 344) ; aussi : « La haine du matérialisme et les calomnies accumulées contre les matérialistes sont à l'ordre du jour dans l'Europe civilisée et démocratique » (p. 359).

159. *Ibid.*, p. 343 ; car il y en a de *mauvais*, tels Büchner, Vogt, Moleschott ou Dühring qui, « comparés à Feuerbach n'étaient que des pygmées et de piètres rapetasseurs ».

pourrait appeler *le principe de l'alternance* caractéristique des niveaux de l'intervention marxiste, surtout, mais pas uniquement, du point de vue de sa constitution.

Si nous nous référons à notre règle, Lénine lecteur d'Engels, nous constatons en effet que *Matérialisme et empiriocriticisme* ne contient pratiquement aucune thèse [160], qui ne provienne directement de l'*Anti-Dühring* ou de *Ludwig Feuerbach*, ou qui ne figure, sous quelque forme, dans ces textes ; les thèses évidemment et non leur fonction qui se déploie dans une conjoncture entièrement originale. Sans doute ne serait-il pas sans intérêt, comme nous l'avons pu, çà et là, noter, d'apprécier avec exactitude les reprises léninistes d'Engels — ce qu'il retient, modifie, développe, etc. —, mais là ne serait pas l'essentiel. L'essentiel, puisque nous sommes occupés d'une distance, se fera mieux voir, si l'on prend garde au fait que *Matérialisme et empiriocriticisme* et l'*Anti-Dühring,* par exemple (mais ce serait aussi vrai pour *Ludwig Feuerbach*), parlent chacun dans le silence de l'autre. Hegel, la dialectique sont des silences de Lénine, le matérialisme, d'Engels. Sans doute avons-nous rencontré quelque chose d'analogue entre le même ouvrage d'Engels et *Ce que sont les Amis du Peuple*, l'un ne répétait pas l'autre, et Dühring se réclamait du matérialisme, Mikhaïlovski non ; mais, outre le fait que les silences de Lénine demeurent les mêmes d'un livre à l'autre, malgré cet autre fait que ses principaux adversaires dans *Matérialisme et empiriocriticisme* multiplient les assurances concernant leur matérialisme, notamment Bogdanov [161], il n'en reste pas moins que toutes les raisons de cette réciprocité des silences ne sont pas produites. Celle qui dit l'alternance obligée des interventions est notable : Engels veut en finir avec les rechutes des matérialistes dans la métaphysique, il est contraint, face à Dühring, en bon pédagogue, d'exciper de Hegel et de la dialectique du devenir historique ; Lénine, lui, en lutte ouverte contre des « marxistes » qui subissent les séductions d'une théorie de la connaissance prétendant à la conciliation de l'idéalisme et du matérialisme

160. La causalité est sans doute la seule exception (voir *supra*) car Lénine ne connaissait pas *Dialectique de la nature* où il aurait trouvé complète confirmation de ses propres propositions (cf. éd. cit., pp. 232-234).

161. T. XIV, p. 234 et suivantes ; à suivre le raisonnement de Bogdanov, il est vrai, dit Lénine, que Hegel lui-même serait matérialiste.

(l'empiriocriticisme, etc.) et qui serait un effet direct de la conscience de soi de la science dans la théorie, se doit d'appeler à la rescousse, et, littéralement, de convoquer, les *matérialistes* les plus sûrs, lesquels sont, comme de surcroît, des dialecticiens [162].

Les textes marxistes, de la sorte, qui sont, ainsi que nous l'avons rappelé déjà pour *Ce que sont les Amis du Peuple*, par exemple, tout à la fois polémiques, pédagogiques et *théoriques*, se déterminent, et s'écrivent, en fonction des nécessités de conjonctures précises, ici (Marx) le matérialisme historique, là (Engels) la dialectique, ailleurs (Lénine) le matérialisme « tout court ». La « doctrine » une fois constituée, les niveaux de l'intervention qu'elle rend possible, précisément grâce à sa constitution (son achèvement), sont assignés par l'histoire dans leur nécessité même, parce que l'histoire, et celle-là de la pensée, du philosophique, pour autant qu'elle puisse prétendre à quelque spécificité, n'y échappe pas, est lieu de luttes et exige que chaque fois soit rigoureusement montré le point « exquis », pour parler comme Valéry, de cette lutte, afin que l'impact qu'elle commande puisse être toujours adéquat à sa cible, un jour (« un moment donné ») la dialectique, un autre le matérialisme. Les exemples, que réfèrent précisément à la pratique politique et à celle que met en œuvre le mouvement ouvrier, seraient nombreux. Nous n'y insisterons pas.

b. Car nous avons à traiter d'une seconde hypothèse

Selon cette seconde hypothèse, le léninisme, sous les conditions que nous avons déjà énoncées pour la première, serait le porteur de ce dire essentiel auquel Marx et Engels n'auraient cessé de se référer, même et, peut-être surtout, quand ils ne le prenaient pas pour leur objet direct, le matérialisme. La conjoncture de *Matérialisme et empiriocriticisme* fournirait ainsi l'occasion de mettre en pleine lumière l'aspect le plus irréductible du marxisme et Lénine, loin de parler dans des silences, exprimerait au contraire le plein du discours de Marx et d'Engels.

Voyons quels seraient les arguments d'une telle hypothèse.

---

162. Cf. Dietzgen, qualifié de « matérialiste dialecticien », t. XIV, p. 122, Engels, « matérialiste dialecticien » opposé au « matérialiste métaphysique » qu'est Dühring (*ibid.*, p. 136) et au « relativiste » Bogdanov (p. 137) ; aussi pp. 252, 254, 272, 321.

Ils sont axés, nous semble-t-il, sur la thèse de l'achèvement du matérialisme.

Marx et Engels se sont occupés de l'achèvement du matérialisme, en fonction de la répartition des tâches qui s'était établie entre eux. Marx, après sa « sortie » de la philosophie se consacre entièrement à ses travaux économiques et à l'élaboration du *Capital*, c'est-à-dire au matérialisme historique. Il développe en effet le « côté » *historique* ; mais il faut clairement entendre, par là, *la science de l'histoire*, dans toutes ses directions, analyses théoriques *(Fondements, Contributions, Capital)*, analyses de conjonctures concrètes *(Luttes de classe, 18 Brumaire, Guerre civile)*, analyses politiques (*A.I.T.* notamment) ; et il a, conjointement avec ces travaux, à mener, dans le cadre d'une bataille d'idées qu'il n'a pas choisie, même s'il l'a, en grande partie, provoquée, une vaste polémique contre des adversaires qui, pour être fort différents les uns des autres — économistes classiques, économistes vulgaires (Proudhon en particulier), socialistes utopistes, anarchistes —, donnent néanmoins dans une commune erreur, « l'oubli » de l'histoire. Or cette science est incontestablement matérialiste, elle représente même le procès d'appropriation, rendu enfin possible, grâce au développement historique, de toute la pratique humaine par le matérialisme. Car le rejet de la philosophie hégélienne de l'histoire, qui est, comme on le voit bien dans l'*Introduction* de 1857, la condition de possibilité de la science historique, est le contemporain de la réfutation de l'idéalisme ; ils sont l'un et l'autre inscrits dans un unique mouvement.

Engels, pour sa part, et sans minimiser sa contribution au matérialisme historique (L'*origine*, notamment), est amené, pour des raisons analogues à celles de Marx — croissance du mouvement ouvrier et définition de sa pratique politique —, à faire porter l'essentiel de son effort sur le matérialisme dialectique. Il développe en effet le « côté » *dialectique*, mais ce « côté » n'est rien d'autre que la science matérialiste qui est tenue de faire la preuve de son efficacité à l'intérieur même du courant de pensée socialiste, afin de le préserver tantôt des régressions vers la métaphysique (Dühring), tantôt encore des séductions de l'économisme (Lettres à Bloch, Starkenburg, etc.). A ceux qui reviennent sans le savoir à Kant, à ceux qui confondent Marx et Vogt, comme à ceux qui ne savent pas lire *Le Capital* et à ceux qui réduisent toutes les superstructures à la détermination de dernière instance,

Engels ne peut opposer qu'une seule réponse, la dialectique, puisque c'est elle qu'ils « oublient » tous. Et la dialectique peut-elle signifier autre chose, une fois Hegel « renversé », que le matérialisme ? Est-elle établie ailleurs qu'au cœur même du procès historique réel dont Marx a donné les règles scientifiques de lecture, que les socialistes doivent apprendre à utiliser ?

Et Lénine ? Lénine, lui, prend très exactement les choses où Marx et Engels les ont laissées, il part du point auquel ils ont abouti, le matérialisme achevé, le matérialisme qu'ils sont parvenus, après tant de travaux et de luttes, à achever. Ce qu'il répète inlassablement dans *Matérialisme et empiriocriticisme*. La tâche propre des socialistes ne consiste-t-elle pas à « faire progresser dans toutes les directions » la « science » fondée par Marx [163] ? Dans cette perspective la priorité accordée au « côté » *matérialiste* sur les « côtés » *dialectique* et *historique* ne peut plus signifier la mise entre parenthèses ou le sous-entendu de ces deux « dimensions » avec le renvoi, comme en note, à Marx et Engels ; et moins encore leur négligence ou leur sous-estimation qui aurait pour conséquence le retour à quelque *forme* inaccomplie du matérialisme ; elle ne peut qu'exprimer l'*essence* du matérialisme, laquelle, pour être produite, devait nécessairement intégrer la dialectique et l'historique, autrement dit achever le matérialisme. Et, hors de leur ancrage matérialiste, la dialectique comme l'histoire sont-elles préservées des récupérations idéalistes ?

Dialectique, histoire, matérialisme ne se pensent qu'ensemble ; science de l'histoire et dialectique matérialiste c'est tout un. Il ne paraît pas nécessaire de revenir sur la *pratique politique* de Lénine pour le montrer et sur la maîtrise, dialectique véritablement (théorie des contradictions réelles), dont il fait preuve en matière d'analyse historique. Si *Matérialisme et empiriocriticisme* donne à voir des insuffisances, sinon des lacunes à cet égard, *Le Développement du capitalisme en Russie* ou *Que faire ?* pour ne citer que ces deux ouvrages, suffiraient à les lever. Mais *Matérialisme et empiriocriticisme* ne néglige nullement de rappeler ce point, au contraire, son dernier chapitre est entièrement consacré à faire la démonstration que : « on ne peut retrancher aucun principe fondamental, aucune partie essentielle de cette philosophie

163. *Notre programme*, t. IV, p. 218.

du marxisme coulée dans un seul bloc d'acier »[164] ; faut-il rappeler, en outre, que c'est au même endroit précisément[165] que Lénine avance le concept de l'esprit de parti comme le plus sûr critère du clivage entre matérialisme et idéalisme ?

Telle est la seconde hypothèse. S'il est désormais clair qu'elle emporte notre adhésion, il n'en demeure pas moins que nous avons encore à la vérifier et tout particulièrement au niveau des *Cahiers sur la logique de Hegel* qui paraissent l'infirmer ; sans, précisons-le, que nous ayons à prendre en considération l'argument selon lequel la distance (à supposer qu'elle existe) entre *Matérialisme et empiriocriticisme* et les *Cahiers* serait imputable à l'absence d'une lecture de Hegel par Lénine ; car un tel argument n'est pas seulement superficiel, il est contradictoire avec les démarches de Lénine et la connaissance approfondie qu'il avait des classiques du marxisme : admettra-t-on que le *lecteur d'Engels*, qui passa tant de temps à dépouiller une énorme littérature, de Berkeley à Mach et Poincaré, ait pu omettre de jeter, ne fût-ce qu'un regard, du côté de chez Hegel ? En cas de difficulté doctrinale n'est-ce pas là justement qu'il se serait d'abord rendu ?

Auparavant dressons le premier bilan que paraissent autoriser nos analyses. Il ne nous échappe pas qu'il est conjectural, qu'il pose sans doute plus de questions qu'il n'en résout ; nous pouvons d'autant moins en refuser le risque, par ailleurs inhérent à nos interrogations de départ, que son enjeu, à travers Lénine, concerne tout le problème du statut marxiste de la philosophie.

Nous aurons recours au schéma de la page suivante :

Ce schéma, provisoire, permet de formuler quelques questions dont on ignore encore si toutes seront fondées :
— concernant la réciprocité (I)/(III) et (II)/(IV)
— concernant les rapports (I)/(II) et (III)/(IV)
— concernant le rapport (III)/(IV) / (I/II)
— concernant l'analogie (II/IV) / (V)
— concernant la relation (I/II) / (V)

Autrement dit : a-t-on affaire à une distinction philosophie/science dans le marxisme ? En quoi consiste-t-elle ? que serait le statut d'une « philosophie scientifique » ? Existe-t-il une « science de la dialectique » distincte de la science de l'histoire ?

164. T. XIV, ch. VI, *L'Empiriocriticisme et le matérialisme historique*, p. 339.

165. *Ibid.*, p. 332 et tout le § 4, p. 349 et suivantes.

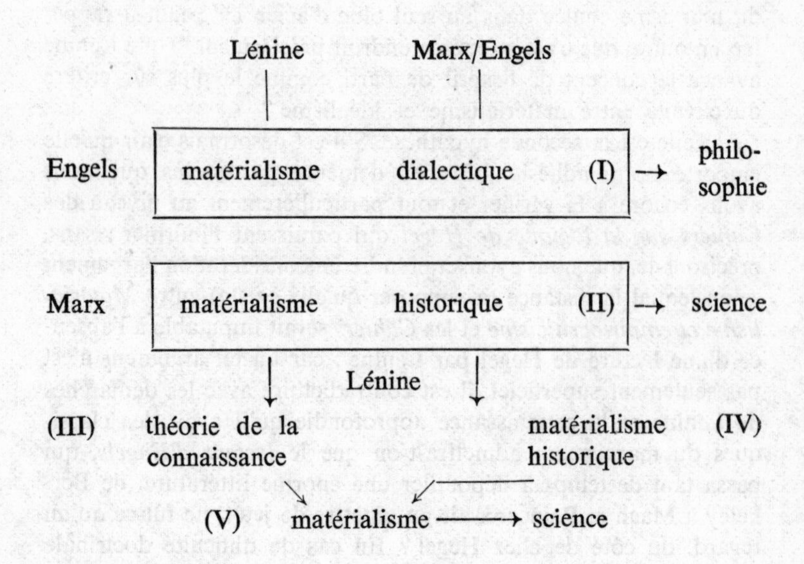

On voit comment revient la question du statut du philosophique et qu'elle réfère à l'apport propre d'Engels. Faut-il alors parler l'engelsianisme ? Imputer à ce dernier, par le canal de sa repensée de Hegel, un retour au philosophique évacué par Marx ? Créditer Lénine du rétablissement de Marx ou de la confirmation d'Engels ?

Et qu'en est-il de ces questions elles-mêmes ?

Qu'il nous suffise pour le moment d'avoir montré d'où se posaient ces questions. Et laissons-les en l'état... dans l'attente d'une suite devenue nécessaire qui, peut-être, les changera.

Quelques mots, pourtant, afin de marquer l'étape.

Marquons d'abord la reconnaissance de l'indissociation entre matérialisme dialectique et histoire. Car le dialectique comme l'historique hors de leur ancrage matérialiste ne sont jamais préservés des récupérations idéalistes.

La signification en dernière analyse de la « pratique politique », me semble-t-il, c'est celle-là.

Le matérialisme assure bien la démarcation avec l'idéalisme

comme avec l'objectivisme ou le positivisme, une démarcation qui est celle de la science et de la philosophie qui est une *démarcation de classe.* Le fait d'autre part de subsumer en quelque sorte, comme nous l'avons fait, comme je pense que Lénine l'a fait, la dialectique *sous* le matérialisme c'est quelque chose qui doit quand même être précisé, non pas seulement par rapport aux « cornificiens » — « nom, dit Littré, que donnait Jean de Sarisbery à ceux qui abusaient de la dialectique par leurs arguments cornus » — et des cornificiens, nous en avons encore, nous en connaissons tous quelques-uns, mais il ne s'agit là que d'une caricature ; c'est contre le *danger d'isolement de la dialectique.* Je crois que ce danger est réel, parce que autant il est vrai, il est nécessaire, comme Marx l'a montré à plusieurs reprises, de prendre la mesure du détour par la généralité, au sens où le faisait l'*Introduction de 57*, le passage par la conceptualisation, par la théorie, à tous les niveaux d'une pratique scientifique et d'une pratique scientifique qui est elle-même inscrite, se découpe et prend sens dans une pratique politique, c'est-à-dire au cœur même de la pratique sociale — aujourd'hui nous le savons parce que nous le voyons, mais c'était moins clair du temps d'Engels, la science elle-même est ancrée dans une pratique sociale et ses recherches elles-mêmes sont scandées par la lutte de classe (toutes choses qui ne sont pas dissociables) — donc autant il est vrai que le passage par le concept, par la généralité est nécessaire, autant il faut bien voir que l'entreprise d'isoler des catégories, ou des lois, non seulement fait courir le risque de ne pas dépasser finalement les enseignements d'une logique formelle, parce que c'est vrai qu'avec les « lois de la dialectique » auxquelles jusqu'ici on a eu affaire, on pourra justifier n'importe quoi ou à peu près, c'est-à-dire qu'il faudra dire d'elles, à la limite, ce que Bacon disait de la syllogistique : vierges inféconde.

Il existe un deuxième danger attesté par toute une tradition de pensée dans le marxisme : quand on ne voit pas où passe la démarcation on retrouve Hegel et on ne peut que répéter Hegel, parce que lorsqu'on s'avance sur le terrain de la dialectique, il faut faire ce qu'Engels faisait dans la *Dialectique de la nature*, renvoyer à la *Science de la logique* et aux fameuses « lois », ce qui ne signifie pas qu'elles ne sont pas valables, entendez-moi bien, mais que leur validité normée par ailleurs, peut prendre la forme d'un *corpus* de connaissances données une fois pour toutes et d'office universel. Cela s'est vu avec le stalinisme, ce sous-hégélianisme ; qui à une *science en acte* substitue une *philosophie officielle.* On ne peut y insister ici. Il faudra y revenir. Disons qu'il y a rechute dans l'hégélianisme. Et c'est ce que fait voir toute la tradition marxiste et nous serions entraînés encore beaucoup plus loin quand on lâche la rampe du matérialisme et de ce matérialisme-là, *c'est-à-dire du matérialisme achevé.* Je crois qu'on verrait cela dans d'autres textes, car je sais bien qu'au moment où je vais m'arrêter, au moins une objection jaillira, on va me dire : vous avez passé sous silence *Les Cahiers philosophiques,* soit le moment où, comme dit l'autre, Lénine est devenu grand et a compris Hegel ! Je ne le crois pourtant pas, parce que d'abord les *Cahiers philosophiques,* Lénine les a écrits comme n'importe lequel d'entre nous, quand il lit un livre intéressant et difficile et qu'il prend des notes — humble remarque, il est vrai, mais qui n'est jamais faite. Elle exigerait que l'on voie ce que Lénine fait de ce qu'il apprend là-dedans. Ce qu'il en fait, oui, dans le cadre de ce qui l'occupe au même moment et qui détermine *toutes* les interventions. Quelle conjoncture ? Sinon celle de son analyse de l'impérialisme, sinon qu'il écrit dans le cadre de la crise du mouvement ouvrier, de la critique de la IIe Internationale, de la question le socialisme et la guerre. Et ne sont-ce pas là les lieux de la dialectique ? N'est-elle pas là-dedans ? Investie dans le matérialisme, dans la pratique ouverte de Lénine, et point dans des « cahiers » philosophiques. Aussi bien qu'y a-t-il d'essentiel dans les *Cahiers philosophiques ?* Une règle : *lire Hegel en matérialiste.* Ce n'est pas facile de penser cette lecture... Par ailleurs lorsqu'en 1921 dans la *Portée du matérialisme militant,* Lénine propose quelques directives pour la revue *Sous la bannière du marxisme,* qui vient de paraître, il me paraît significatif que rien en lui paraisse plus important, plus urgent, que de constituer une « association des amis *matérialistes* de la dialectique ». Aujourd'hui encore, je crois que c'est ce que nous avons de mieux à faire.

SUR LA DETERMINATION EN DERNIERE INSTANCE

(Marx et/ou Althusser)

Jacques Texier

Avant-propos

Le texte qu'on va lire a une petite histoire. Dans sa première rédaction, c'était un chapitre d'une thèse en cours d'élaboration intitulée : *La Dialectique historique, système des concepts et principe d'intelligibilité.* Bien que n'ayant pas été publié il a circulé sous forme dactylographiée et a donné lieu à quelques échanges de vues intéressants. Les mêmes problèmes ont été en discussion à la fin de l'année 1971 au Colloque d'Orsay organisé par le C.E.R.M. [1]. Les deux premières parties de ce texte primitif ont été reprises telles quelles. La suite résulte d'une deuxième rédaction où j'ai essayé de tenir compte des acquis de la discussion et des critiques qui m'ont été transmises. Mon objet était limité : étudier *une* des thèses présentées dans les années 1965 par L. Althusser dans *Pour Marx* et *Lire « Le Capital »*. Pour compléter l'information, j'examine rapidement dans l'annexe les développements intervenus depuis 1968.

I. L'interprétation althussérienne

Nous commencerons par dire deux mots de l'interprétation du matérialisme historique comme déterminisme économique. Deux mots seulement car la grossièreté de cette thèse ne réclame pas qu'on s'y arrête longtemps. D'ailleurs elle appartient déjà au

1. *Lénine et la Pratique Scientifique*, C.E.R.M., Editions sociales, 1974.

passé et ne survit que chez ceux qui n'en finissent plus d'enterrer leurs morts. Ce qui la caractérise c'est l'ignorance totale de la dialectique. Elle ne soupçonne pas l'existence de totalités organiques en devenir, et pas davantage qu'une explication dialectique est un engendrement conceptuel du concret à partir des déterminations les plus abstraites et non la simple réduction du complexe au simple. La discussion ne saurait aller très loin puisque justement cette interprétation mécaniste n'entrevoit même pas les problèmes qui sont à la fois posés et résolus — au plan méthodologique — par la thèse marxiste.

C'est donc d'une interprétation plus sérieuse que nous voulons nous occuper : celle de L. Althusser et de son école. Ce qui la distingue de la précédente c'est justement la conscience des problèmes dont nous venons de parler, à partir de l'identification chez Marx des concepts de totalité organique et de détermination en dernière instance par l'économie. D'autre part si le marxisme est pour L. Althusser un déterminisme, ce déterminisme n'est pas mécanique mais structural, et le déterminisme structural se propose la découverte de la connexion existant entre les formes du développement *phénoménal* et l'efficace d'une structure cachée (causalité métonymique). La démarche de Marx n'est donc pas réduite au seul moment analytique qui met à jour les déterminations fondamentales.

Les solutions proposées par L. Althusser sont-elles pour autant satisfaisantes, ou plutôt — car c'est d'abord ce qui nous intéresse ici — conforme aux thèses de Marx ? Nous n'examinerons pour l'instant que l'interprétation donnée de la détermination en dernière instance par l'économie et donc de « l'articulation » des différentes instances au sein de la totalité organique. E. Balibar la formule de la manière la plus claire :

« Dans des structures différentes (*il s'agit de la structure de la totalité sociale*, J.T.), l'économie est déterminante en ce qu'elle détermine celle des instances de la structure sociale qui occupe la place déterminante [2]. »

C'est en 1963, dans un article intitulé « Sur la dialectique matérialiste », que L. Althusser parvient à cette nouvelle interprétation de la détermination en dernière instance :

« ... la détermination en dernière instance par l'économie

2. *Lire « le Capital »*, Maspéro, 1965, t. II, p. 221.

s'exerce justement, dans l'histoire réelle, dans les permutations de premier rôle entre l'économie, la politique et la théorie, etc.[3]. »

Il y a bien un *invariant,* c'est l'existence d'une structure à dominante, mais à l'intérieur de cette structure il y a variation de la domination. Le *point de départ méthodologique* serait donc la production du concept qui permet de penser la structure de la totalité sociale à une époque donnée ; mais pour y parvenir il faut analyser la structure du mode de production puisque c'est cette structure qui détermine celle des instances qui domine les autres dans la totalité sociale :

« Le problème est donc le suivant : comment est déterminée dans la structure sociale l'instance déterminante à une époque donnée, c'est-à-dire : comment un mode de *combinaison* des éléments qui constituent la structure du mode de production détermine-t-il dans la structure sociale la place de la détermination en dernière instance, c'est-à-dire comment un mode spécifique de production détermine-t-il les rapports qu'entretiennent entre elles les diverses instances de la structure, c'est-à-dire finalement l'articulation de cette structure[4]. »

On peut observer que nous nous trouvons en présence d'une véritable révolution théorique dans l'histoire du marxisme, car c'est en fait la thèse fondamentale du matérialisme historique qui est renversée, quelles que soient les précautions prises pour sauvegarder l'apparence d'une certaine continuité. Ce que Marx soutient en effet à tort ou à raison, c'est que le procès social de production domine en général tout le développement historique. En analysant ce procès, on se met donc en mesure de comprendre comment les autres moments sont *dans la dépendance* du procès social de production et comment, en conséquence, ils interviennent dans le processus historique. Cela signifie que le mode social de production domine *toujours,* à toutes les époques, y compris dans les périodes de mutation sociale, la totalité en devenir. Il ne la domine *qu'en général* ou comme dit Engels *en dernière analyse*, mais c'est toujours lui qui occupe « la place de la détermination en dernière instance ». A aucun moment du devenir historique la politique ou la religion par exemple ne jouent ce rôle, ce qui ne veut pas dire qu'elles ne jouent pas un rôle, mais que

---

3. *Pour Marx,* Maspéro, 1965, p. 219.
4. Balibar : *Lire « le Capital »*, t. II, p. 216.

le rôle qu'elles jouent résulte de la structure économique. Lorsque Marx affirme sa thèse de la place dominante de l'économie, il ne nous dit pas : analysez l'économie, vous comprendrez alors quel est le moment qui domine ; il nous dit tout simplement que c'est l'économie qui domine. Ce qu'il ajoute par contre c'est qu'il faut analyser l'économie pour comprendre la place non-dominante des autres instances et la manière dont elles interviennent réellement.

L'interprétation althussérienne consiste à affirmer que la détermination en dernière analyse par l'économie implique que l'économie n'est pas toujours dominante. *En dernière analyse* ne signifie pas qu'*au terme de l'analyse* — et quelle que soit l'efficace propre des autres instances — on découvrira que cette efficace n'est intelligible qu'à partir des tâches historiques que pose le développement de la production, mais qu'aussi bien on découvrira qu'étant donné la structure de la production c'est la religion ou la politique qui dominent en général le cours de cette période historique. Il s'agit donc d'une révolution théorique résultant de l'invention d'une nouvelle méthode — la dialectique structurale — ; elle aboutit au renversement de la base matérialiste de la méthode marxiste en vertu de l'application nouvelle de cette même méthode.

L'interprétation est subtile et se présente avec des aspects apparemment séduisants. Il ne s'agirait que de liquider l'économisme vulgaire et donc de restituer au marxisme ses vraies dimensions en lui permettant de penser la spécificité et l'efficace des moments superstructuraux. Selon L. Althusser en effet :

« C'est « l'économisme » (le mécanisme) et non la véritable tradition marxiste, qui met une fois pour toutes en place la hiérarchie des instances, fixe à chacune son essence et son rôle, et définit le sens univoque de leurs rapports...[5] »

A première vue on ne peut qu'approuver une pareille orientation anti-mécaniste et anti-économiste : le matérialisme historique n'est ni un économisme, ni un mécanisme. Il s'agit pourtant de s'entendre sur le sens des mots. L. Althusser nomme « économisme » l'affirmation que le développement du procès social de production domine *toujours* le devenir historique. Cette thèse est peut-être contestable — nous ne le croyons pas — mais de toute

5. *Pour Marx*, p. 219.

façon ce n'est pas « l'économisme » qu'elle définit, c'est le matérialisme historique lui-même. L'« économisme » (et le « mécanisme ») consiste en une interprétation bornée de cette thèse. Il croit en effet pouvoir en tirer légitimement la conclusion que les autres instances de la totalité historique sont sans efficace et sans réalité, puisqu'elles sont des « effets » de la « cause », de pures « apparences » ou de simples « épiphénomènes ». Puisque nous sommes d'accord sur la nécessité de faire la théorie de l'efficace des superstructures et donc la critique de l'économisme, le problème véritable est de savoir s'il faut modifier — comme le fait L. Althusser — la thèse fondamentale du matérialisme historique pour y parvenir. Il nous semble que non.

Nous avons vu [6] en effet, que pour Marx le développement de la production domine *toujours* le cours historique, mais que cette domination *générale* implique l'efficace des instances superstructurales et même leur rôle décisif *dans certaines* conditions. Nous avons vu également en étudiant la préface de 1859 que Marx, pour des raisons fondamentales, ne pouvait pas aller au-delà de ce qu'affirment ces deux propositions qui n'en font qu'une lorsque la première est bien comprise : domination *générale* du procès social de production et efficace des superstructures. Il est en effet impossible de formuler une loi générale permettant de penser le rôle précis de l'activité superstructurale dans n'importe quelle société. Cette prétention est contraire à l'essence méthodologique du matérialisme historique. On peut tout au plus formuler différemment le contenu de nos deux propositions et dire par exemple : le développement des activités supertructurales ne domine pas en général tout le processus historique, mais cette non-domination ou cette dépendance générale ne signifie pas inefficacité. L'« économisme » est une interprétation vulgaire du matérialisme historique qui formule à sa manière la loi des rapports de la superstructure à l'infrastructure puisqu'elle nie tout simplement le rôle des superstructures.

L'interprétation althussérienne n'est évidemment pas un « économisme » puisqu'elle a l'ambition de penser la spécificité et l'efficace propres des superstructures (dans le cadre d'une conception déterministe de l'histoire). Son « anti-économisme »

6. Il s'agit d'un autre chapitre intitulé : « Le principe fondamental du matérialisme historique. »

est même à ce point radical qu'il va jusqu'à mettre en cause la définition même du matérialisme historique. L. Althusser appelle « économisme » la thèse fondamentale du matérialisme historique mal interprétée. Car ce qui est remarquable c'est que L. Althusser reprend au fond le raisonnement de l'économisme : si l'économie est toujours dominante, les instances superstructurales sont inefficaces. Mais à la différence de l'économisme qui s'en tient là, il ajoute : puisqu'en fait les superstructures sont efficaces, c'est que l'économie n'est pas toujours dominante.

Le point de vue que nous soutenons nous démarque tant par rapport à l'économisme que par rapport à L. Althusser. Nous avons en effet montré [7] qu'il n'est pas nécessaire de modifier — comme L. Althusser — la thèse fondamentale du matérialisme historique pour penser l'efficace des superstructures. Il suffit pour cela de n'en pas déduire une conséquence qu'elle ne comporte pas. Et sur ce deuxième point, il nous semble que la démarche de L. Althusser est aussi mécaniste que celle de l'économisme. Ou bien l'économie domine toujours et les superstructures n'ont pas d'efficace ou bien elles ont de l'efficace et l'économie ne domine pas toujours.

La différence entre Marx et L. Althusser n'est pas mince. On peut la faire apparaître en disant que pour le premier la totalité sociale en devenir est dominée par l'économie, ce qui implique que les formes d'activité non-dominantes jouent leur rôle dans le cadre de cette dépendance générale, tandis que pour le second la totalité sociale est bien une structure à dominante (c'est l'invariant), mais à l'intérieur de cette structure invariante, il y a variation de la domination. Ces deux schémas sont à ce point différents qu'on peut se demander comment l'auteur du second peut encore se réclamer de l'auteur du premier.

Ce pont fragile existe pourtant. Marx et Engels soutiennent que le mode de production de la vie matérielle domine le devenir de la totalité sociale, le détermine en dernière instance ; L. Althusser soutient que le mode de production détermine celle des instances qui domine la totalité sociale. Le marxisme épistémologique distingue ce que le marxisme de Marx ne distinguait pas, à savoir « la détermination en dernière instance par l'économie » et l'instance qui joue « le rôle dominant » :

---

7. *Ibidem.*

« La détermination en dernière instance de la structure du tout par l'économique — écrit Nicos Poulantzas — ne signifie pas que l'économique y détient le *rôle dominant*... L'économique n'est en fait déterminant que dans la mesure où il attribue à telle ou telle instance le rôle dominant... [8]. »

Cette distinction permet de conserver un lien avec le matérialisme historique tel qu'il existe avant toute « lecture symptômale » : certes, l'économie ne domine pas toujours, mais c'est toujours elle qui détermine l'instance dominante. Il faut ajouter enfin qu'il existe — selon cette école — une formation sociale où l'instance dominante coïncide avec l'instance déterminante et où en quelque sorte l'économie se détermine elle-même à dominer :

« L'économique — écrit Nicos Poulantzas — détient dans ce mode (*il s'agit de la société capitaliste,* J.T.) non pas seulement la détermination en dernière instance, mais également le rôle dominant [9]. »

De même, E. Balibar écrit :

« Dans le mode de production capitaliste, il se trouve que cette place (*dominante,* J.T.) est occupée par l'économie elle-même [10]. »

II. Le principe général du matérialisme historique et sa déformation « économiste »

Examen des textes : Premier texte

Sur quels textes de Marx et d'Engels cette interprétation révolutionnaire du matérialisme historique prend-elle appui ? Voyons tout d'abord les textes d'Engels où il utilise l'expression de « détermination en dernière instance par l'économie », et où il rejette l'interprétation économiste du matérialisme historique. L. Althus-

8. POULANTZAS : *Pouvoir politique et classes sociales.* 1re édition, Maspéro, 1968, 2e édition, « Petite collection Maspéro », 1971, 2 vol. Je me réfère à cette 2e édition, p. 8.

9. *Ibidem,* p. 24.

10. *Lire « le Capital »,* II, p. 221. *N.B. :* je ne prétends pas que les positions de Poulantzas sont sur tous les problèmes identiques à celles de L. Althusser ou de E. Balibar. Mais, sur ce point précis, je crois qu'il y a identité.

ser nous y renvoie lorsqu'il transforme la thèse fondamentale de Marx sous prétexte d'échapper à l'économisme :

« La détermination en dernière instance par l'économie s'exerce justement dans l'histoire réelle, dans les permutations de premier rôle entre l'économie, la politique et la théorie. Engels l'avait fort bien vu et indiqué dans sa lutte contre les opportunistes de la IIe Internationale qui attendaient de l'efficace de la seule économie l'avènement du socialisme [11]. »

Voyons maintenant ce que dit Engels :

« D'après la conception matérialiste de l'histoire, le moment déterminant dans l'histoire est en dernière instance la production et la reproduction de la vie réelle. Ni Marx ni moi n'avons jamais affirmé davantage. Si, ensuite, quelqu'un torture cela jusqu'à dire que le moment économique est le *seul* déterminant (*c'est Engels qui souligne*), il transforme cette proposition en une phrase vide, abstraite, absurde [12]. »

Ce texte définit très clairement l'économisme pour qui « le moment économique est le *seul* déterminant ». Et l'économisme théorique niant ainsi le rôle actif des superstructures est inséparable de l'opportunisme politique qui attend « de l'efficace de la seule économie l'avènement du socialisme » (L. Althusser). Mais pour échapper à l'économisme et à l'opportunisme faut-il pour autant se débarrasser de l'idée que le « moment économique » est toujours le moment dominant et Engels « indique-t-il » comme le prétend L. Althusser une semblable exigence ? Il suffit de continuer la lecture de la lettre à J. Bloch pour se rendre compte qu'il n'en est rien et que la référence à Engels est sans fondement :

« Nous faisons notre histoire nous-mêmes, mais, tout d'abord, avec des prémisses et des conditions très déterminées. Entre toutes, ce sont les conditions économiques qui sont finalement déterminentes. Mais les conditions politiques... jouent également un rôle, bien que non décisif [13]. »

On pourrait discuter certaines formulations d'Engels. On peut bien en effet soutenir que dans certaines sociétés — la société capitaliste — et dans certaines conditions — lorsque la société

11. *Pour Marx*, p. 219.

12. *Engels*, « Lettre à J. Bloch du 21 sept. 1890 », *in* K. Marx et F. Engels, *Etudes philosophiques*, Editions sociales, 1968, p. 154. M.E.W., t. 37, p. 463 ; traduction modifiée.

13. *Ibidem*.

entre dans une période de révolution sociale — la lutte politique joue un *rôle décisif*. Il s'agit en effet de renverser l'Etat bourgeois et d'instaurer un nouvel Etat qui instaurera de nouveaux rapports de production. Ce rôle décisif, à un moment donné, des luttes et des conditions politiques n'est en rien contradictoire avec la domination générale du procès social de production sur tout le procès historique. C'est parce que la société est entrée dans une période de révolution sociale que la lutte politique devient décisive, et la société entre dans une semblable période lorsqu'au sein du procès social de production, les rapports de production sont devenus une entrave au développement des forces productives du travail social. Le procès de production domine en général le procès politique, et c'est cette dépendance générale du second par rapport au premier qui rend compte de l'efficace du second. En termes différents c'est parce que le développement social de la production engendre des besoins et des possibilités et donc propose des tâches historiques qui doivent être résolues par le moyen de la lutte politique que celle-ci peut devenir décisive à un moment donné. Ceci nous conduit à constater que les théories de L. Althusser ont été construites pour répondre à des problèmes réels, mais nous pensons montrer que ses bases théoriques ne permettent pas de les résoudre. Mais continuons pour l'instant à examiner les textes sur lesquels il prétend s'appuyer.

III. Examen des textes : 2e texte

A. *Sur la domination d'une forme idéologique spécifique dans la sphère idéologique*

La pièce maîtresse du dossier, citée par tous les auteurs de l'école est une longue note du livre premier du *Capital*, où parlant du « règne » du catholicisme au Moyen Age et de celui de la politique à Athènes et à Rome Marx écrit :

« Les conditions économiques d'alors expliquent (...) pourquoi là le catholicisme et ici la politique jouaient le rôle principal [14]. »

---

14. *Le Capital*, Editions sociales, livre I, t. I, p. 93. Balibar cite ce texte *in Lire le Capital*, t. II, p. 212. N. Poulantzas *in op. cit.*, p. 23. M.E.W., t. 23, p. 96.

Pour le coup il semble que Marx lui-même, sans l'aide d'aucune lecture symptômale, soit bel et bien althussérien ! N'affirme-t-il pas très clairement que l'économique est déterminant en ce qu'il détermine celle des instances qui domine ou joue le rôle principal ? Avant d'en venir à cette conclusion il est plus prudent de reprendre tout le texte :

« Je saisis cette occasion pour dire quelques mots d'une objection qui m'a été faite par un journal allemand-américain à propos de mon ouvrage : *Critique de l'économie politique*, paru en 1859. Suivant lui, mon opinion que le mode déterminé de production et les rapports sociaux qui en découlent, en un mot, que la structure économique de la société est la base réelle sur laquelle s'élève ensuite l'édifice juridique et politique, de telle sorte que le mode de production de la vie matérielle domine en général le développement de la vie sociale, politique et intellectuelle (*Zur Kritik...*, Préface) suivant lui, cette opinion est juste pour le monde moderne dominé par les intérêts matériels mais non pour le Moyen Age où régnait le catholicisme, ni pour Athènes et Rome où régnait la politique. Tout d'abord, il est étrange qu'il plaise à certaines gens de supposer que quelqu'un ignore ces manières de parler vieilles et usées sur le Moyen Age et l'Antiquité. Ce qui est clair, c'est que ni le premier ne pouvait vivre du catholicisme, ni la seconde de la politique. Les conditions économiques d'alors expliquent au contraire pourquoi là le catholicisme et ici la politique jouaient le rôle principal. La moindre connaissance de l'histoire de la République romaine, par exemple, fait voir que le secret de cette histoire c'est l'histoire de la propriété foncière [15]. »

Ici le commentateur doit savoir faire preuve de fermeté avec lui-même. On est, en effet, tenté par la pure et simple exclamation et d'avouer que la lecture symptômale est une méthode inouïe. C'est évidemment sans intérêt pour le lecteur. Avec plus de modération on est tenté d'observer qu'il s'agit d'une citation très paradoxale, puisque Marx y réfute justement l'opinion suivant laquelle sa thèse serait valable pour le monde moderne mais non pour le monde antique ou féodal et qu'on ne voit pas en quoi le point de vue de L. Althusser et de ses disciples diffère de cette opinion. Il en diffère pourtant. Sans doute le journal germano-américain a-t-il également une conception pluraliste des sociétés : l'écono-

15. *Ibidem.*

mie domine dans la société moderne, la religion dans la société féodale, la politique dans la société antique. Mais il y a une différence : c'est que pour le marxisme structuraliste cette variation dans la domination est toujours déterminée par l'économie.

On peut observer que le fait de citer un pareil texte suppose chez les commentateurs althussériens l'identification de trois positions possibles.

1. La position « pluraliste » du journal germano-américain : selon les sociétés telle ou telle instance domine.

2. La position « moniste » d'après laquelle c'est toujours la même instance qui domine. Il y a différents types de monismes selon l'instance privilégiée. Par exemple a) le monisme idéaliste de l'« idéologie allemande » : l'idéologie domine toujours ; b) le monisme « économiste » de la tradition vulgaire » et non structuraliste du marxisme : le mode de production de la vie matérielle domine toujours.

3. La position « structuraliste » : la domination varie, mais c'est le mode de production de la vie matérielle qui détermine la domination.

Les choses étant ainsi précisées, la citation de ce texte de Marx sous-entend le raisonnement suivant ou quelque chose de semblable. En écrivant la Préface à *Zur Kritik*, Marx avait en vue la réfutation du monisme idéaliste ; il y affirme la détermination en dernière instance par l'économie mais sans distinguer ce concept de celui de domination, en sorte que la « tradition vulgaire » du marxisme interprète le matérialisme historique comme un monisme économiste. Mais dans cette note du *Capital*, ayant à réfuter une objection pluraliste, Marx dépasse le simple « économisme » et parvient à la conception structuraliste de la totalité ; l'économie détermine la domination de la politique dans la société antique, celle de la religion dans la société féodale et celle... de l'économie dans la société moderne. On voit donc à quel point on aurait eu tort de confondre les thèses apparemment très semblables du journal germano-américain et du marxisme structuraliste. Il nous faut donc considérer l'interprétation althussérienne de ce texte très sérieusement, démontrer qu'elle est fausse et rendre compte autrement de la petite phrase que nous avons citée d'abord (« les conditions économiques d'alors expliquent (...) pourquoi là le catholicisme et ici la politique jouaient le rôle principal »), qui est une des rares phrases de Marx à laquelle on puisse raccrocher l'interprétation structuraliste de la détermination en dernière instance par l'économie.

Disons pour commencer que rien dans ce texte ne permet d'affirmer que Marx modifie en quoi que ce soit son interprétation de la détermination en dernière instance par l'économie. Dire comme il le fait que « la moindre connaissance de l'histoire de la République romaine, par exemple, fait voir que le secret de cette histoire, c'est l'histoire de la propriété foncière » c'est appliquer à une société particulière la proposition selon laquelle « le mode de production de la vie matérielle domine en général le développement de la vie sociale, politique et intellectuelle ». Dans la société antique ou féodale comme dans la société bourgeoise, le mode de production et les rapports sociaux qui en découlent, bref la structure économique, sont la base réelle de la politique et de la religion. L'histoire de cette structure économique est le secret de l'histoire de la politique et de la religion. Ainsi l'économique non seulement détermine en dernière instance, mais il domine également en dernière instance ou en général.

Mais s'il en est ainsi comment comprendre la petite phrase : « Les conditions économiques... expliquent... pourquoi là le catholicisme et ici la politique jouaient le rôle principal. » Pour la bien comprendre, il s'agit d'abord d'avoir conscience que Marx appréhende un problème réel dont en vérité il ne dit pas grand-chose ici ; et il s'agit par conséquent de préciser les termes de ce problème et de caractériser le type d'analyse requis pour sa solution.

S'agit-il des rapports de l'infrastructure et des superstructure ? Incontestablement. Pourtant il faut s'entendre. Il n'est pas du tout question ici de savoir, comme le croient les althussériens, si c'est l'instance superstructurale ou un aspect de cette instance qui domine la totalité sociale, et en particulier l'instance économique. Et ceci pour cette raison très simple que pour Marx, dans ce texte comme dans tous les autres, il ne fait pas de doute que le processus social de la production matérielle domine en général tous les aspects de l'activité historique. Il s'agit donc plutôt de savoir comment cette domination de l'économique et plus exactement de telle structure de l'économique va s'exprimer au plan des activités superstructurales.

S'agit-il alors de dégager *l'essence* des superstructures juridico-politiques et idéologiques par un mouvement d'analyse régressive révélant la dépendance des superstructures vis-à-vis de l'infrastructure et identifiant leur fonction ? Il s'agit d'autre chose, de quelque chose de plus ; cette analyse de l'essence et de la fonction, Marx l'a déjà conduite à terme depuis longtemps, par exemple dans *L'Idéologie allemande* lorsqu'il met en rapport la *domination d'une classe* au niveau de l'infrastructure, avec sa domination juridico-politique et idéologique au niveau des superstructures :

« ... La puissance sociale de cette classe, découlant de ce qu'elle possède, trouve régulièrement son expression *pratique* sous forme idéaliste, dans le type d'Etat propre à chaque époque [16]. »

« Les pensées de la classe dominante sont aussi, à toutes les époques, les pensées dominantes, autrement dit la classe qui est la puissance *matérielle* dominante de la société est aussi la puissance dominante *spirituelle* [17]. »

Ainsi le problème effectivement abordé par Marx dans cette note du *Capital* concerne bien le rapport des superstructures à l'infrastructure dans une société déterminée, mais nous pouvons dire pour le cerner négativement qu'il reste encore posé à l'historien, lorsque celui-ci a déjà résolu — au plan de la méthodologie générale — les deux questions que nous venons d'évoquer :

a. Celle de la détermination en dernière instance par l'économique, ou ce qui est la même chose de la domination générale du mode de production sur toute la vie sociale, politique et intellectuelle. Ce qui implique qu'il est de *l'essence* des superstructures de dépendre en général du procès social de production.

b. Celle de la « domination » superstructurale — politique et idéologique — de la classe économiquement dominante. On en déduit la nature de la *fonction* des superstructures dans la totalité sociale [18].

Parvenu à ce point et pour avancer dans l'analyse il est nécessaire d'introduire la distinction faite par Marx dans la pré-

16. *L'Idéologie allemande,* Editions sociales, 1968, p. 68.

17. *Ibidem,* p. 75.

18. Précisons que la domination politique et idéologique dans la sphère superstructurale de la classe économiquement dominante n'a rien d'automatique ni d'éternel. Il s'agit de l'enjeu d'une lutte qui doit être menée effectivement ; la domination superstructurale n'est donc jamais qu'un résultat ; si elle s'effrite, c'est le signe d'une crise organique, dont l'enjeu est précisément la domination économique.

face de 1859, entre la superstructure juridico-politique d'une part et les formes de la conscience sociale d'autre part. Que le catholicisme médiéval soit une « idéologie », une forme de la conscience sociale, c'est assez clair. Lorsqu'on parle de « la politique » en général sans préciser davantage, les choses sont plus compliquées. Car « la politique » c'est d'une part l'appareil d'Etat, et d'autre part l' « idéologie politique », le premier ne pouvant évidemment être conçu comme un simple « système de représentation ». Pour comprendre la petite phrase de Marx, on peut donc chercher dans une première direction où « la politique » est considérée au même titre que la religion comme forme de la conscience sociale. Mais la recherche devra être complétée dans une autre direction car il est bien évident que lorsque Marx parle de la politique à Athènes et à Rome il songe à la « cité antique » comme forme spécifique de l'Etat.

Pour analyser le premier aspect de la question nous pouvons partir de la théorie des formes idéologiques de la conscience sociale élaborée par Marx et Engels dans *L'Idéologie allemande.* L'idéologie y est présentée comme l'expression dans la conscience des rapports pratiques existant entre les hommes et les formes diverses de la conscience sociale, comme des *langues différentes* — la langue de la politique, de la religion, de la philosophie [19]. Ce processus de prise de conscience de l'existence sociale dans des « langues » spécifiques est « idéologique » dans la mesure où il repose sur la méconnaissance du rapport existant entre ces formes et la base économique qu'elles expriment. Un des problèmes qui se posent à l'historien sera d'expliquer en matérialiste non seulement le contenu socio-économique de l'idéologie mais également sa forme spécifique. Plus précisément encore il s'agira d'expliquer pourquoi à telle époque et dans tel pays c'est une forme spécifique qui « domine » dans la sphère idéologique. Par exemple pourquoi en 1830 les Allemands pensent leur histoire dans « la langue » de la religion et de la philosophie, tandis que les Français pensent la leur dans la langue de la politique ? Ou puisqu'il est question ici du Moyen Age, pourquoi la religion domine dans la sphère idéologique de la société féodale ? Ce n'est pas un problème qu'on peut résoudre sans recherche empirique concrète, mais ce

19. *L'Idéologie allemande,* Editions sociales, 1968, p. 50.

qui ne fait aucun doute, c'est la nature du problème et la validité pour l'aborder des principes généraux du matérialisme historique. Voyons ce qu'en dit Engels dans *Ludwig Feuerbach et la fin de la philosophie classique allemande.*

« Le Moyen Age avait annexé à la théologie toutes les autres formes de l'idéologie : philosophie, politique, jurisprudence et en avait fait des subdivisions de la première. Il obligeait ainsi tout mouvement social et politique à prendre une forme théologique ; pour provoquer une grande tempête, il fallait présenter à l'esprit des masses nourri exclusivement de religion leurs propres intérêts sous un déguisement religieux [20]. »

Voilà en quel sens très précis on peut parler du « rôle principal » ou de la « domination » de la religion au Moyen Age. Et cela n'autorise évidemment pas à parler de la domination de « l'instance idéologique » sur les autres « instances » de la société. Pour Engels c'est l'évolution des rapports sociaux féodaux qui explique la transformation féodale du christianisme.

« Au Moyen Age, il [le christianisme] se transforme au fur et à mesure du développement du féodalisme, en une religion correspondant à ce dernier, avec une hiérarchie féodale correspondante [21]. »

Mais revenons à *L'Idéologie allemande.* Parce qu'ils y élaborent une théorie matérialiste des formes de l'idéologie, Marx et Engels y liquident du même coup la conception « idéologique » de l'histoire telle qu'on la trouve chez les « agents historiques » d'abord, chez les historiens et les philosophes ensuite.

« Cette conception n'a pu voir dans l'histoire que les grands événements historiques et politiques, des luttes religieuses et somme toute théoriques, et elle a dû en particulier *partager* pour chaque époque historique *l'illusion de cette époque*. Mettons qu'une époque s'imagine être déterminée par des motifs purement « politiques » ou « religieux », bien que « politique » et « religion » ne soient que des formes de ses moteurs réels : son historien accepte alors cette opinion. L'« imagination », la « représentation » que ces hommes déterminés se font de leur pratique réelle, se transforme *en la seule puissance déterminante et active* qui

20. *L. Feuerbach*, Editions sociales, 1966, p. 80.
21. *Ibidem.*

domine et détermine la pratique de ces hommes[22] (je souligne la dernière phrase, J.T.). »

Il serait tentant à partir de cette dernière phrase d'identifier la conception « idéologique » de l'histoire et l'interprétation althussérienne du matérialisme historique. Pourtant je l'ai déjà dit ce serait une erreur, car cette interprétation se rattache à Marx par l'affirmation que c'est l'économique qui détermine l'instance dominante. Pour nous, il nous suffit de montrer que telle n'est pas *non plus* la thèse de Marx. Et il faut être attentif à cette « petite » différence. Pour Marx en effet, les conditions économiques du féodalisme expliquent pourquoi le catholicisme joue le rôle principal *dans la sphère idéologique de la société* mais cela ne signifie pas que « l'instance idéologique » domine toutes les autres instances de la totalité sociale. La dernière phrase de ce texte de *L'Idéologie allemande* permet de se représenter clairement les théories de l'histoire que le marxisme récuse. Nous avons vu en étudiant précédemment un texte d'Engels ce qui définit la déviation économiste. Elle consiste à prétendre que « le moment économique est le *seul* déterminant ». La déviation inverse, ce qu'on pourrait appeler « l'idéologisme » consiste au contraire à affirmer que la conscience « est la seule puissance déterminante et active ». Pour Marx « l'idéologie n'est qu'un des aspects » de l'histoire des hommes[23]. Il joue un rôle actif comme tout autre aspect de l'activité humaine. Mais son « efficace », comme son contenu et sa forme spécifique doivent être pensés à partir de la « domination » sur toute la vie sociale du procès de production et de reproduction. Les formules de l'école althussérienne à défaut d'être théoriquement justes correspondent-elles à un problème réel qu'il faut approfondir ? Incontestablement. Il s'agit, nous l'avons dit, d'expliquer historiquement la prédominance d'une forme idéologique spécifique dans la sphère de l'idéologie. Mais qu'on y réfléchisse ; on verra que pour rendre compte de cette « domination » là, il faut et il suffit d'approfondir la théorie marxiste des formes et de la mettre en œuvre. Marx nous a laissé quelques indications précieuses à cet égard lorsqu'il définit sa « méthode matérialiste » :

22. *L'Idéologie allemande*, p. 71.
23. *Ibidem*, p. 45.

« L'histoire de la religion elle-même, si l'on fait abstraction de cette base matérialiste (*le mode de production de la vie matérielle et la forme des rapports sociaux qu'il implique*, J.T.), est a-critique. Il est, en effet, bien plus facile de trouver *par l'analyse le contenu, le noyau terrestre* des conceptions nuageuses des religions, que de faire voir par une voie inverse comment les conditions réelles de la vie revêtent peu à peu une forme éthérée. C'est là la seule méthode matérialiste, par conséquent scientifique [24]. »

La première voie a déjà été empruntée par Feuerbach, et Marx reprend ici la critique déjà formulée dans la thèse V sur Feuerbach. La voie *inverse* est la seule qui permette de penser les « formes », c'est-à-dire de reproduire le concret dans la pensée. Nous avons assez bien à partir du *Capital* ce qu'est une « déduction » des formes économiques dans le mode de production capitaliste. Nous sommes sans doute moins avancés lorsqu'il s'agit des formes idéologiques ou des formes politiques. Ce qu'on peut affirmer à partir du *Capital,* c'est que les formes idéologiques dépendent des formes politiques auxquelles *elles correspondent,* et que celles-ci résultent des formes économiques.

B - *Approche de la thèse marxiste des formes spécifiques de l'Etat*

Il nous reste maintenant à explorer une deuxième direction de recherche pour étudier le contenu de la petite phrase. Pourquoi les conditions économiques d'Athènes ou de Rome expliquent-elles que la politique y jouait le rôle principal ? Et nous l'avons dit la politique ce n'est pas seulement ici « l'idéologie politique » c'est d'abord l'Etat. Il s'agit encore de l'analyse matérialiste des formes, mais cette fois il s'agit des formes juridico-politiques. Le problème est difficile et nous nous contenterons pour l'instant d'un certain nombre d'indications. Nous y reviendrons par contre dans la suite de ce chapitre en étudiant à partir d'un autre texte de Marx, la spécificité de « l'économique » dans les sociétés pré-capitalistes. C'est en effet une question qu'il faut d'abord traiter pour pouvoir analyser les formes spécifiques de l'Etat dans

24. *Le Capital,* t. II, p. 59, note 2. M.E.W., t. 23, p. 393, traduction modifiée.

ces mêmes sociétés et comprendre « le rôle principal » que joue la politique à Athènes ou à Rome.

Les textes des manuscrits de 1857-1858 dans lesquels Marx analyse la genèse historique de la société et de l'Etat bourgeois à partir des formes sociales pré-capitalistes nous servirons de guide. L'idée essentielle est bien exprimée dans la première page de l'introduction de 1857-1858 [25]. Ce qui caractérise la société bourgeoise, c'est la dissolution intégrale des formes communautaires de l'existence sociale et des liens de dépendance personnelle qui caractérisent les sociétés de classe pré-capitalistes. C'est donc aussi du même coup la séparation radicale du prolétaire d'avec ses conditions objectives de production et de reproduction. Le prolétaire est personnellement libre, mais il est aussi réduit à l'état de « pure subjectivité ». Cela ne signifie pas pour autant que l'individu de la société bourgeoise est une monade isolée. Il est « indépendant » dans le cadre d'une interdépendance totale qu'il ne contrôle pas. *Le lien social* n'a pas disparu ; c'est la forme communautaire du lien social qui a été dissoute. Les rapports sociaux historiques sont au contraire très développés. Ils sont, dit Marx, « généralisés » et au plan économique cette généralisation c'est le marché mondial. L' « indifférence » de ces producteurs indépendants qui sont en fait dans une inter-dépendance économique universelle produit la fétichisation et l'aliénation du lien social. Le rapport social des individus revêt la forme d'une chose (fétichisme) qui domine ces individus (aliénation) [26]. Et si le lien social est devenu argent, la communauté — qui assurait antérieurement la propriété ou la possession du producteur direct — est devenue capital [27]. A cette structure économique de la société bougeoise et aux rapports des individus qui en résultent (aliénation et indépendance personnelle) correspond une forme spécifique de l'Etat : l'Etat représentatif moderne comme communauté illusoire du citoyen et instrument réel de domination politique de la bourgeoisie [28]. Sous cette forme politique spécifique, la dimension sociale de la vie des individus n'est plus qu'un moyen extérieur au service des fins « privées » de l'individu bourgeois et de l'exploitation éco-

25. *In Contribution,* p. 149.
26. *Grundrisse,* La Pléiade, t. II, pp. 208 et suivantes.
27. *Grundrisse,* p. 338.
28. *L'Idéologie allemande,* p. 61.

nomique [29]. Ce qui caractérise au contraire les sociétés pré-capitalistes et tout particulièrement la cité grecque et la démocratie athénienne, c'est une structure économique et donc une forme politique tout à fait différente [30]. L'appartenance d'un certain nombre d'individus à une communauté réelle y subsiste sous une forme historique déterminée. En tant qu'ils appartiennent à cette communauté les individus sont propriétaires d'une parcelle des terres qu'elle occupe. Ils sont libres en tant qu'ils sont propriétaires et propriétaires en tant que membres de la communauté. Ceux qui n'en font pas partie sont asservis (esclaves) ou restent des étrangers (métèques) qui ne peuvent posséder la terre. En dehors et à côté de cette propriété privée, la société antique connaît également la propriété d'Etat(*ager publicus*) dans laquelle cet Etat a sa forme d'existence économique. Cette structure économique de la société antique permet de comprendre la nature spécifique de sa forme politique. Pour les libres propriétaires membres de la communauté, la cité n'est pas une communauté politique abstraite et illusoire comme l'Etat bourgeois moderne. Ils sont des citoyens égaux disposant en principe des mêmes droits à diriger la cité et ils la défendent avec leurs propres armes. Si le prolétaire « n'a pas de patrie » parce qu'il n'a pas de propriété, le citoyen grec qui appartient à la classe des petits paysans en a une très réelle. C'est son indépendance économique, fondement de sa liberté qu'il défend en défendant sa cité. *L'hoplite* grec est un soldat-paysan qui est propriétaire de son équipement militaire comme de sa terre.

Cette forme communautaire de la société antique qui repose sur un développement déterminé des forces productives et de la division du travail dans la société permet de saisir d'autres caractéristiques fondamentales. Dans cette société fondée sur l'agriculture où l'échange marchand n'a pas encore bouleversé la vie économique, la finalité des activités humaines réside encore dans la reproduction des conditions communautaires d'existence qui assurent aux paysans-citoyens la propriété de leurs moyens de production et leur liberté. On produit, on se bat ou on participe

29. Introduction de 1857-1858, *in Contribution*, p. 150.

30. *Grundrisse*, pp. 315 et suivantes et plus généralement le chapitre sur les formes pré-capitalistes, cf. également Engels : *Origines de la famille...*

à la vie de la cité pour reproduire les conditions matérielles, sociales, politiques de cette indépendance et de cette liberté. Voilà pourquoi à Athènes et à Rome « la politique » joue le rôle principal.

Mais il faut bien s'entendre sur la nature du « politique » dans la « *polis* » grecque ou la *cité* romaine. La cité est bien un organisme étatique qui se dresse déjà au-dessus de la société et qui est instrument et enjeu de la lutte de classe (lutte entre les différentes classes de citoyens, lutte entre citoyens et esclaves). Mais la persistance du lien communautaire en fait aussi un « Etat-commune » où les organismes du pouvoir créés par la société « en vue de la défense de ses intérêts communs »[31] appartiennent encore aux citoyens. La démocratie athénienne repose d'une part sur l'esclavagisme et d'autre part sur la persistance du lien communautaire. Ce que l'on nomme « politique » dans ce cas peut être tout autant appelé « économique », car la commune antique est une forme sociale d'appropriation, un rapport de propriété. Il est utile de rappeler ici que le concept fondamental du matérialisme historique est celui de rapport social. L'homme est d'abord naturellement social[32]. Il appartient à une communauté naturelle par l'intermédiaire de laquelle il se comporte en propriétaire à l'égard de ses conditions objectives de production. La commune antique est une forme historique dérivée de la communauté primitive. C'est en transformant sa manière de produire qu'il transforme ses rapports sociaux, qu'il a une histoire, qu'il produit des formes historiques spécifiques de communauté[33].

Dire avec Marx que « la politique » joue à Athènes et à Rome le rôle principal, c'est une autre manière de dire que ces sociétés reposent encore sur une organisation de type communautaire, que seul le capitalisme dissoudra complètement. Les rapports « politiques » sont d'abord ici des rapports de propriété, des rapports sociaux de production et les luttes « politiques » entre les différentes classes de citoyens ont toujours un enjeu directement « économique » : c'est le problème des dettes et celui de la répartition des terres. Comme dit Marx « la moindre connais-

31. Sur le concept d'Etat, cf. Engels : *L. Feuerbach*, p. 76.
32. *Grundrisse*, p. 324.
33. *Grundrisse*, p. 336.

sance de l'histoire de la République romaine, par exemple, fait voir que le secret de cette histoire, c'est histoire de la propriété foncière ».

Les formules althussériennes ou d'inspiration althussérienne ont un mérite : elles nous obligent à penser la spécificité des formes sociales et politiques des sociétés pré-capitalistes. Mais cela ne peut être fait qu'en partant de l'idée marxienne que l'homme est un être qui est d'abord naturellement social et en redonnant au concept marxiste de communauté (naturelle et historique) la place fondamentale qu'il occupe dans la théorie de l'histoire.

Elles nous contraignent également à assimiler l'idée que la production est toujours socialement conditionnée et donc aussi politiquement conditionnée lorsque le lien social revêt une forme politique plus ou moins distincte.

Il reste néanmoins deux points à bien saisir pour rendre intelligible la dialectique historique.

Tout d'abord s'il est exact que la production implique des *présuppositions* matérielles et sociales (éventuellement politiques), d'abord naturellement données, puis historiquement produites, qui s'imposent aux hommes d'une société et qui conditionnent leur développement, il n'en reste pas moins vrai que c'est en développant leur production matérielle, leurs capacités ou forces productives, que ces hommes produisent de nouveaux rapports sociaux, bases de nouvelles formes politiques et idéologiques [34].

En conséquence de quoi il faut dire que le conditionnement social, politique et idéologique — quel qu'en soit les formes historiques et même si elles amènent à parler du « rôle principal » joué par la politique ou l'idéologie — ne peut remettre en cause la domination du procès de production sur le cours historique pris dans son ensemble.

34. « Lettre à Annenkov » *in Lettres sur le Capital*, pp. 26 et suivantes.

IV. Examen des textes : 3e texte

A - *Spécificité de la formation sociale féodale*

Le troisième texte souvent cité par les promoteurs de la nouvelle interprétation est extrait du *Capital*[35]. Il nous faut le citer longuement. Il appartient à un sous-chapitre consacré à la rente en travail (la corvée) et donc principalement à la société féodale ; Marx écrit :

« Dans toutes les formes où le travailleur immédiat reste le « possesseur » des moyens de production et des moyens de travail nécessaires pour produire ses propres moyens de subsistance, *le rapport de propriété doit fatalement se manifester simultanément comme un rapport immédiat de maître à serviteur* ; le producteur immédiat n'est donc pas libre ; mais cette non-liberté peut s'amenuiser depuis le servage avec obligation de corvée jusqu'au paiement d'une simple redevance. Nous supposons que le producteur direct possède ici ses propres moyens de production, les moyens matériels nécessaires pour réaliser son travail et produire ses moyens de subsistance. Il pratique de façon autonome la culture de son champ et l'industrie rurale qui s'y rattache... *Dans ces conditions, il faut une contrainte extra-économique, de quelque nature qu'elle soit, pour l'obliger à effectuer du travail pour le compte du propriétaire foncier en titre...* Il faut nécessairement des rapports personnels de dépendance, une privation de liberté personnelle, quel que soit le degré de cette dépendance, il faut que l'homme soit lié à la glèbe, n'en soit qu'un simple accessoire, bref, il faut le servage dans toute l'acception du mot...

« La forme économique spécifique dans laquelle du surtravail non payé est extorqué aux producteurs directs, détermine le rapport de maître à serviteur, tel qu'il découle directement de la production elle-même et réagit à son tour de façon déterminante sur celle-ci. C'est la base de la structuration d'ensemble de la communauté économique, issue directement des rapports de production et en même temps la base de sa structure politique spécifique. C'est toujours dans le rapport immédiat entre le pro-

---

35. *Le Capital*, t. VIII, pp. 171-172. M.E.W., t. 25, p. 799, traduction modifiée.

priétaire des moyens de production et le producteur direct (rapport dont les différentes formes correspondent naturellement à un degré défini du développement des méthodes de travail, donc à un certain degré de force productive sociale), qu'il faut chercher le secret le plus profond, le fondement caché de tout l'édifice et par conséquent de la forme politique que prend le rapport de souveraineté et de dépendance, bref, la base de la forme spécifique que revêt l'Etat à une période donnée. »

Ce texte est constamment cité par les commentateurs althussériens du *Capital* et souvent d'ailleurs en liaison avec le texte précédent [36]. Il nous intéresse ici dans la mesure où l'on veut prendre appui sur lui pour modifier la formulation du principe fondamental du matérialisme historique. Tout se passe en effet comme si la prise en compte des formations sociales pré-capitalistes devait nous obliger à cette reformulation. La domination de « l'économique » ne serait valable que dans la société bourgeoise. Dans d'autres sociétés, ce serait le politique, l'idéologique ou les rapports de parenté qui « domineraient ». Mais dans tous les cas ce serait « l'économique » qui déterminerait celle des instances qui domine la totalité sociale. Ce qui distinguerait justement la société capitaliste, c'est qu'en elle « la détermination en dernière instance » et « l'instance dominante » coïncideraient. La structure de l'économique et sa place dans la totalité sociale feraient que l'économique « détermine » sa propre « domination ».

Pour dissiper toute confusion, je voudrais dire préalablement que là encore — comme pour les textes précédents — l'effort théorique de l'école althussérienne me paraît correspondre à des problèmes réels et que son mérite n'est pas mince d'avoir mobilisé l'attention de tous les chercheurs sur ces problèmes. Il s'agit en effet de prendre conscience des caractères spécifiques des sociétés pré-capitalistes. Il peut s'agir de sociétés sans classe où l'accaparement du surtravail social par un groupe privilégié n'existe pas et où la communauté se dirige elle-même sans avoir produit un Etat. Mais il peut s'agir également — comme dans le texte que nous examinons — de sociétés où existent l'exploitation de l'homme par l'homme, l'extorsion du surtravail

---

36. Cf. Poulantzas : *op. cit.*, pp. 22, 23, 25 ; Balibar : *Lire le Capital*, t. II, pp. 217-221. L. Althusser donne de ce texte un commentaire très dense pp. 151-156.

et donc la coercition politique (étatique), mais dans lesquelles, contrairement à ce qui se passe dans la société bourgeoise, les producteurs directs ne sont pas séparés de leurs moyens de production et de subsistance et où les rapports marchands, même s'ils existent, n'ont pas encore pénétré les rapports de production. Ces traits spécifiques des sociétés pré-capitalistes doivent être pensés, de même que doit être pensée la spécificité du mode de production dans chaque type de société pré-capitaliste. Mais la question est de savoir si ce travail au niveau du spécifique doit nous conduire à bouleverser dans le sens proposé par l'école althussérienne la théorie générale du matérialisme historique telle que l'a formulée Marx. Je ne doute pas, pour ma part, que ce travail au niveau du spécifique des différents modes de production doit nous contraindre à enrichir notre assimilation du principe général du matérialisme historique, à liquider les schématismes stérilisants, à récupérer des concepts fondamentaux oubliés, à en finir avec toute projection sur ces sociétés pré-capitalistes des mécanismes qui ne fonctionnent que dans la société bourgeoise. Mais je ne crois pas qu'il soit nécessaire de modifier la formulation générale de Marx dans le sens proposé par l'école althussérienne.

Pour soutenir cette thèse je ferai valoir un argument de portée générale. Lorsque, en 1859, K. Marx résume dans la Préface à la *Contribution* la théorie générale du matérialisme historique, il n'ignore pas les problèmes propres aux sociétés pré-capitalistes avec ou sans classes. Il vient de rédiger en 1857-1858 le manuscrit des *Grundrisse* où ces problèmes sont constamment présents et où une étude systématique leur est consacrée dans le chapitre sur « les formes qui précèdent la production capitaliste ». Et on peut ajouter que ces formulations de 1859 sont reprises telles quelles en 1867 dans le *Capital* où l'étude comparative des différents modes de production connaît de nouveaux développements. C'est le cas tout particulièrement dans cette note du tome I où Marx répond aux critiques d'un journal germano-américain, note que nous avons analysée dans les pages précédentes. Cette note signifie clairement que la thèse formulée dans la Préface de 1859, explicitement rappelée par Marx, s'applique à toutes les formations sociales, qu'il s'agisse de la société bourgeoise où « domineraient » « les intérêts matériels », du Moyen Age où règnerait « le catholicisme » ou d'Athènes ou de Rome où règnerait « la politique ».

Si la chose fait pour nous difficulté c'est qu'en vérité nous ne comprenons pas vraiment ce que Marx dit lorsqu'il affirme comme un principe universellement valable son « opinion » « que le mode déterminé de production et des rapports sociaux qui en découlent, en un mot, que la structure économique de la société est la base réelle sur laquelle s'élève ensuite l'édifice juridique et politique, de telle sorte que le mode de production de la vie matérielle domine en général le développement de la vie sociale, politique et intellectuelle »[37]. Et sans doute ne comprenons-nous vraiment ni les concepts fondamentaux ni le nouveau principe d'intelligibilité qui les fait fonctionner.

Avant d'en venir à l'examen de ce troisième texte où il est beaucoup question de la société féodale, une dernière remarque à propos des difficultés que rencontrent certains commentateurs althussériens qui s'appuient à la fois sur ce texte et sur la « note » précédemment étudiée pour penser la société féodale. Ainsi de N. Poulantzas. Quelle est, selon lui, l'instance sociale qui, dans la société féodale, est « déterminée » à dominer par « l'économique » ? Selon que l'on prend appui sur la note du *Capital* où il est question du « règne du catholicisme » au Moyen Age ou au contraire, sur le chapitre consacré à la corvée et à « la contrainte extra-économique » qu'elle implique, les résultats seront différents. Ainsi N. Poulantzas écrit-il :

« Marx nous indique comment, dans le mode de production féodal, c'est l'idéologie — sous sa forme religieuse — qui détient le rôle dominant, ce qui est rigoureusement déterminé par le fonctionnement de l'économique dans ce mode[38]. »

Mais il écrit aussi songeant manifestement à la « contrainte extra-économique » du chapitre sur la rente du travail :

« La politique revêt souvent dans le mode de production féodal le rôle dominant...[39] »

(On peut penser que l'adverbe *souvent* exprime chez l'auteur lui-même une certaine perplexité.)

Mais venons-en au texte lui-même et essayons de l'analyser avec le double souci de saisir d'une part ce qu'il nous révèle de la spécificité des sociétés de classe pré-capitalistes et d'autre

37. Cf. note 14.
38. *Op. cit.*, p. 9.
39. *Op. cit.*, p. 27, note 7.

part en quoi cette spécificité vérifie la thèse du matérialisme historique dans sa portée universelle.

Deux traits caractérisent le mode de production capitaliste qu'on ne retrouve pas dans les sociétés de classe antérieures. Dans le M.P.C. en effet les producteurs directs — les prolétaires — sont radicalement séparés des moyens de production et de subsistance et d'autre part l'échange marchand a pénétré le procès de production au point que la force de travail elle-même est devenue une marchandise dont on vend et dont on achète l'usage. Le salaire est le prix de cette force de travail et donc la forme économique spécifique dans laquelle la classe capitaliste extorque le surtravail fourni par le prolétariat. L'argent reçu « en échange » permet au prolétaire d'avoir accès aux moyens de subsistance nécessaires à la reproduction de sa force de travail. Cette séparation radicale du producteur direct et des conditions objectives de la production (objet et moyens de travail) et de sa propre reproduction (moyens de subsistance) crée une dépendance économique totale du prolétariat par rapport à la classe capitaliste. C'est ce que Marx appelle « l'esclavage salarié ». Lorsque ce rapport social de production propre au mode de production et *d'échange* capitaliste a pris assez d'extension et s'est « consolidé » par sa reproduction, l'usage de la violence directe pour l'extorsion du surtravail n'est plus nécessaire (lorsque les choses suivent leur « cours normal »). Le prolétaire — économiquement dépendant et totalement dépendant — est personnellement libre. Il n'est pas la propriété du maître au même titre qu'un moyen de production comme dans l'esclavage antique. Il n'est pas le « sujet » d'un prince despote comme dans le mode de production asiatique. Il n'est pas enchaîné à la glèbe ou « l'homme » d'un seigneur comme dans la société féodale. C'est une personne libre, propriétaire de sa force de travail. Son rapport au propriétaire des moyens de production n'est pas « immédiat » mais médiatisé par cette « chose sociale » qu'est l'argent et c'est un « libre » contrat qu'il passe avec lui. Bref, le mode de production et d'échange capitaliste implique des rapports sociaux de production dans lesquels l'extorsion de la plus-value se réalise sans contrainte extra-économique directe. Le salaire capitaliste, forme spécifique d'extorsion du surtravail, repose sur la séparation radicale de la force de travail et de ses conditions objectives de manifestation (moyens de production et de subsistance) ainsi que sur la transformation de la force de travail en marchandise. Cette aliénation des rapports sociaux et cette dépendance économique totale supposent et produit l'abolition des liens de dépendance personnelle. Le prolétaire est une libre personne réduite à sa « pure subjectivité », c'est-à-dire un « esclave salarié ». Telle est la *base* de la société bourgeoise, la *structure économique* de la société bourgeoise, les rapports sociaux de production qui *découlent* de la naissance et du développement du mode de production et d'échange capitaliste. Sur cette base spécifique s'élèvera un édifice juridico-politique spécifique. Le principe du droit bourgeois ce n'est pas « le privilège » mais « l'égalité » et la « liberté » : liberté des personnes fondée sur la propriété privée et égalité juridique devant la loi de ces personnes libérées des liens de dépendance féodaux. Quant à la dictature étatique de la bourgeoisie elle revêt dans la société bourgeoise, la forme de l' « Etat représentatif moderne » dans laquelle tous les individus de la « société civile » quel que soit leur statut économique sont des « citoyens » dont les droits politiques sont égaux. Dès 1843, on le sait, avant même d'avoir analysé les racines économiques de « l'anatomie » propre à la société bourgeoise, Marx a entrepris l'analyse du Droit bourgeois et de l'Etat représentatif moderne.

En vérité, il n'est pas question de la formation sociale bourgeoise dans le texte que nous commentons mais c'est pourtant d'elle qu'il faut partir pour comprendre les formations sociales pré-capitalistes et la société féodale en particulier.

Qu'est-ce qui caractérise la formation économique, la structure économique de la société féodale ? C'est une forme économique spécifique d'extorsion du surtravail. En quoi consiste cette spécificité de la rente féodale ? Qu'est-ce qui la différencie du salaire qui est la forme économique capitaliste d'extorsion du surtravail ? Le travail *forcé* du prolétaire, son exploitation économique, l'accaparement du surtravail qu'il fournit n'impliquent pas dans le cours ordinaire des choses l'intervention directe de la contrainte extra-économique dans les rapports économiques. C'est comme dit Marx « la sourde pression des rapports économiques » qui assure « le despotisme du capitaliste sur le travailleur ». Dans « le cours ordinaire des choses » il suffit à l'Etat bourgeois de veiller, d'assurer politiquement l'ordre économique bourgeois ; « le travailleur peut être abandonné à l'action des « lois naturelles » de la société, c'est-à-dire à sa dépendance par rapport au capital »[40]. La rente féodale comme forme économique d'extorsion du surtravail implique au contraire la présence continuelle de la contrainte extra-économique dans les rapports d'exploitation économiques. La contrainte qui assure l'extorsion de la plus-value capitaliste est, pourrait-on dire, « purement économique » dès que les rapports de production capitalistes sont « consolidés ». Les rapports de production féodaux impliquent au contraire une « contrainte extra-économique » directe et continuelle dans les rapports « économiques » pour assurer l'extorsion du surtravail.

Quel est le fondement de ces formes économiques spécifiques d'extorsion du surtravail que sont « la rente féodale » et le salaire capitaliste ? Ce fondement réside dans la nature des rapports de propriété réels qui sont la base de « la communauté économique » et plus généralement de tout l'édifice social. Le prolétaire est radicalement séparé des moyens de production et de subsistance sans lesquels il ne peut ni « réaliser » son travail, ni reproduire sa force de travail. Pour travailler et vivre il est « économiquement » contraint de passer un « libre » contrat avec le détenteur privé des moyens de production et de subsistance. Ce rapport est « médié » par l'argent. Il peut être et doit être personnellement libre parce qu'il est totalement dépendant économiquement. Les rapports de propriété et d'échange bourgeois impliquent la présence de rapport de liberté personnelle au cœur même des rapports d'exploitation économique. Le paysan serf ou corvéable au contraire n'est pas séparé des moyens de production et de subsistance. Il a donc une autonomie « économique ». Il cultive son champ et pratique l'industrie domestique qui s'y rattache. Dans ces conditions de propriété réelle, l'extorsion du surtravail exige sa dépendance, sa non-liberté personnelle et donc la coercition extra-économique qui l'oblige à travailler pour le seigneur. Le rapport de servitude est inscrit dans des rapports de propriété réels, c'est-à-dire dans la non-séparation du producteur et des conditions objectives de production et de reproduction. Son rapport avec le seigneur n'est pas médié par l'argent : c'est un rapport de contrainte immédiate, de domination et de servitude immédiate.

Ainsi nous pouvons comprendre la structure économique

40. *Le Capital*, Editions sociales, t. III, p. 178.

de la société féodale : société de classes où règne l'exploitation de l'homme par l'homme, elle est une « communauté économique » dont la base est une forme économique d'extorsion du surtravail qui implique nécessairement la contrainte extra-économique. Cette forme spécifique résulte elle-même des rapports de propriété réels (non-séparation du producteur direct d'avec ses moyens de production et de subsistance) ainsi que de la non-domination du rapport d'échange marchand sur la production.

A cette base économique spécifique correspondra des structures juridiques et politiques spécifiques qui l'expriment et la consacrent. Le principe du droit féodal est le privilège. Tous les rapports sociaux sont caractérisés par l'existence d'un ordre hiérarchique. Il en est ainsi de la forme du pouvoir politique : la féodalité. Et c'est le même principe qui s'exprimera dans l'idéologie religieuse. Ce n'est donc ni « l'instance » idéologique, ni « l'instance » politique qui dominent » « l'économique ». Dans cette formation sociale comme dans toutes les autres, les rapports juridico-politiques et idéologiques expriment la base économique. Marx le dit très clairement dans le paragraphe du *Capital* consacré au fétichisme marchand :

« Transportons-nous maintenant de l'île lumineuse de Robinson dans le sombre Moyen Age européen. Au lieu de l'homme indépendant, nous trouvons ici tout le monde dépendant, serfs et seigneurs, vassaux et suzerains, laïques et clercs. Cette dépendance personnelle caractérise *aussi bien les rapports sociaux de la production matérielle* que toutes les autres sphères de la vie auxquelles elle sert de fondement [41] (c'est moi qui souligne, J.T.). »

Mais s'agissant de la politique le texte que nous commentons n'est pas moins explicite. « Le rapport de maître à serviteur » *découle directement de la production elle-même ;* il est déterminé par la forme économique spécifique d'extorsion du surtravail. Cette forme spécifique est « la base de la structuration d'ensemble de la communauté économique issue directement des rapports de production *et en même temps la base de sa structure politique* spécifique ». Dans les sociétés pré-capitalistes, étant donné la non-séparation du producteur direct d'avec ses moyens de production et de subsistance, le rapport entre le travailleur et le propriétaire en titre est un rapport « immédiat », non médiatisé par l'argent

41. *Le Capital,* t. I, p. 89.

et donc non « purement économique ». Le rapport de propriété réel (non séparation) « doit fatalement se manifester simultanément comme un rapport immédiat de maître à serviteur ». Il faut une contrainte extra-économique. Ainsi c'est dans ce « rapport immédiat » de maître à serviteur qu'implique la forme économique d'extorsion du surtravail propre à toutes les formations de classe pré-capitalistes « qu'il faut chercher le secret le plus profond, le fondement caché de tout l'édifice social et *par conséquent de la forme politique que prend le rapport de souveraineté et de dépendance*, bref, la base de la forme que revêt l'Etat à une période donnée ». (C'est moi qui souligne, J.T.)

Mais si la spécificité des formes économiques d'extorsion du surtravail — avec ou sans contrainte extra-économique immédiate — découle des rapports de propriété réels, de la séparation ou non-séparation du producteur direct d'avec les conditions objectives de la production et de la reproduction, une ultime question se pose : qu'est-ce qui détermine en dernière analyse les rapports de propriété réels ?

B. *La théorie marxiste des formes de la propriété*

Il faudrait pour répondre complètement exposer systématiquement la théorie de la propriété inhérente au matérialisme historique. Nous nous en tiendrons au principe général.

Marx le formule dans le deuxième paragraphe du texte que nous commentons lorsqu'il précise que « les différentes formes du rapport immédiat entre le maître des moyens de production et le producteur direct » correspondent naturellement à un degré défini du développement des méthodes de travail, donc à un « certain degré de force productive sociale ». Ce qui détermine en dernière analyse les rapports de propriété réels c'est le « comportement » productif des individus d'une communauté humaine déterminée, leur manière de produire, d'approprier par le travail les choses de la nature aux besoins humains. La manière de produire, le mode de la production matérielle, le mode d'appropriation de la nature aux besoins déterminent en dernière analyse les rapports de propriété réels [42]. Autrement dit, c'est le degré de développement de la force productive du travail social qui

42. K. MARX, *Grundrisse*, La Pléiade, « Economie II », pp. 332-335.

détermine en dernière analyse les formes de la propriété. Et ce degré de développement de la capacité productive d'une communauté humaine se mesure bien à la nature et à la complexité de la division du travail dans la société qui en est l'expression et la condition [43]. Cette productivité du travail de la communauté est toujours socialement conditionnée, autrement dit elle se développe — plus ou moins — dans le cadre de rapports de propriété réels, de rapports sociaux de production, mais c'est le mode de la production matérielle, la nature et le degré de développement des forces productives du travail social qui sont « les facteurs qui l'emporte », qui dominent *et* déterminent en dernière analyse les formes de la propriété. Qu'on se rapporte au chapitre du *Capital* intitulé « La tendance historique de l'accumulation capitaliste » [44], on y trouvera en raccourci l'histoire de la propriété depuis la communauté primitive jusqu'au communisme en passant par la petite propriété fondée sur le travail personnel libre ou non-libre. La dissolution de la propriété communautaire primitive a sa source dans le développement des forces productives et de la division du travail dans la société. Elle libère l'énergie pratique des individus : « La propriété privée, comme antithèse de la propriété collective » connaît deux formes fondamentales : celle qui repose sur le travail personnel du producteur direct (libre ou non-libre) et la propriété capitaliste qui repose sur le travail des autres et suppose l'expropriation des producteurs directs.

La propriété fondée sur le travail personnel « est le corollaire de la petite industrie, agricole ou manufacturière ». « *Ce mode de production* se rencontre au milieu de l'esclavage, du servage et d'autres états de dépendance. » Mais « il ne déploie toute son énergie... que là où le travailleur est le propriétaire libre des conditions de travail qu'il met lui-même en œuvre ». « Mais arrivé à un certain degré (« ce régime industriel de petits producteurs indépendants ») engendre de lui-même les *agents matériels* de sa dissolution »... « Il doit être, il est anéanti. » Son élimination c'est l'expropriation des producteurs directs qui suppose « toute une série de procédés violents » ; c'est l'instauration de la propriété privée capitaliste qui permet le développement impétueux des

43. *L'Idéologie allemande*, Editions sociales, p. 46.
44. *Le Capital*, t. III, pp. 203-205.

forces productives du travail social et la concentration de cette propriété.

Mais « le monopole du capital devient une entrave pour *le mode de production* qui a grandi et prospéré avec lui et sous ses auspices. La socialisation du travail et la centralisation de ses ressorts matériels arrivent à un point où elles ne peuvent plus tenir dans leur enveloppe capitaliste. Cette enveloppe se brise en éclats... Les expropriateurs sont à leur tour expropriés ». « La propriété capitaliste qui de fait repose déjà sur *un mode de production collectif* » se métamorphose en propriété sociale [45].

J'ai souligné dans ces citations fragmentaires les passages où Marx utilise l'expression « mode de production » dans un sens restreint qui correspond au concept de « forces productives du travail social ». Dans *L'Idéologie allemande* ou dans la lettre à Annenkov c'est dans ce sens restreint que Marx l'utilise. Le mode de la production matérielle détermine la forme de la relation sociale. On sait que Marx utilise également l'expression « mode social de production » pour désigner l'unité réalisée dans une formation sociale des forces productives et des rapports de production. Mais ce nouvel usage qui est plus tardif ne supprime jamais le premier. Dans le *Capital* Marx utilise constamment l'expression dans ces deux sens comme on le voit tout particulièrement dans la Section IV du livre I consacrée à la « production de la plus-value relative » [46] ou dans le chapitre inédit du *Capital* où Marx étudie « la subsomption formelle et la subsomption réelle du travail au capital » et ce qu'il appelle « le mode de production spécifiquement capitaliste » c'est-à-dire la grande industrie [47].

L'usage du sens restreint n'est ni occasionnel ni fortuit. Il est constant et a une haute signification théorique que nous développerons dans la partie de ce travail consacrée à *la dialectique interne du mode social de la production matérielle.* L'unité des forces productives du travail social (mode de production au sens restreint) et des rapports sociaux de production est également pensée sous le concept de « formation (ou structure) économique de la société ».

---

45. *Ibidem.*
46. *Ibidem,* t. II.
47. K. MARX, *Un chapitre inédit du Capital,* 10/18, p. 191 et suivantes.

Ainsi Marx écrit-il en parlant du procès social de production capitaliste :

« Ce dernier concerne les conditions matérielles d'existence de l'homme et représente en même temps un procès se déroulant dans le cadre de rapports de production spécifiques, historico-économiques »... « L'ensemble des rapports des agents de la production entre eux et avec la nature, leurs conditions de production constituent précisément la société sous l'aspect de sa structure économique »... « Les conditions matérielles sont en même temps les supports de rapports sociaux déterminés [48]. »

Dans la note du tome I où Marx répond au journal germano-américain [49], il distingue tout d'abord mode de production et rapports sociaux de production, ceux-ci découlant de celui-là, puis il pense leur unité sous le concept de « structure économique de la société » comme base réelle de tout l'édifice d'une formation sociale déterminée. Ainsi l'unité des « forces productives » (mode de production au sens restreint) et des rapports sociaux de production est-elle pensée *en même temps* que leur distinction *et* la subordination *générale* des rapports de production aux forces productives. Car il s'agit de penser le *procès de développement* d'une totalité organique dans laquelle les formes sociales conditionnent le développement de la production matérielle mais où celui-ci est en dernière analyse « le moment qui l'emporte ». C'est en ce sens qu'il est « le support » des formes sociales. Ce type de développement se vérifie déjà lorsqu'on étudie l'histoire complète d'une formation sociale, le capitalisme par exemple ; à moins qu'on ne veuille considérer que sa première phase où les rapports de production sont « des formes de développement » des forces productives pour pouvoir attribuer toute l'efficace ou l'efficace prépondérante aux rapports de production !

Comment alors expliquera-t-on les rapports de production spécifiques du C.M.E. comme *propriété sociale capitaliste*, sans les faire résulter de la socialisation de la production et de la concentration des moyens de production [50] ? Mais surtout il convient de ne pas oublier que le principe général du matéria-

---

48. *Le Capital*, t. VIII, Editions sociales, p. 197. M.E.W., t. 25, p. 827.

49. Cf. la note 14.

50. Cf. le *Traité marxiste d'Economie politique*. Le C.M.E., 2 vol., Editions sociales, 1971.

lisme historique ne s'applique pas à *une* formation économique mais à leur succession et à leur enchaînement. Le procès de développement est ici l'histoire de l'humanité et nous avons vu en étudiant l'histoire des formes de la propriété que si au cours de ce procès les formes sociales conditionnent le développement des forces productives, celles-ci sont en dernière analyse le facteur qui l'emporte. C'est cette domination générale sur l'ensemble du procès que Marx pense lorsqu'après avoir établi le rapport de la base et de la superstructure dans une formation donnée il ajoute : « De telle sorte que le mode de production de la vie matérielle domine en général le développement de la vie sociale, politique et intellectuelle [51]. »

L'homme est un animal social et un animal producteur. Sa production est toujours socialement conditionnée. Ces rapports sociaux sont tout d'abord purement naturels — ce sont les liens de la consanguinité — ; ils sont donnés, l'homme ne les produit pas ; de même que les conditions matérielles — objet de travail, moyens de travail, objet de consommation — sont tout d'abord donnés, ne sont pas le résultat d'un travail. Mais parce qu'il est naturellement un animal producteur, l'homme comme être social a une histoire. En produisant sa propre existence et en transformant sa manière de la produire, il se transforme lui-même, c'est-à-dire il produit des rapports sociaux qui ne sont plus des données naturelles mais des résultats historiques [52]. En développant ses forces productives et en transformant ses rapports sociaux, il modifie ses rapports à la communauté, il se produit comme individu historique socialement et matériellement déterminé. Les concepts de totalité organique, celui de procès historique et celui de production comme auto-production ou transformation de soi sont donc des concepts fondamentaux du matérialisme historique. Celui de totalité organique permet de penser le conditionnement social de la production. Mais cette totalité organique se transforme, elle est procès de développement, et le moteur de cette transformation, de cette histoire c'est en dernière analyse le déve-

---

51. Cf. la note 14.

52. *Grundrisse, op. cit.*, chap. « Formes qui précèdent la production capitaliste », pp. 312 et suivantes.

53. Introduction de 1857-1858 *in Contribution*, Editions sociales, p. 164.

loppement de la production[53]. Ce qui caractérise le concept marxiste de totalité, ce n'est pas seulement l'interconnexion et le conditionnement réciproque de moments *distincts* (organicité) c'est aussi le fait qu'il y a un moment qui l'emporte, qui prédomine : le développement de la production matérielle domine en général le procès de développement de la totalité et donc « la vie sociale, politique et intellectuelle ».

V. Qu'est-ce que « l'économique » ?

Nous pouvons à partir de là aborder la question difficile de la définition de « l'économique » dans le matérialisme historique. Elle est au cœur de nos débats, et nous la voyons constamment ressurgir sous des formes multiples. Qu'est-ce que « l'économique » dans une société primitive où les rapports sociaux sont naturels ou à peine transformés historiquement ? Qu'est-ce que « l'économique » dans les sociétés de classe pré-capitalistes où la non-séparation du producteur direct d'avec ses moyens de production et de subsistance et la prépondérance de la valeur d'usage déterminent des « formes économiques » d'extorsion du surtravail qui impliquent une contrainte « extra-économique » ? Qu'est-ce que « l'économique » dans une société capitaliste où domine la valeur d'échange, où le prolétaire réduit à sa « pure subjectivité » a en face de lui, séparé de lui, ses moyens de production et de subsistance devenus capital, valeur « produisant » de la valeur, où il devient lui-même marchandise et où l'extorsion du surtravail s'opère dans une « forme économique » sans contrainte « extra-économique » ? Qu'est-ce que « l'économique » dans une société communiste où les classes, l'Etat, l'exploitation de l'homme par l'homme ont disparu, où les producteurs librement associés possèdent en commun et individuellement leurs moyens de production et se développent comme « libres individualités », où leur travail et son caractère social ne revêtent pas la forme d'une « chose » qui les domine (argent), où les conditions objectives et le produit de leur travail ne revêtent plus la forme du capital ? Et plus généralement qu'est-ce que la déviation « économiste » du marxisme, en tant qu'il est théorie générale de l'histoire *et* théorie des formations sociales spécifiques, en tant qu'il est aussi théorie et pratique de la révolution, science de la politique ?

Cela fait beaucoup de questions et il faut espérer que nos

développements antérieurs et la manière même de les poser nous permettront une réponse synthétique.

Ce qui saute aux yeux en effet, c'est que le mot « économique » a au moins deux sens qu'il faut distinguer pour pouvoir ensuite les articuler. En un sens strict le mot « économique » ne s'applique qu'aux sociétés dans lesquelles l'échange marchand et la valeur pénètrent tous les rapports sociaux de la production et où par conséquent les rapports des agents de la production avec leurs conditions objectives et entre eux s'établissent par la médiation d'une « chose sociale » (la valeur autonomisée, l'argent). Dans ces sociétés le mouvement autonome et aliéné de la production sociale domine les producteurs sociaux comme un automatisme étranger et aveugle. L'extorsion de la plus-value et le mouvement du capital se déroulent d'une manière purement « économique » parce que les rapports sociaux et la richesse sociale sont « aliénés » « chosifiés ». C'est sur la base de cette aliénation économique qu'apparaît la « liberté personnelle », que s'abolissent les liens de dépendance personnelle. Mais précisément Marx fait la *critique* de l'économie politique bourgeoise comme théorie de la richesse sociale aliénée qui méconnaît l'historicité de cette aliénation économique. L'argent, le capital ne sont pas des « choses » mais des rapports sociaux *spécifiques* des hommes entre eux et avec la nature. Cette *spécificité* consiste dans la fétichisation et l'aliénation de ces rapports sociaux. Elle a sa source dans la nature historiquement déterminée de ces rapports sociaux de production (et non dans la nature *sociale* de l'homme) et le « libre individu » de la société bourgeoise est une forme historique de l'individualité qu'engendre ces mêmes rapports sociaux.

L'« économique » de la société capitaliste a donc une spécificité historique qu'on ne retrouvera ni dans le communisme ni dans les sociétés pré-capitalistes.

L'« économique » des sociétés de classe pré-capitalistes a aussi sa spécificité. Les rapports des producteurs directs à leurs moyens de production y sont tels que l'extorsion du surtravail implique un rapport de domination et de servitude (esclavage, servage) qu'on retrouve à tous les niveaux de l'édifice social. Mais qu'est-ce que ce rapport ? C'est un rapport d'appropriation qui porte non sur la nature et les animaux mais sur les producteurs directs eux-mêmes. Les travailleurs sont mis au même rang que les moyens de production matériels. Un rapport de domination et de servitude est un rapport de propriété qui porte non sur des choses et des animaux *qui n'ont pas de volonté*, mais sur des hommes [54]. De même qu'il n'y a — il faut peut-être le dire — d'exploitation économique que de l'homme par l'homme. Un cheval produit plus qu'il ne consomme — à moins de quoi il n'est pas domestiqué — mais il n'est pas « exploité » car il n'est pas doué de volonté, il n'est pas homme. Le rapport de domination et de servitude est un rapport de propriété de l'homme sur l'homme qui renvoie à la non-séparation du producteur direct d'avec les conditions objectives de son travail et de sa vie et qui suppose l'intervention brutale et/ou légale de la violence. Mais qu'est-ce que la violence ? C'est une « force économique » nous disent Marx et Engels et en deux sens. D'une part parce que son intervention instaure des rapports de propriété déterminés, ici ceux de l'esclavage et du servage, d'autre part parce que le monopole de la force armée suppose une division du travail dans la société et un développement déterminé de l'industrie [55]. On peut bien, si l'on veut, la nommer « politique » parce qu'il s'agit du gouvernement de l'homme par l'autre homme, mais il faut bien voir que ce « politique »-là n'est pas seulement une superstructure, mais d'abord un rapport social de production, un rapport de propriété qui s'exprimera ensuite également dans une forme proprement politique au niveau superstructural (Etat despotique, antique, féodal) ; et il faut bien voir également que le rapport de forces dit « politique » est un *rapport social* des hommes entre eux déterminé par leur manière de produire. En tant qu'il est organiquement lié à la production, le rapport de servitude est un rapport social économique, c'est-à-dire un rapport social de production et parce qu'on est dans une société de classe il se manifestera « au-dessus » de la structure économique de la société comme rapport proprement « politique », comme superstructure juridico-politique, comme Etat spécifiquement déterminé. Le rapport de force est partout ; il n'est dit « politique » au sens strict qu'au niveau de l'Etat comme organisme qui « domine » les rapports sociaux économiques. Le « politique » au sens strict n'est lui-même qu'une forme spécifique que revêt le lien social dans une

54. *Grundrisse*, p. 343.
55. *Grundrisse*, p. 217, note (a) *Le Capital*, t. III, p. 193 ; Engels, l'*Anti-Dühring*.

société de classe. De même que l'argent est une forme spécifique du lien communautaire dans une société marchande de producteurs indépendants. Dans les sociétés pré-capitalistes de classe où le rapport marchand et l'argent ne « dominent » pas et où du fait d'un développement déterminé des forces productives le producteur direct n'est pas séparé des moyens de production, le rapport social de production comporte une violence « extra-économique » c'est-à-dire une violence directe, immédiate. L'extorsion du surtravail implique en effet l'appropriation des producteurs directs eux-mêmes et l'on ne peut s'approprier des hommes, c'est-à-dire des êtres doués de volonté sans les conquérir comme un territoire et sans les soumettre continuellement par la force.

Disons un mot de la spécificité de « l'économique » dans la formation sociale primitive, « archaïque ». L'échange marchand et le « politique » n'y existent pas si ce n'est dans les rapports occasionnels de communauté à communauté. Les conditions matérielles de la production comme ses conditions sociales sont d'abord données, naturelles, non produites ou à peine transformées par les individus producteurs qui sont comme soudés à leurs conditions de production en tant qu'ils fusionnent avec leur communauté naturelle (propriété communautaire tribale). L'« économique » c'est-à-dire les rapports sociaux de production ne s'y manifestent donc ni comme mouvement autonome de la valeur, ni comme rapport de domination de personne à personne. Ils sont des rapports sociaux naturels non transformés (ou à peine transformés) par l'activité historique des hommes donc des rapports de parenté, les liens sexuels et consanguins socialement codifiés. Lorsque Marx et Engels disent que les rapports de consanguinité « prédominent » dans ces sociétés, ils expriment simplement l'idée que le lien social est d'abord naturel avant d'être transformé ou produit par l'histoire et que même déjà transformé la forme naturelle d'un lien social continue à jouer un rôle important [56]. Mais quelle est la « cause » de leur transformation et subordination aux rapports sociaux historiquement produits ? C'est le développement des forces productives du travail social.

On voit donc quel est le deuxième sens du mot « écono-

---

56. Cf. K. MARX, *Lettres à Vera Zassoulitch.* Economie II, « La Pléiade », pp. 1558 et suivantes. ENGELS, *Origines de la Famille...*, Editions sociales, p. 16, Préface.

mique » applicable à toutes les formations sociales, y compris le capitalisme. Les individus produisent en société : la production matérielle de ces individus est donc socialement conditionnée. Le point de départ de l'histoire, c'est-à-dire les *présuppositions* du développement de la production matérielle et des rapports sociaux qui lui correspondent sont d'abord des données naturelles non transformées par l'homme ; objectives : c'est la nature comme corps non-organique de l'homme ; subjectives : c'est la force de travail, elle-même naturelle ; sociales : c'est la communauté naturelle avec laquelle l'individu fusionne, dans laquelle il se reproduit biologiquement et à travers laquelle il s'approprie la nature en travaillant.

D'abord *présuppositions* de la production, ces conditions matérielles et sociales deviendront ses *résultats.* Ainsi commence *l'histoire* des forces productives de l'homme, celle de ses rapports sociaux et donc celle des formes socio-historiques de l'individualité. L'« économique » dans la société (ou la formation économique de la société) c'est donc dans ce sens général l'ensemble des rapports sociaux des hommes entre eux et avec la nature ; ils sont « économiques » en ceci qu'ils conditionnent la production et se transforment avec elle. Parler des bases économiques de la société et de leur transformation « c'est dire que la vie de l'homme a toujours été fondée, *d'une manière ou d'une autre* [en français] sur la production, sur la production *sociale*, dont les rapports sont précisément désignés par nous comme des rapports économiques » [57]. Comme toute production est appropriation, ces rapports sociaux de production sont des rapports de propriété — quelle qu'en soit la forme historique — qui dépendent en dernière analyse du développement historique de la production. La propriété, dit Marx, n'est en vérité que « le rapport de la production elle-même à la distribution des instruments de production » [58].

Ces instruments sont l'objet et les moyens de travail, les moyens de subsistance et dans les sociétés de classe pré-capitalistes, les producteurs directs eux-mêmes que les maîtres s'approprient — plus ou moins — en les traitant comme des conditions objectives de la production.

Si l'on prend « l'économique » au sens spécifique des rapports

57. *Grundrisse, op. cit.*, p. 329.
58. *Misère de la philosophie*, Editions sociales, p. 160.

sociaux de production *capitalistes* médiés par la valeur autonomisée — ce que fait Proudhon — alors on peut bien parler pour toutes les sociétés pré-capitalistes de *genèse extra-économique* de la propriété ». Ce que l'on désigne ainsi « c'est le rapport prébourgeois de l'individu aux conditions objectives du travail », sa fusion — qui revêt des formes historiques différenciées — avec ces conditions objectives. Cette fusion n'a pas à être expliquée historiquement : elle est point de départ naturel. C'est la séparation capitaliste du prolétaire d'avec ses conditions de travail qui doit être expliquée. Or elle ne s'explique pas par le simple jeu des lois de l'échange marchand, donc par des raisons « économiques » au sens bourgeois du terme. Elle s'explique par le développement historique de la production et de la division du travail dans la société — dont l'échange marchand n'est qu'un effet — et par le rôle de la violence, de la force brutale et/ou légalisée. Aussi Marx peut-il répondre à Proudhon : « le brave Proudhon non seulement pourrait mais devrait dénoncer *l'origine non économique* du capital et du travail salarié en tant que formes de la propriété »[59]. Sans doute, le rapport de production capitaliste se reproduit-il sur une base élargie dès qu'il est instauré. Mais pour que s'opère l'échange entre la valeur et le travail vivant, pour que le capital s'approprie le surtravail du prolétaire « non pas directement mais au moyen de l'échange », pour que le capital et le travail salarié reproduisent ensuite leur rapport sur une base élargie et par le seul jeu des lois de la production marchande capitaliste, il faut préalablement et au moins partiellement que le rapport capitaliste s'instaure. L'instauration de ce rapport est le résultat d'un *processus historique*. Aussi Marx répond-il à Proudhon : « La *genèse extra-économique* de la propriété (dont parle Proudhon) ne signifie rien d'autre que la *genèse historique* de l'économie bourgeoise. » Le concept marxiste *d'histoire sociale* est le concept clef du matérialisme historique ; celui d'« économie » au sens capitaliste du terme n'est qu'un moment transitoire de l'histoire de l'humanité. Cette histoire est « économique » au sens large du terme parce qu'elle est fondamentalement histoire du développement de la production matérielle et de la transformation des rapports *sociaux* qui en résultent. La base de tous les rapports *sociaux* à une époque déterminée réside dans les rapports

59. *Grundrisse*, pp. 328-329.

économiques, c'est-à-dire dans les rapports *sociaux* de production. Les rapports de coercition politique (étatique) ne sont eux-mêmes qu'une forme spécifique et autonomisée que revêt le rapport social sur la base de rapports de propriété antagonistes. Toutes les sociétés humaines ont donc une base économique au sens large du terme, autrement dit des rapports sociaux qui se nouent entre les agents de la production. Dans les sociétés antagonistes où une classe sociale s'accapare le surtravail avec ou sans violence extra-économique, les rapports sociaux économiques impliquent toujours des rapports politiques (étatiques) de coercition. Selon la nature des rapports de propriété réels (forme asiatique, antique, germanique, capitaliste) la domination économique d'une classe sur l'autre y revêtira nécessairement une forme étatique ayant sa spécificité (despotisme oriental, cité antique, féodalité, Etat représentatif moderne). Nous reviendrons dans un chapitre spécial sur ces formes spécifiques de l'Etat auxquelles Marx consacre de nombreux développements. Contentons-nous ici de souligner, d'une part, que le texte que nous commentons présentement est précieux à cet égard puisqu'il formule clairement le principe méthodologique de l'analyse des formes spécifiques proprement politiques (étatiques) que le lien social revêt dans les différentes formations sociales et d'autre part que Marx considérait cette analyse comme la plus difficile qui soit. Annonçant à Kugelmann la parution prochaine du livre I du *Capital*, Marx écrivait :

« C'est la quintessence... et le développement de ce qui va suivre pourraient facilement être réalisés par d'autres, sur la base de ce qui est déjà écrit (à l'exception peut-être du rapport entre les diverses formes de l'Etat et les différentes structures économiques)[60]. »

VI. Rapport de « l'économique » et du juridico-politique

Pouvons-nous considérer maintenant que les problèmes soulevés par les commentateurs althussériens et qui se rapportent à la spécificité de « l'économique » dans les formations pré-capitalistes sont tout à fait élucidés ? Pas tout à fait peut-être. Sans doute avons-nous démontré que la distinction et le rapport de

60. *Lettres sur Le Capital*, Editions sociales, p. 130.

dépendance entre base économique et superstructure juridico-politique que formule le matérialisme historique comme théorie générale de l'histoire sociale, s'appliquent également à ces sociétés de classe pré-capitalistes. Sans doute avons-nous montré que le servage ou l'esclavage sont des rapports sociaux de production, des rapports de propriété avant d'être des superstructures juridico-politiques. Mais nous avons précisé également que le servage et l'esclavage s'ils supposent la non séparation du producteur direct et de ses moyens de production et de subsistance et donc un développement déterminé des forces productives du travail social, comportent également une forme très spéciale de propriété : l'appropriation — plus ou moins totale — des producteurs directs par d'autres hommes qui les traitent comme de simples conditions objectives de leur propre reproduction. Cette appropriation très spéciale ne peut se faire sans violence directe. La dépendance personnelle, le rapport de domination et de servitude résulte de la contrainte extra-économique qu'une personne exerce sur d'autres personnes. Cela ne doit-il pas nous conduire à reconnaître que l'école althussérienne a raison de souligner que dans les sociétés féodales par exemple, le « politique » est déterminé par l'« économique » à le « dominer » ou que lorsque l'historien de ces sociétés cherche « l'économique » c'est dans « le politique » qu'il finit par le trouver, ou bien encore que le juridico-politique n'est pas seulement « au-dessus » de la structure économique mais également dans l'économique lui-même et qu'enfin selon les formations sociales « l'instance » économique et « l'instance » politique s'articulent différemment ?

Reconnaissons tout d'abord que toutes ces formulations correspondent à des problèmes réels et que si on les considère comme des « manières de parler » — ce qui est le cas chez différents auteurs engagés dans la recherche empirique — comme les « indices » de rapports réels à penser, il y aurait beaucoup de pédantisme à vouloir les discuter chaque fois qu'ils naissent sous la plume. Mais on sait que le langage est le véhicule des concepts et des théories et que par conséquent ces mêmes « manières de parler » peuvent être et sont chez d'autres auteurs l'expression d'une nouvelle conception de l'histoire ou d'une nouvelle interprétation du matérialisme historique. C'est évidemment le cas chez un penseur comme L. Althusser.

Par ailleurs nous l'avons dit, si son élaboration théorique est stimulante et mérite d'être discutée systématiquement c'est qu'elle répond à des problèmes réels. La seule méthode de discussion consiste donc à saisir la réalité de ces problèmes, quitte à proposer une autre solution.

Considérons donc ces différentes expressions en réservant pour la fin l'examen de la première formulation.

a. Quand on nous dit que l'historien médiéviste cherchant « l'économique » finit par le trouver dans « le politique » on entend démontrer par là contre « l'économisme » et contre « l'empirisme » que « l'économique » n'a pas d'essence immuable et qu'il faut par conséquent « construire » préalablement son concept pour pouvoir le trouver. Nous croyons avoir montré pour notre part,

1) que la *spécificité* de l'économique dans les différentes formations sociales existe bel et bien. Dans les formations économiques archaïques, le rapport social est d'abord naturel ou à peine transformé par l'homme : les rapports sociaux de production sont donc les liens du sang. Dans les formations de classe pré-capitalistes, l'extorsion du surtravail suppose l'appropriation par les maîtres des producteurs directs et donc des rapports de domination et de servitude. Dans la société capitaliste le lien social et les conditions objectives de la production deviennent argent et capital : cette aliénation fétichisée y spécifie l'« économique ».

Quant à l'« économique » de la société communiste ce qui le spécifie c'est la maîtrise par les producteurs librement associés de leur propre mouvement social : c'est la fin de la pré-histoire de l'humanité, la société *humaine*.

2) que cette spécificité ne fait pas disparaître l'essence commune de « l'économique » de toutes les sociétés. Il n'y a pas de vie sociale sans production et toute production suppose et engendre des rapports de propriété quelle qu'en soit la forme historique. Les rapports de parenté, les rapports de domination et de servitude, la liberté personnelle et la dépendance économique du prolétaire par rapport au capitaliste, l'association volontaire des libres individualités de la société communiste sont des rapports historiques entre les individus qui sont aussi des rapports de propriété.

b. Voyons maintenant comment on peut apprécier l'idée d'une « articulation » spécifique de « l'instance » économique et de « l'instance » politique (ou de tout autre instance) selon les formations sociales. L'idée est intéressante. Dès 1843, Marx a montré la différence entre la société féodale et la société bourgeoise. Disons pour faire vite que la nature des rapports de propriété féodaux engendre des formes politiques spécifiques qui « s'articulent » donc d'une manière originale avec les rapports économiques. Les historiens — et Marx — parlent d'une société « d'ordres » ou « d'états ». La société capitaliste libérale est fondée sur la liberté des propriétaires indépendants (propriétaires de petits moyens de production, propriétaires de grands moyens de production, « propriétaires » expropriés « maîtres » de leur seule force de travail). Cette forme bourgeoise de la propriété engendre l'Etat représentatif moderne où tous « les hommes » libres sont des citoyens « égaux » et donc une « articulation » originale de l'économique et du politique qu'on décrit approximativement en parlant de la « séparation » de la « société civile » et de la « société politique ». Cette question dite de l'articulation entre les instances correspond donc à la difficile question dont parlait Marx « du rapport entre les diverses formes de l'Etat et les différentes structures économiques ».

Mais il faut préciser deux points essentiels pour pouvoir avancer.

1) C'est « l'économique » et ses transformations qui est la *base* des formes spécifiques de l'Etat et donc le fondement caché de tout « l'édifice social ». L'idée d'une « domination » du politique sur l'économique, même si l'on ajoute que c'est « l'économique » qui détermine cette « domination », risque de détruire la base *matérialiste* de la théorie de l'Etat. Et dans la ligne de cette orientation on oubliera également que les formes de la propriété dépendent en dernière analyse du développement et de la nature des forces productives. En un premier temps les rapports de production accaparent toute « l'efficace ». En un deuxième temps on tombera dans le « politicisme » en s'appuyant sur le fait réel que les rapports de propriété dépendent *aussi* des luttes politiques, tout particulièrement dans les périodes de « révolution sociale » ouvertes par le conflit des forces productives et des rapports de production.

2) « L'édifice social » est une « totalité *organique* » en devenir dans laquelle le développement de la production est le facteur qui l'emporte. Or l'idée marxiste de totalité implique bien celle

de moments distincts, différenciés, irréductibles à « l'identité hégélienne »[61], mais elle exclut tout autant l'hypothèse d'une indépendance « d'instances » isolées qui se « combineraient » selon différents modes. Le structuralisme n'est pas la dialectique. L'« organicité » matérialiste des superstructures juridico-politiques implique l'idée d'une interconnexion du politique et de l'économique et celle d'un conditionnement réciproque de l'économique par le politique. Mais cette efficace des superstructures résulte fondamentalement de leur fonctionnalité et donc de leur dépendance par rapport à la *base*. L'organicité des superstructures juridico-politiques oblige à les penser — dans le cadre général de la théorie marxiste des formes — comme une des formes que revêt le lien social dans les sociétés antagonistes. Ce sont les rapports sociaux de propriété qui engendrent les formes politiques spécifiques qui leur correspondent.

c. Que penser maintenant de l'idée selon laquelle le juridico-politique n'est pas seulement « au-dessus » de la structure économique mais également dans « l'économique » lui-même ? C'est certainement une des idées les plus intéressantes rencontrées de divers côtés depuis quelques années et qui est un des symptômes de l'effort théorique entrepris pour approfondir la compréhension des rapports de la base et de la superstructure. Elle exprime confusément, c'est-à-dire sans les distinguer, plusieurs des aspects que présente la réalité sociale complexe ; mais elle ne parvient pas à penser correctement le rapport de ces différents aspects et dans le cadre de cette confusion elle aboutit d'une part à mettre en cause la validité de la distinction matérialiste de la base et de la superstructure, et d'autre part à promouvoir une conception idéaliste-politiciste des rapports base-superstructures. Cela demande quelques explications.

Tout d'abord dire que le juridico-politique est « dans » l'infrastructure, cela « exprime » inadéquatement deux aspects réels de l'inter-connexion et du conditionnement réciproque qui caractérise la totalité sociale en devenir. D'une part, il est incontestable que l'expression juridique des rapports de propriété réels (et la coercition étatique qui est inséparable de cette expression juridique) conditionne l'évolution des rapports de propriété réels

61. Cf. Introduction de 1857-1858, *op. cit.*

eux-mêmes. Il s'agit là de « l'efficace » propre aux superstructures juridico-politiques. D'autre part, il est également incontestable que le « juridico-politique », puisqu'il est l'expression dans une forme propre des rapports de propriété réels, est d'une *certaine façon* contenu dans ces rapports réels. Précisément le marxisme pense ce rapport du contenu économique à sa forme d'expression juridique d'une manière matérialiste en posant celui-ci comme la *base* de celle-là et en élaborant une théorie matérialiste des formes superstructurales. Autrement dit, le marxisme distingue la base de la superstructure, pose un rapport de dépendance générale du droit par rapport à l'économique et dans le cadre de cette dépendance fondamentale rend compte de l'efficace du juridico-politique. Dire que le juridico-politique est « dans » l'économique présente donc quelques inconvénients. Le premier consiste à effacer la distinction réelle entre base et superstructure à partir de l'intention louable de penser d'une part, « l'organicité » du juridico-politique et d'autre part, son efficace propre. Le second inconvénient résulte de l'effacement de cette distinction matérialiste : la formule qui dit que le juridico-politique est «dans » l'économique se convertit facilement en son contraire qui dit que l'économique est dans le juridico-politique c'est-à-dire dans la superstructure. Nous aboutissons ainsi à une conception idéaliste-politiciste de la société. Le troisième inconvénient c'est que dans cette conception le changement social devient inintelligible comme il arrive toujours lorsqu'on pense l'interconnexion et le conditionnement réciproque dans la totalité organique, sans penser également la production et « l'économique » comme le facteur prédominant. Pourquoi passe-t-on du droit féodal au droit bourgeois par exemple ? Pour Hegel c'est le produit du développement de l'Idée incarnée dans l'Etat et le Droit.

Mais le plus important est ailleurs. Le juridico-politique, disons-nous, est bien d'une certaine façon « dans » l'économique ou, plus exactement, le contenu des rapports juridiques est« économique ». Mais que sont ces rapports « économiques » ? Des rapports sociaux entre les agents de la production qui sont des rapports de propriété, avons-nous dit. Mais il y a quelque chose d'essentiel à bien comprendre c'est que l'histoire des rapports sociaux n'est pas autre chose que l'histoire du développement historique des individus ou, ce qui revient au même, que les rapports sociaux en particulier les rapports économiques sont des rapports entre individus historiquement développés. Si l'on ne comprend pas cela on ne comprend pas que le juridico-politique n'est rien d'autre que l'expression, dans une forme superstructurale propre, des rapports existant entre des individus historiques matériellement et socialement conditionnés. Sans doute faut-il s'entendre. La société n'est pas pour Marx ce qu'elle est pour les théoriciens du Droit naturel. Elle ne résulte pas des liens qu'établiraient entre eux des individus préalablement isolés. La société est d'abord naturelle et donc toujours *déjà là.* L'individu est donc un être social constitutivement. Mais l'histoire des forces productives du travail social et l'histoire des rapports sociaux qui en résultent ne sont pas autre chose que l'histoire des individus. En développant leurs forces productives et en transformant leurs rapports sociaux, les individus transforment leur rapport à la nature et leur rapport à la communauté : ils se produisent eux-mêmes comme individus historiquement déterminés ayant un certain rapport avec d'autres individus et ayant aussi un certain rapport avec le caractère social de leur propre développement. L'histoire de l'humanité est donc bien l'histoire des différentes « formations économiques de la société » et celle des modes sociaux de production qui dominent en elles. Mais c'est aussi et tout autant, d'une part, l'histoire du rapport des individus entre eux et avec la nature, donc l'histoire des formes historiques de l'individualité et d'autre part l'histoire des rapports des individus avec leur propre histoire sociale [62]. Que ce soit en 1845-1846 dans *L'Idéologie allemande* ou en 1857-1858 dans les *Grundrisse*, c'est toujours *aussi* sous cet angle individuel que Marx étudie l'histoire de l'humanité. L'individu de la formation sociale primitive est un « animal générique » [63], dit Marx, c'est-à-dire un animal grégaire, un individu immature qui n'a pas coupé le cordon ombilical qui le lie à sa communauté. Les sociétés de classes pré-capitalistes connaissent des formes privées de la propriété et donc l'homme s'y individualise mais il appartient toujours à des communautés naturelles et/ou historiques et a, avec d'autres individus, des rapports de dépendance personnelle. La société bourgeoise naît de la dissolution de ces communautés antérieures et de l'abo-

62. Cf. « Lettres à Annenkov » *in Lettres sur « Le Capital »*, Editions sociales, pp. 27-28.

63. *Grundrisse*, p. 337.

lition des liens de dépendance personnelle : la libre propriété privée c'est aussi l'avènement historique de l'individu « indépendant » de la société bourgeoise. L'histoire sociale est donc bien l'histoire du rapport des individus entre eux et à la communauté (dissoute ou non)[64]. Elle est aussi histoire du rapport entre le développement individuel et le développement social. A cet égard ce qui caractérise toute la pré-histoire de l'humanité c'est que d'une façon ou d'une autre, avec ou sans dépendance personnelle, avec ou sans fétichisation du rapport social, *les individus y sont dominés par leurs conditions sociales d'existence.* Seul le communisme renverse ce rapport et produit une « libre individualité » connaissant au-delà et à partir de la nécessité une sphère de la liberté, et ceci parce que librement associés les uns aux autres et possédant en commun et individuellement leurs moyens de production, les producteurs maîtrisent et *dominent* leur propre mouvement social au lieu d'être dominés par lui[65].

Ainsi ce qui est « dans » « l'économique » ce n'est pas à proprement parler « le juridico-politique » qui est superstructural, ce sont plutôt ces rapports des individus entre eux qui sont inséparables des rapports de production existant et du développement déterminé des forces productives. Voilà le contenu économique qui s'exprimera ensuite dans le Droit civil et le Droit politique. Dans la société féodale par exemple ce n'est pas « le juridique » qui détermine les rapports réciproques des individus dans la sphère « économique », c'est le contraire qui est vrai : comme dit Marx « cette dépendance personnelle caractérise aussi bien les rapports sociaux de la production matérielle que toutes les autres sphères auxquelles elle sert de fondement »[66]. De même que dans la société bourgeoise le droit ne crée pas mais exprime des rapports d'indépendance personnelle et de concurrence entre les individus qui résultent du développement du mode de production, d'échange et d'appropriation bourgeoise.

d. Enfin, examinons une dernière fois en partant de la société féodale l'intérêt que présente l'idée d'une domination du « politique » déterminée par l'économique lui-même. Elle exprime

---

64. *Grundrisse,* pp. 208 et suivantes.
65. *Le Capital,* t. VIII, p. 198.
66. Cf. la note 41.

incontestablement la présence de la contrainte extra-économique dans la forme économique d'extorsion du surtravail. Ce que l'on entend donc ici par « politique », c'est d'une façon générale « la force ». Mais alors nous sommes renvoyés à un problème très complexe : c'est celui du rôle de la force dans le processus historique pendant toute la pré-histoire de l'humanité ; celui des formes diverses qu'elle revêt pendant toute cette pré-histoire : formes brutales et directes (guerres civiles et guerres entre « peuples ») et formes légales et institutionnalisées (dictature de l'Etat ou « politique » proprement dit) ; celui de l'histoire de ses formes spécifiques aux différentes étapes de l'histoire (histoire de la guerre et histoire de l'Etat) ; celui du rapport existant en général entre la violence et l'histoire économique de la société et celui du rôle spécifique qu'elle joue aux différentes étapes de cette histoire dans l'évolution des rapports de propriété ; celui enfin du rapport entre la politique-force et la politique-consensus dans l'histoire de l'humanité et dans chaque formation sociale. Nous n'aborderons pas ces questions ici mais nous soulignerons seulement deux points : le premier c'est que, selon Marx, ce sont *les hommes qui font leur propre histoire* ; ils la font dans des conditions matérielles, « économiques », politiques, idéologiques déterminées et en étant dominés par leur propre mouvement social pendant toute leur « pré-histoire », mais ce sont eux qui la font. Ils font leur propre histoire parce qu'en développant leurs forces productives ils transforment leurs rapports sociaux de production, ils *produisent* des rapports de production « historiques », non naturels ou du moins ils créent les conditions d'instauration de ces nouveaux rapports. En produisant et en développant leurs forces productives, ils créent donc aussi indirectement leurs conditions politiques et idéologiques d'existence dont les rapports de production sont *la base*.

Mais ils font également leur propre histoire parce que dans des conditions économiques, politiques et idéologiques déterminées ils entreprennent la transformation de ces conditions, en s'organisant en forces sociales, politiques, idéologiques qui agissent sur les hommes et leurs rapports sociaux multiples par la force et par les idées.

Le deuxième point c'est que pour Marx, quelle que soit l'efficace propre de la force et des idées dans l'histoire en général, et dans une formation sociale spécifique, ce ne sont ni les idées ni la force qui dominent en général le cours de l'histoire, mais le développement de la production. Cette proposition générale est valable dans toutes les formations sociales y compris la société féodale quel que soit le rôle spécifique qu'y joue la force dans la sphère de « l'économique » et dans les autres sphères sociales dont elle est le fondement.

On sait par ailleurs qu'en réaffirmant ainsi que ce sont les hommes qui font leur propre histoire dans des conditions déterminées (qui sont d'abord des *présuppositions naturelles* avant d'être des *résultats historiques*) nous soulevons la question de principe où l'interprétation althussérienne du matérialisme historique rompt le plus nettement avec l'interprétation qu'en donnaient Marx et Engels. Si l'on ajoute que pour Marx et Engels le communisme est la fin de la pré-histoire de l'humanité parce que pour la première fois les individus *volontairement* associés y *dominent* les rapports sociaux qu'ils ont antérieurement produits et se développent multilatéralement, comme *libres* individualités, on mesurera tout à fait l'enjeu philosophique de ce débat, sur les concepts de « domination » et de « détermination ».

Conclusion

Nous croyons avoir montré, en examinant la thèse de L. Althusser et les trois textes sur lesquels elle s'appuie, qu'il fallait absolument distinguer des problèmes différents.

— *Premier problème et premier texte* : celui de la formulation du principe général du matérialisme historique : le mode de production de la vie matérielle domine en général le procès de la vie sociale, politique et intellectuelle.

— *Deuxième problème et deuxième texte* : dans des formations sociales différentes, des formes idéologiques spécifiques, des « langues » différentes dominent dans la sphère de l'idéologie.

— *Troisième problème et troisième texte* : dans les formations pré-capitalistes, des formes juridico-politiques spécifiques correspondent à la spécificité de la structure économique.

Si on les distingue correctement, on peut conclure que le spécifique rencontré aux points 2 et 3 ne remet pas en cause, mais confirme la validité du principe général formulé au point 1.

Enfin, chemin faisant, nous avons été amenés à dégager un

problème fondamental du matérialisme historique qui malheureusement est complètement enseveli chez de nombreux commentateurs. C'est le problème du rapport entre « le développement social des hommes » et leur « développement individuel ». Il nous a permis de dégager un usage essentiel du concept de « domination ». Pendant toute la pré-histoire de l'humanité, les hommes sont dominés par leur propre mouvement social quel que soit le degré d'individualisation atteint et quelque forme que revêtent leurs rapports sociaux (dépendance personnelle dans les sociétés pré-capitalistes, indépendance personnelle, fétichisation et aliénation dans les sociétés capitalistes). Seule la formation sociale communiste inversera ce rapport : les individus « dominant » leur propre mouvement social [67]. Cette spécificité du communisme ne remet pourtant pas en cause la « domination » du procès social de production sur l'ensemble de la vie humaine. La sphère de la liberté où « commence le développement des forces humaines comme fin en soi » ne supprime pas la sphère de la nécessité ; elle a comme base spécifique une organisation communautaire de la production qui repose sur l'association volontaire et qui permet le contrôle méthodique et conscient du procès social de production [68].

Mode de production, classes et luttes de classes dans « Réponse à J. Lewis ».

Annexe. L'étude qui précède ne prend en compte que les textes althussériens des années 1965, je voudrais au moins rapidement évoquer les développements intervenus ultérieurement. Cette évolution doit être étudiée, me semble-t-il, en centrant l'analyse sur deux points : la conception du « philosophique » et l'interprétation du matérialisme historique. En 1965, la philosophie était définie par L. Althusser comme « théorie de la pratique théorique » ; c'est pourquoi je parle dans le texte ci-dessus du « marxisme épistémologique ». A partir de 1968, L. Althusser a entrepris une critique de ce qu'il a appelé son « théoricisme ». Son dernier livre (*Eléments d'auto-critique*) comprend une critique vigoureuse et courageuse de cette « déviation théoriciste » et en particulier de l'opposition métaphysique qu'il établissait entre

67. *Grundrisse*, p. 211.
68. Cf. la note 65.

science et idéologie. Cette opposition métaphysique et cette réduction de la philosophie à une sorte d'épistémologie générale produisit des effets assez négatifs. Depuis 1968, L. Althusser a avancé une nouvelle conception de la philosophie qui privilégie cette fois son rapport à la politique. Malgré les « rectifications » et enrichissements apportés depuis 1968, cette nouvelle définition ne parvient pas à dépasser son « politicisme » originaire et, pas plus que la première définition, elle ne rend pas compte du statut du philosophique. Du « théoricisme » au « politicisme » c'est l'identité des contraires et, bien qu'elle soulève des problèmes réels, cette nouvelle théorie du philosophique produit des effets tout aussi négatifs que la première.

En ce qui concerne le matérialisme historique, l'interprétation de 1965 me semble avoir son origine dans une « structuralisation » de la dialectique historique qui la rend finalement inintelligible. J'ajouterai que, chemin faisant, L. Althusser a posé toute une série de problèmes très réels et c'est là son mérite. Il faut remarquer que, contrairement à ce qui s'est passé pour le « théoricisme », L. Althusser ne me semble pas avoir sérieusement remis en cause sa « structuralisation de la dialectique ». Cela ne signifie pas pour autant que rien n'a bougé et que la même matrice fondamentale ne produit pas d'autres effets dans un contexte historique différent.

Quels sont ces nouveaux effets ? Pour aller droit à l'essentiel il faut examiner la nouvelle théorie de la lutte des classes présentée dans *Réponse à J. Lewis*. L. Althusser y oppose la théorie « réformiste » de la lutte des classes à la théorie « révolutionnaire » du M.-L. (marxisme-léninisme). Je cite :

« Pour les *réformistes* (même s'ils se déclarent marxistes) ce n'est pas la lutte des classes qui est au premier rang : ce sont les classes »... « les classes existent *avant* la lutte des classes, *indépendamment* de la lutte des classes et la lutte des classes existe seulement *après* »... « Pour éclairer cette idée, il faut rapprocher cette " position " réformiste de ses origines bourgeoises. Dans sa lettre à Weydemeyer, du 5 mars 1852, Marx écrivait :

« ... ce n'est pas à moi que revient le mérite d'avoir découvert *l'existence des classes* dans la société moderne, pas plus que *la lutte des classes* qu'elles s'y livrent. Des historiens bourgeois avaient exposé bien avant moi l'évolution historique de cette lutte des classes, et des économistes bourgeois en avaient décrit l'anatomie économique. »

« La thèse de la reconnaissance de *l'existence des classes sociales*, et de *la lutte des classes qui s'ensuit* n'est pas le propre du marxisme-léninisme : car elle met les classes au premier rang, et la lutte au second. Sous cette *forme*, c'est une thèse bourgeoise qui nourrit naturellement le réformisme. La thèse marxiste-léniniste au contraire met *la lutte de classes* au premier rang... La lutte de classes n'est pas l'effet dérivé de l'existence des classes qui existerait antérieurement (en droit et en fait) à leur lutte : la lutte des classes est la forme historique de la *contradiction* (interne à un mode de production) qui *divise* les classes en classes [69]. »

« Mais attention à l'idéalisme ! La lutte des classes ne se déroule pas en l'air... elle est ancrée dans le mode de production, donc d'exploitation d'une société de classe. Il faut donc considérer la *matérialité* de la lutte des classes : son *existence* matérielle. Cette matérialité, c'est, en dernière instance, l'unité des Rapports de Production et des Forces productives *sous* les Rapports de production d'un mode de production donné, dans une formation sociale historique concrète. C'est à cette condition que la thèse révolutionnaire du primat de la lutte des classes est matérialiste [c'est L. Althusser qui souligne] [70]. »

Cette nouvelle théorie de la lutte des classes et la nouvelle distinction entre « réformistes » et « révolutionnaires » qu'elle prétend fonder n'ont guère retenu l'attention en France. Elle me paraît pourtant très digne d'intérêt et de plusieurs points de vue.

Pour éclairer sa signification théorique on pourrait utilement réfléchir aux analyses *politiques* que les dirigeants du Parti communiste chinois font de la lutte des classes dans les pays qui construisent le socialisme d'une part et sur le plan des rapports internationaux d'autre part.

Ne peut-on pas dire en effet que pour les dirigeants du P.C.C. c'est « la lutte de classe » dans la version mystifiée qu'ils en présentent qui détermine l'existence des classes dans un pays ou au plan international ? Sur le plan intérieur dans un pays qui

---

69. *Réponse à J. Lewis*, pp. 28-29.
70. *Réponse à J. Lewis*, p. 31.

construit le socialisme, c'est la lutte entre deux « idéologies » qui en définitive sert de critère à « l'identification » des classes.

Je précise que cette confrontation entre la pratique politique du P.C.C. et la nouvelle conception de la lutte des classes de L. Althusser ne vise qu'à éclairer la signification théorique de cette dernière. Dans la *Réponse à J. Lewis* les références à Mao Tsé-Toung restent très globales et à ma connaissance L. Althusser n'a jamais approuvé les analyses politiques du P.C.C.

C'est donc au plan théorique que nous examinerons sa nouvelle thèse et nous commencerons par étudier l'utilisation qui est faite du texte de K. Marx. Je dirai tout d'abord mon étonnement devant les résultats produits par la méthode de « lecture symptômale » ! Dans ce cas précis — où le texte de Marx ne présente aucune difficulté d'interprétation — on hésite même à argumenter, tellement la déformation est patente. Pour Marx, en effet, c'est le *mérite* des historiens bourgeois d'avoir découvert l'existence des classes et de leurs luttes et c'est le *mérite* des économistes bourgeois d'avoir découvert la base économique de la « société civile ». Le *mérite* de Marx consiste à avoir montré le caractère historique transitoire de la formation sociale bourgeoise et la nécessité d'une phase transitoire de dictature du prolétariat pour passer à la formation sociale communiste sans classe et sans Etat. Tel est pour Marx le critère de différenciation des vrais « réformistes » et des « révolutionnaires » et il permet de caractériser les limites de la *science* bourgeoise. Peut-on dire avec L. Althusser que « la reconnaissance de l'existence des classes sociales et de la lutte des classes qui s'ensuit » est « une thèse bourgeoise qui nourrit naturellement le réformisme » ? Je ne le pense pas. L'essence du réformisme pour Marx c'est de ne pas vouloir mener la lutte des classes jusqu'au bout, c'est-à-dire jusqu'à la dictature du prolétariat qui rend seule possible la disparition des classes et le dépérissement de l'Etat. Et ce réformisme est nourri par la pensée bourgeoise non pas en tant qu'elle reconnaît l'existence des classes et des conditions économiques qui les engendrent, mais en tant qu'elle ne mène pas assez loin l'analyse de cette existence jusqu'au point où l'on établit scientifiquement le caractère historique de la formation sociale bourgeoise et des classes dont elle reproduit l'existence, jusqu'au point où l'on démontre que les classes n'ont pas toujours existé et qu'elles n'existeront pas toujours et qu'il en va donc de même de la lutte qui est inséparable de leur existence. Ce sont d'ailleurs ces idées que l'on trouve exprimées dans la suite de la lettre de Marx à Weydemeyer.

Ne faut-il pas en conclure qu'il est absurde de séparer, ou d'opposer l'existence des classes et leurs luttes. L'analyse de la plus-value et de sa capitalisation, l'analyse de la production et de la reproduction capitalistes n'est-elle pas précisément et *inséparablement* explication de l'existence et de l'antagonisme de la bourgeoisie et du prolétariat ?

Admettons maintenant avec L. Althusser qu'il y ait des marxistes réformistes pour qui « les classes existent avant la lutte des classes, *indépendamment* de la lutte des classes et la lutte des classes seulement *après* »... Faut-il pour autant et pour être révolutionnaire adopter la position symétrique inverse et déclarer que le marxisme-léninisme soutient que la lutte de classes occupe le premier rang et l'existence des classes le second ? Lénine a bien critiqué « l'objectivisme » en sociologie, ses limites scientifiques et politiques, mais il a également récusé le subjectivisme. Je veux bien reconnaître qu'il n'est pas suffisant de dire que « la lutte de classes (est) l'effet dérivé de l'existence des classes » surtout si l'on précise que ces classes « existeraient antérieurement à leur lutte ». Mais ne risque-t-on pas, en adoptant la position inverse, de laisser croire que c'est la lutte des classes (ou une de ses formes, la forme idéologique par exemple) qui produit l'existence des classes ? Il est bien vrai que les classes n'existent pas *indépendamment* de la lutte des classes, mais ce qui est vrai également c'est que les classes *en lutte* existent objectivement et *indépendamment* des orientations subjectivistes qu'un parti peut donner à sa lutte politique et idéologique, *indépendamment* de sa conception erronée de la lutte des classes à un moment donné. Je sais bien que L. Althusser ne dit pas que la lutte des classes produit l'existence des classes, mais on n'en est pas si loin. Que dit-il exactement ? Que « la lutte des classes est la forme historique de la *contradiction* (interne à un mode de production) qui divise les classes en classes ». Nous sommes donc renvoyés à l'extorsion de la plus-value, à l'exploitation économique, aux analyses où Marx montre qu'en produisant de la plus-value, le prolétaire produit et reproduit aussi l'existence du prolétariat et de la bourgeoisie. Tout cela est aujourd'hui assez bien connu et c'est même une thèse assez ancienne dans le marxisme puisque Marx la défend dans les *Manuscrits de 1844* sous une forme où elle n'est pas souvent reconnue. Est-ce que cela règle tout à fait son compte à l'idée d'une « existence préalable des classes » d'où dériverait leur lutte ? Je ne le pense pas car, pour que le mode de production capitaliste commence à fonctionner au sein de la formation sociale féodale, il faut préalablement et au moins partiellement que le producteur direct ait été radicalement séparé de ses moyens de production et de subsistance, que ces conditions matérielles de la production soient monopolisées à l'autre pôle et que la fortune monétaire et la coercition politique établissent le rapport salarié. Si la section VII du livre I du *Capital* étudie la capitalisation de la plus-value et la reproduction de la bourgeoisie et du prolétariat, la section II étudie la transformation de l'argent en capital et la section VIII les réalités que recouvre la soi-disant « accumulation primitive ». La dissolution du mode de production féodal et des différentes méthodes d'accumulation primitive créent les *éléments préalables* qui vont permettre au rapport marchand de s'emparer de la production. Ne peut-on pas dire que ces éléments *préexistent* au rapport d'exploitation capitaliste [71] ?

Pour m'en tenir à une conclusion modérée, je dirai donc que la pensée de L. Althusser est *en dérive* vers une interprétation politiciste du matérialisme historique et qu'ainsi sa conception de la dialectique historique est en accord avec sa conception de la philosophie conçue comme étant « en dernière instance lutte de classes dans la théorie » (dernière formulation).

Je dis « en dérive » — et ça suffit pour produire des effets — parce que L. Althusser n'abandonne jamais « sa *détermination* en dernière instance par l'économie » même s'il fait *dominer* tout autre chose — aujourd'hui la lutte de classes sur l'existence des classes. Je ne sais comment le lecteur jugera le texte qui précède cette annexe, mais ce qui est sûr, c'est que mon souci était de critiquer la position réelle de L. Althusser sur un point précis. De même sa nouvelle théorie est censée échapper à l'idéalisme par un ancrage de la lutte des classes dans sa matérialité économique. Mais voyons les choses d'un peu plus près. « Cette matérialité, c'est en dernière instance, l'unité des Rapports de Production et des Forces productives *sous* les rapports de production

71. *Grundrisse*, pp. 346 et suivantes.

d'un mode de production donné. » Voilà où gît le lièvre structuraliste et voilà où l'on trouvera la continuité au-dessous des développements de l'élaboration althussérienne. Car cette conception de l'efficace des rapports de production était déjà présente dans les travaux antérieurs à 1968 sous une autre forme. Cette efficace attribuée unilatéralement aux rapports de production dévore celle des forces productives et ne peut conduire qu'à l'impasse. Le développement historique et le rôle qu'y joue la lutte de classes ne peuvent devenir intelligibles que si l'on conçoit adéquatement la dialectique interne du mode social de la production matérielle. Or cette dialectique interne est « structuralisée », c'est-à-dire anéantie, dans une pareille conception. Elle permet sans doute de rendre compte de la fonction motrice des rapports de production dans les périodes où ils fonctionnent comme « forme de développement » des forces productives, elle permet de comprendre leur rapport de non-extériorité et comment les forces productives sont « modelées » par des rapports de production déterminés ; bref l'unité des forces productives et des rapports de production. Mais si cette « unité » est toujours dépendante des rapports de production eux-mêmes, je ne vois plus d'où viendra la contradiction et donc la création des conditions d'un « bouleversement de la praxis ». C'est dans cette absorption complète des forces productives par la structure des rapports de production que je vois la faiblesse majeure des thèses d'Althusser. Structuralisme qui ne peut qu'engendrer le politicisme. Idéalisme également car le matérialisme marxien a ses racines profondes dans la thèse suivante : c'est le développement des forces productives matérielles du travail social qui domine en général tout le développement historique. C'est cette thèse que Marx réaffirme constamment dans tous les textes où il expose la théorie générale du matérialisme historique qu'il s'agisse de la Préface de 1859 ou de la lettre à Annenkov de 1846. Il est vrai que cette domination générale des forces productives sur le procès de développement de la totalité sociale peut être et a été conçue de manière mécaniste. Mais ce n'est pas le cas chez Marx.

Il y a bien unité des forces productives et des rapports sociaux de production, mais en ajoutant que cette unité se réalise « sous les rapports de production d'un mode de production donné », il me semble que L. Althusser s'éloigne de la pensée de Marx sur un point décisif. Le problème est en effet de savoir ce qui *l'emporte* ou ce qui *domine* en dernière analyse quand on considère le procès de développement de cette totalité organique qu'est le mode social de production de la vie matérielle dans l'histoire de l'humanité. Or je crois que si l'on considère la question à la lumière du concept de « procès », c'est-à-dire si l'on considère l'histoire de l'humanité, il est clair que ce sont les forces productives qui l'emportent en dernière analyse. Ainsi s'explique la formation d'une « connexité dans l'histoire des hommes ». Les formes économiques sont, comme dit Marx, « transitoires et historiques » c'est-à-dire dans une *dépendance générale* par rapport au développement des forces productives. Leur efficace propre — formes de développement ou entraves — ne supprime pas cette dépendance générale. Ainsi peut naître la contradiction, le conflit qui ouvre « une période de révolution sociale » et ainsi la *dialectique* historique devient intelligible. L'unité telle que la conçoit L. Althusser supprime « la différence réelle ». Marx au contraire affirme : « Dialectique des concepts force productive (moyens de production) et rapports de production, dialectique dont les limites sont à déterminer et qui ne supprime pas la différence réelle [72]. » Attribuer toute l'efficace aux seuls rapports de production, ou leur attribuer la domination met en place une matrice théorique qui produit habituellement des effets contradictoirement identiques : un pessimisme politique résultant d'une prétendue intégration de toute force au système et/ou un volontarisme subjectiviste, une surpolitisation, un politicisme.

P.S. Octobre 1975. L. Althusser revient sur le problème de la détermination en dernière instance dans son article de *La Pensée* d'octobre 1975, numéro 183, intitulé : « Est-il simple d'être marxiste en philosophie ? » Il faudrait évidemment analyser cette nouvelle élaboration.

---

72. « Introduction de 1857-1858 » *in Contribution*, p. 173.

TABLE DES MATIERES

La composition et l'impression
de ce livre ont été
réalisées sur les presses
de l'Imprimerie Laballery et Cie
58500 Clamecy
pour le compte des Editions sociales
146, rue du Fg-Poissonnière, 75010 Paris
Service de vente : **24, rue Racine, 75006 Paris**

Numéro d'éditeur : 1794

Numéro d'impression : 18554

Dépôt légal : 3e trimestre 1977

LA PENSÉE

REVUE DU RATIONALISME MODERNE

SCIENCES - ARTS - PHILOSOPHIE

La Pensée est indispensable à tout intellectuel, tout homme de culture qui veut se tenir au courant, sur la base d'une réflexion marxiste, du mouvement et des acquis de la connaissance, de l'enjeu des débats théoriques en cours, tant dans le domaine des sciences de la nature que sociales et humaines.

Prochains numéros :

Septembre-octobre 1977 (n° 195) — « **LA SCIENCE AUJOURD'HUI** » (H. Axelrad, G. Cogniot, A. Giralt, P. Glansdorff, M. Imbert, P. Labérenne, J. Metzger, J.-Cl. Pecker, R. Prud'homme, G. Simon, R. Thom...).

— « Bouillonnement » de la science et crise de certaines disciplines.
— Rapports de plus en plus étroits entre science et société.
— Science en crise et crise de la société.
— Dialectique entre surgissement continu des besoins et recherche scientifique.
— Connaissance scientifique et philosophique : la science a besoin de la démocratie, la démocratie a besoin de la science.
— La révolution scientifique et technique.

Novembre-décembre 1977 (n° 196) — « **Y A-T-IL EU DES MODELES DE VOIES DE PASSAGE D'UN TYPE DE SOCIETE A UN AUTRE ?** » (A. Adler, A. Casanova, E.-V. Goutnova, J. Legrand, M. Lévêque, Ch. Parain, Z.-V. Oudaltzova, L. Sève, A. Soboul...).

— Etudes spatio-temporelles, comparatives, de différents types de formation sociale.

— Le problème de la successivité des modes de production.

— Schéma théorique et réalité vécue de la transition. Voies originales de développement.

— Internation et externation des contradictions. Contradiction fondamentale et contradiction décisive à un moment donné.

— En France, quelle transition pour quel socialisme ?

Mars-avril 1978 (n° 198) — « **L'HOMME ET LA NATURE** » (J. Barrau, G. Bertrand, J.-P. Gask, J. Gomila, P. Geistdorfer, M. Godelier, V. Labeyrie, J.-P. Lefebvre...).

— Milieu naturel et travail social.

— Qu'est-ce que l'histoire naturelle aujourd'hui ?

— Pour une histoire écologique et la nouvelle frontière des ressources.

— Bon et mauvais usage de l'écologie.

— La géographie et l'espace.

— La nature chez Marx, dans *le Capital* et les *Grundrisse.*

La Pensée est en vente dans les principales librairies. Paraît tous les deux mois.

Abonnements : France 90 (Etudiants : 81)
Autres pays : 110

La Pensée, 146, rue du Faubourg-Poissonnière, 75010 Paris.
C.C.P. PARIS 4209-70